RHAPSODIE CUBAINE

DU MÊME AUTEUR

LES NONNES, Gallimard, 1970.
EUX OU LA PRISE DU POUVOIR, Gallimard, 1971.
HOLOCAUSTUM OU LE BORGNE, Gallimard, 1972.
L'AUTRE DON JUAN, Gallimard, 1974.
MADRAS, LA NUIT OÙ..., Gallimard, 1975.
LADY STRASS, PIÈCE EN TROIS VOLETS, Avant-Scène, 1977.
LA MAURESQUE, Gallimard, 1982.
ZONE INTERDITE, Gallimard, 1984.
UN BALCON SUR LES ANDES ; MENDOZA EN ARGENTINE ; MA'
  DÉA, Gallimard, 1985.
HISTOIRE DE MAHEU LE BOUCHER, Papiers, 1986.
L'ÎLE DU LÉZARD VERT, Flammarion, 1992.
HABANERA, Flammarion, 1994.
MONSIEUR LOVESTAR ET SON VOISIN DE PALIER, Acte-Sud
  1996.

EDUARDO MANET

RHAPSODIE CUBAINE

roman

BERNARD GRASSET

PARIS

À Françoise Verny,
à notre longue, loyale amitié.

La Havane. Janvier 1960

La rutilante Cadillac continentale de l'homme d'affaires cubano-espagnol Edelmiro Sargats roule à une vitesse de croisière dans les rues étroites de la vieille Havane. L'aube commence à poindre et la lumière bleutée de l'hiver tropical s'accroche aux corniches et balcons ouvragés des vieilles maisons coloniales, fait briller les portes cochères du XVIIᵉ siècle destinées autrefois à l'entrée des calèches et des carrosses qui venaient décharger leurs passagers dans le patio central de ces belles demeures seigneuriales. Les façades d'un autre âge cachent avec pudeur les ravages du temps. Si certaines sont aujourd'hui devenues des bibliothèques ou des musées, la plupart de ces bâtisses historiques ont subi le même honteux traitement lorsque, au début du siècle, leurs nouveaux acquéreurs cédant à la fièvre de la spéculation les avaient transformées, modifiant du même coup la physionomie de la vieille ville : ici des murs avaient été abattus, là on en avait élevé de nouveaux pour empiler les habitants et rentabiliser l'espace. Et si l'intérieur de ces demeures avec leurs vastes salles au plafond décoré de poutres de bois précieux avait été violé, torturé, réduit à l'état de taudis et voué à la décrépitude, certaines façades gardaient encore leur splendeur passée.

La Cadillac roule au ralenti. Julian, le jeune fils d'Edelmiro Sargats, le nez collé à la vitre, regarde défiler ces anciens palais dont il connaît les moindres pierres et qu'il ne se lassera jamais d'aimer. C'est en compagnie de Rita Alfaro, sa défunte grand-mère, qu'il avait visité la vieille

Havane maison par maison — Rita qui adorait flâner avec son petit-fils dans ce quartier si semblable à la Séville de son enfance.

Six mois à peine après la disparition de la vieille femme, à la mi-juillet 1959, Edelmiro Sargats annonçait à sa famille :

« Nous allons quitter Cuba avant que cette île ne devienne un bastion du communisme. »

Julian n'avait retenu que deux mots : « quitter Cuba ».

Quelques jours auparavant il avait fêté ses treize ans. Parmi les cadeaux qu'il avait reçus, celui qu'il appréciait le plus était un Rolleiflex avec un beau boîtier en cuir. Grâce à ses économies, il avait acheté une douzaine de pellicules Kodak et, plusieurs jours durant, il avait photographié méthodiquement ce quartier qui évoquait son enfance à lui et son attachement à sa grand-mère bien-aimée, ex-danseuse et chanteuse andalouse au tempérament de feu.

Julian Sargats appuie son front à la vitre pour ne pas se laisser aller au désespoir : rien que de penser à sa grand-mère, il a les larmes aux yeux.

Des vitres filtrantes, encore une idée de mon père. « A quoi servent ces verres fumés ? » lui ai-je demandé une fois par pure perfidie, car je connais d'avance sa réponse. « En Aragon, mon fils, le soleil est clément, il fait germer les fruits de la terre, adoucit les hivers. Ici ses rayons ne sont bons qu'à brûler les yeux et la peau. Un soleil pour les crocodiles et les iguanes ! Ces vitres teintées nous protégeront de ses méfaits... »

Depuis trente ans que mon père a quitté Jaca, sa ville natale, il ne se passe pas un jour sans qu'il ne prononce le nom magique d'Aragon. Prière. Exclamation. Cri d'amour. Il ressasse indéfiniment le même discours : « Le nord de l'Espagne est prospère, mon fils, il est économe, patient et probe. Le bas de l'Espagne est chaud, paresseux et veule. En un mot : maure ! »

Il ne dit jamais le sud, mais le bas de l'Espagne, comme on parlerait du bas-ventre de quelqu'un. « Le bas de l'Espagne » pour mieux offenser ma grand-mère l'Anda-

louse. Car maintenant que cette femme qu'il craignait est morte, l'Aragonais se croit tout permis. Y compris d'obliger ma mère et moi à quitter Cuba contre notre gré.

« La ville se réveille et c'est encore la fête, don Edelmiro », murmure avec une moue dédaigneuse Serafin, le chauffeur noir de la famille.

La voiture tourne lentement et se dirige vers le Paseo del Prado et le Parc Central. Sur tous les murs de l'ancien quartier colonial, on peut lire en grosses lettres badigeonnées :

UN AN DÉJÀ !
NOTRE RÉVOLUTION EST HUMANISTE
MERCI FIDEL !

« Les salopards ! Ils ont apporté le chaos dans cette île et ils se vantent... "Merci Fidel..." Les imbéciles ! Ils feraient mieux de remercier le président Eisenhower. Si les Américains n'avaient pas lâchement laissé tomber le général Batista ces barbus de merde seraient encore dans la Sierra Maestra, accrochés à leurs arbres. Des guerilleros ?... Des macaques ! » s'exclame Edelmiro Sargats, mordant furieusement son cigare, ce qui provoque la chute d'un anneau de cendre sur son pantalon d'alpaga bleu marine.

« Vous dites vrai, don Edelmiro. Pauvre Cuba ! » renchérit Serafin.

Exaspéré par ces signes d'allégresse en hommage au premier anniversaire de la Révolution, Edelmiro Sargats ordonne à son chauffeur de regagner au plus vite le quartier résidentiel du Vedado.

« Qu'ils fêtent ! Qu'ils rient ! Dans un an, nous les verrons pleurer !

— Dieu vous soit témoin, don Edelmiro !

— Je sais de quoi je parle, Serafin ! Il n'est de crime plus odieux que de trahir sa propre race, sa classe sociale, son pays. Le gallego Castro, le père du barbu, figure-toi que je l'ai bien connu. Le vieux est arrivé ici pour faire la guerre aux Cubains. Il a lutté comme un brave et après l'indépendance il est resté. Travailleur comme un paysan du Nord, il s'est enrichi à la force du poignet. Comme moi. Nous autres les Galiciens et les Aragonais nous avons beaucoup de points communs. Ce Fidel, son fils, aurait pu faire une carrière de sénateur ou devenir ministre de la République et voilà qu'il prend la tête d'une bande de guerilleros. Bandoleros, tu veux dire ! Regarde-moi ce tissu de mensonges : "Notre Révolution est humaniste !" Quand on enlève aux propriétaires des terres qu'ils ont achetées et cultivées, ça ne s'appelle pas l'humanisme mais le communisme !

— Ce que vous dites est vrai, don Edelmiro. Les communistes qui sont malheureusement nombreux au quartier de la Vibora où j'habite soutiennent que le frère de Fidel Castro, Raul, Camilo Cienfuegos et le Che reçoivent des ordres de Moscou.»

Julian n'a jamais aimé l'obséquiosité et la lâcheté de Serafin, un Noir qui dit de lui-même « ma peau est noire, mais mon âme est blanche ».

Quelques mois à peine après le triomphe de la Révolution, lorsqu'il venait d'entrer au lycée, Julian était pris d'angoisse en voyant l'énorme Cadillac continentale familiale qui l'attendait à la sortie.

Ses camarades participaient activement aux changements qui avaient soulevé le pays. Les professeurs et les élèves discutaient des réformes nouvelles et de celles à venir. Souvent on évoquait l'exode qui menaçait de saigner l'île de ses meilleurs citoyens, de ses ingénieurs, ses architectes et ses médecins...

« Jamais je ne quitterai Cuba », avait déclaré Julian d'un ton péremptoire au cours d'une réunion. « Je soutiens à cent pour cent la Révolution ! »

On l'avait applaudi, il en avait tiré de la fierté, et voilà qu'en sortant du lycée du Vedado, Serafin, le képi sous le bras et en uniforme, s'inclinait pour lui ouvrir la porte de la Cadillac, telle la caricature vivante du serviteur noir d'une époque révolue.

Il avait jeté d'un air furieux en passant devant lui :

« Allez vous-en, je rentre à pied ! », puis s'était éloigné à grands pas, sa lourde sacoche pleine de livres et de cahiers sous le bras.

En cette fin de septembre, le soleil tapait fort et la maison de Miramar était à bonne distance du lycée. Faire des kilomètres dans ces conditions relevait de l'exploit. Aussi l'adolescent ne fut-il pas mécontent de constater que la Cadillac l'attendait de l'autre côté du pont d'Almendares. C'était le chemin le plus court pour arriver à Miramar et Serafin se doutait bien que le fils du patron l'emprunterait. Il ouvrit la portière avec style, et Julian monta dans la voiture sans lui accorder un regard.

« Il me déteste autant que je le hais », murmura-t-il pour lui-même. « A quoi bon faire semblant ? »

Magdalena Sargats serre contre elle le bras de son fils et change de position. L'épaisse fumée du cigare lui arrive en pleine figure. Jamais elle ne s'habituera à cette odeur enveloppante et tenace. Les cigares d'Edelmiro l'écœurent. Des havanes, fabriqués avec les meilleures feuilles de tabac choisies une à une par une ouvrière dont la mission consiste à bien les rouler contre sa cuisse, puis qui sont soigneusement et spécialement rangés pour lui dans des boîtes en bois précieux. Comment faire comprendre à cet homme que la fumée de son cigare dans une voiture aux vitres hermétiquement fermées est plus qu'incommodante ?

La matinée est chargée de mauvais augures. Magdalena Sargats se demande si elle va tenir jusqu'à l'aéroport. Elle n'aurait pas dû boire autant la nuit précédente, mais comment résister ? C'était sa dernière nuit à La Havane...

« Je suis arrivé ici il y a presque trente ans, Serafin. Avec un seul complet dans ma valise. Une paire de chaussures aux pieds. J'avais vingt ans, une santé de fer et le cœur vaillant comme tout bon Aragonais. Un vague cousin m'avait tendu la main à travers l'océan. "Viens à Cuba, il y a de l'avenir pour nous dans cette île." Je suis venu et je n'ai pas déçu mon cousin. Nous avons prospéré ensemble. Que son âme repose en paix ! »

Les paroles d'Edelmiro Sargats sortent Magdalena de sa torpeur. Elle peut à peine entrouvrir les yeux tant sa tête lui fait mal. Mais elle trouve la force de faire un calcul rapide : vingt ans lorsqu'il est arrivé à Cuba, trente lorsqu'ils se sont rencontrés. Vingt ans de mariage. Avec le recul, pourtant, il lui semble que tout était écrit : les mauvais présages et l'enchaînement des malheurs.

Elle revoit Rita, sa mère, l'interceptant au moment où elle sortait de la maison.

« Rentre tôt, ma fille. Ce soir nous recevons des amis.

— Qui ?

— Comme d'habitude, les collègues de ton père et leurs épouses.

— Aïe maman, faut-il vraiment que je sois là ?

— Ton père insiste. Don Edelmiro Sargats sera aussi des nôtres.

— Edel qui ? »

Magdalena était pressée. C'était son premier jour de classe. Elle entrait en terminale et trouvait déjà le moyen d'être en retard. L'autocar des dominicaines de l'Ecole Française où elle était inscrite venait toujours la chercher en dernier. Car elle s'était déjà fait une réputation. Elle payait une amende au chauffeur pour qu'il arrive en retard. Dix centimes la minute. L'homme se faisait entre 50 centimes et un peso par jour. Etrangement, aucune des camarades de Magdalena ni aucune des jeunes novices chargées de surveiller les élèves n'avait jamais dénoncé cet accord... Pour la simple raison que toutes les écolières adoraient la fille de la célèbre chanteuse espagnole Rita Alfaro et du non moins célèbre psychiatre, le Dr Livio Moreno.

Magdalena avait hérité de la couleur de peau mate, des cheveux noirs ondulés et de la voix de velours de sa mère. Du Dr Moreno, elle avait le regard clair et rêveur. Un contraste saisissant. Elle était toujours d'humeur joyeuse et son énergie était légendaire. Magdalena Moreno Alfaro pouvait jouer, danser, chanter et rire sans jamais se lasser. Pas étonnant, donc, qu'elle ait été la fille la plus admirée à l'Ecole des dominicaines françaises.

Ce jour-là pourtant, Magdalena est plus en retard que jamais. Il lui faudra donner un peso et demi à Chucho, le vieux chauffeur qu'elle connaît depuis son enfance, et s'excuser platement devant la nouvelle novice, une bossue au teint verdâtre et à l'air retors.

« Edelmiro qui ? » demande-t-elle de nouveau à sa mère qui lui barre le chemin.

« L'inventeur des fameux "paniers espagnols". "Pas de Noël sans le panier Sargats chez vous", dit la publicité.

— C'est un client de papa ?

— Depuis quand ton père invite-t-il ses clients chez nous, grande folle ?

— Et pourquoi dois-je être là, s'il te plaît ?

— Parce que si tu n'étais pas là nous serions treize à table. Parce que tu es la seule jeune fille de la soirée. Parce que ce Sargats est un homme de mérite et que ton père l'admire. Il est arrivé il y a dix ans à Cuba, un balluchon à l'épaule, et s'est enrichi à force de travail. Et aussi parce que depuis des années il nous réserve ses meilleurs produits. Ce Sargats m'a entendue chanter à mon dernier concert et le pauvre chou en a gardé une admiration sans bornes pour moi. Il vénère ton père, le Docteur. Il est donc temps qu'il connaisse la fille ! »

Edelmiro Sargats est grand et bâti comme un orme. Il a l'air mal à l'aise dans son costume en alpaga foncé, taillé sur mesure. Il transpire et s'exprime avec difficulté dans un espagnol à l'accent aragonais à couper au couteau. Mais surtout — c'est évident au point d'en devenir gênant — l'homme ne peut détacher les yeux de la jeune Magdalena Moreno Alfaro. Des yeux qui le trahissent, ne lui obéissent plus et tombent invariablement et malgré tous ses efforts sur la jeune fille assise en face de lui qu'il contemple d'un air transi.

Après le dîner, les hôtes et leurs invités passent dans la grande salle de séjour pour prendre café et liqueurs. Le Dr Livio Moreno s'approche de l'Aragonais qui est resté piqué dans un coin un peu à l'écart, abandonné de tous comme un enfant puni.

« Voici un homme, se dit le psychiatre, qui a toutes les qualités du monde. Il est honnête, travailleur, imaginatif en affaires. Généreux aussi, car bon nombre de ses célèbres paniers de Noël finissent gratuitement chez les pauvres. Et pourtant regardez comme il est seul, coupé des autres. Un vrai pestiféré. Et cela, pour une seule raison, me semble-t-il : il n'est pas sympathique. »

Les invités de Moreno connaissent bien le rituel de la maison : après chaque dîner quelqu'un se risque à demander à Rita Alfaro de bien vouloir chanter pour ses amis. Et Rita fait la coquette, se fait prier et se dérobe, invoquant des excuses saugrenues... « Je ne suis pas en voix... Ah, cette maudite humidité des nuits cubaines... »

Les invités réitèrent leur suppliques, chacun à tour de rôle fait assaut de persuasion et Rita finit par céder :

« Bon, d'accord, puisque vous insistez... une chanson... juste une chanson. »

Elle prend sa guitare et peu à peu elle oublie sa fatigue, chantant parfois jusqu'à l'aube tout le répertoire de la zarzuela espagnole.

Le soir de la première visite d'Edelmiro Sargats dans la famille de Magdalena, la jeune fille s'était mise au piano pour accompagner sa mère.

Le récital eut un succès mémorable. Rita Alfaro ne chanta pas seulement, à la stupéfaction de ses admirateurs, elle prit des castagnettes et se mit à danser, ce qui ne lui était pas arrivé depuis cinq ans. Tous l'applaudirent et l'euphorie était à son comble. Seul Edelmiro, immobile dans la pénombre, ne s'intéressait pas à l'artiste qui ravissait son auditoire mais à sa fille assise au piano et qui avait du mal à soutenir le rythme, débordée qu'elle était par la flamme naturelle de l'Andalouse. Ses yeux de loup affamé dévoraient le visage et le corps de la jeune Magdalena. Le lendemain matin, quand le Dr Moreno vint dire bonjour à sa fille dans sa chambre, il trouva Magdalena à peine réveillée en train de prendre son petit déjeuner au lit. Connaissant bien son père, elle mangeait en silence, attendant qu'il exprime le motif de sa visite.

« Je crois, Magda, que tu as foudroyé d'amour l'Aragonais. Il a rougi jusqu'à la racine des cheveux en insistant pour nous inviter à dîner. "Venez avec votre épouse et, bien entendu, je serai ravi de revoir mademoiselle votre fille..." J'ai cru qu'il allait me demander ta main.

— Et que me conseille monsieur le psychiatre ?

— Rester de glace. Lui faire comprendre tout de suite qu'il n'a aucune chance. Poliment mais fermement. Le père et le psychiatre en sont convaincus, tu n'es pas la femme qui convient à Edelmiro Sargats, ma fille. »

Le diagnostic était on ne peut plus juste, Magdalena le savait intuitivement.

Mais alors pourquoi n'avait-elle pas suivi les sages conseils de son père ?

Après cette soirée mémorable les paniers des établissements Sargats arrivèrent régulièrement chez le Dr Moreno. Sachant que Rita Alfaro adorait ces nougats, ces fromages de la Mancha, ce vin de Rioja, ces pommes et ces raisins de Murcia, Edelmiro Sargats ne manquait pas une occasion de manifester son amitié aux parents de Magdalena.

« C'est la Saint-Cristobal »... « L'Annonciation »... « La fête du Christ-Roi... » « Ces fruits viennent d'arriver d'Espagne »...

Le docteur et sa femme se sentirent obligés d'inviter Sargats à plusieurs reprises. Et chaque fois la même situation se reproduisait : l'Aragonais était peu loquace et cherchait à se faire oublier pour mieux observer la jeune fille de la maison. Quand tous les convives s'étaient retirés, le couple avait le plus grand mal à le faire décoller, malgré les bâillements réitérés et la mauvaise humeur manifeste de Rita Alfaro.

« Rien à faire, je suis une Andalouse pur sang et les Aragonais me cassent les pieds. Question de race, de culture, de tempérament... et puis je ne supporte pas sa façon de regarder Magdalena ! »

Pour quelle raison la jeune fille avait-elle invité l'Aragonais à un de ces goûters où il n'y avait que de très

jeunes gens et une majorité d'adolescentes ? Magdalena
elle-même n'arrivait pas à s'en souvenir. Un brin de pitié,
peut-être, pour son timide admirateur ? Ou le désir
sournois de se moquer de lui, de le montrer à ses amies
pour le voir rougir, bégayer, renverser une tasse ou une
lampe, car elle s'était rendu compte qu'il était fort mala-
droit.

« Qu'est-ce que tu fiches avec cet Aragonais ? »
demande un jour Rita Alfaro à sa fille.
« J'apprends à vendre du saucisson, de la mortadelle,
du homard, des olives... », répond Magdalena avec insolence.
Folle de rage, Rita interdit à sa fille de sortir avec Sargats. Magdalena, hors d'elle, hurle qu'elle songe à l'épouser — ce qu'elle n'avait jamais osé envisager jusqu'alors.
Pour la première fois de sa vie Rita Alfaro gifle Magdalena. Puis avec son sens dramatique inné, elle tombe à
genoux :
« Pardon, Magda, pardon ! »
Magdalena la relève, l'embrasse. Tendrement enlacées,
mère et fille pleurent tout un après-midi en buvant du
xérès et finissent dans un vieux cinéma de La Havane, le
Majestic, pour voir un film avec Barbara Stanwyck à qui
Rita Alfaro se vante de ressembler.

Un matin d'été, La Havane se réveille sous une chaleur
torride, le baromètre a monté comme une flèche, et dans
les rues on parle de dérèglement du climat, de collusion
possible entre l'île et l'astre roi.
Suaritos, un speaker de radio très populaire, assure
avec son inimitable accent catalan : « C'est une vieille
histoire d'amour... Cuba, mes amis, va s'élever peu à peu,
quitter la mer, aspirée par le soleil. Ne vous plaignez pas !
L'amour est chaud... chaud... souffrez en silence,
Cubains de mon cœur ! »
Le Dr Moreno, sa femme et un groupe d'amis ont
trouvé refuge dans la maison de Miramar où le docteur

vient d'installer l'air climatisé dans toutes les pièces.
« C'est la seule invention vraiment géniale des Américains, confie Rita. En pleine fournaise tropicale, nous
pouvons nous payer le luxe de grelotter de froid !»
Le docteur et sa femme se sont donné beaucoup de
mal pour organiser cette journée de dimanche torride.
L'Andalouse a préparé un gaspacho, une énorme paella
et plusieurs jarres de cette sangria sévillane parfumée
dont elle possède le secret. Ils ont aussi préparé plusieurs
tables de jeu — bridge, canasta, Monopoly. Et si d'aventure ses amis insistaient pour qu'elle chante quelques
mélodies, Rita Alfaro serait parée : elle a sorti de l'armoire la robe et les souliers qu'elle portait jadis sur scène.
   Elle est allée chercher Magdalena pour répéter une
chanson que Joaquin Nin composa pour elle à la belle
époque de leurs tournées espagnoles.
   Quand elle entre dans sa chambre, Rita trouve sa fille
en train d'enfiler un maillot de bain en se demandant ce
qu'elle pourrait bien porter par-dessus : une robe d'été
en tissu léger presque transparent ou une blouse et un
short comme ceux qui ont rendu célèbre Lana Turner.
   « Qu'est-ce que tu fais ?
   — Comme tu vois, j'hésite. Qu'est-ce qui est mieux :
la robe ou le short ?
   — Où vas-tu ?
   — Devine ! A ton avis, où va-t-on lorsqu'on met un
maillot de bain ?
   — Sortir, par cette chaleur torride !
   — La bagnole de Sargats a l'air climatisé. On fait un
saut dans la mer, qui est toujours fraîche, et hop !
   — Nous recevons nos amis !
   — Tu reçois tes amis, moi, je sors avec le mien !»

   Malgré son aisance financière, Edelmiro Sargats avait
toujours vécu modestement, dans un appartement de
fonction en haut de son magasin. Une femme de chambre
s'occupait du ménage, lavait et repassait son linge, et il
prenait ses repas avec ses employés dans un bistrot de la
rue Obrapia, à deux pas du magasin. Une fois par mois,

le maître d'hôtel du restaurant du Centro Asturien réservait une table à Edelmiro Sargats et ses amis, tous Asturiens et hommes d'affaires. D'interminables déjeuners où l'on ne parlait que de marchés, de vente, d'achats, de valeurs en hausse et de valeurs en baisse. Quand le café cubain et le cognac espagnol faisaient leur apparition, l'Aragonais et ses amis délaissaient pour un temps le monde des affaires pour raconter des anecdotes — à peu près toujours les mêmes — du *terruno*, ces terres lointaines d'Asturie et d'Aragon. Une vie simple et réglée comme du papier à musique où tout était prévu, y compris la visite hebdomadaire à Pepa la Catalane, une prostituée de la calle Zanja, dans le quartier chaud de La Havane. Cette femme placide avait un corps gras d'une blancheur opaline. Elle possédait en outre deux qualités majeures aux yeux de l'Aragonais : son hygiène irréprochable et le fait d'être née à Lleida, une petite ville d'Espagne proche de la frontière aragonaise qui faisait d'elle une quasi-compatriote.

Lorsqu'il sillonnait l'île pour inspecter ses établissements, l'Aragonais sortait du garage une Buick vieille de cinq ans mais solide comme un camion.

« A Cuba, l'habitude veut que l'on change tous les ans de voiture, pour faire comme les Américains, même si elle est encore en parfait état. Pure vanité ! Je compte, moi, garder ma Buick encore cinq ou six ans. »

Tel était le genre de propos que tenait don Edelmiro avant de rencontrer Magdalena.

Parce que la jeune fille avait admiré une Ford gris perlé, il acheta le même modèle en bleu ciel. Le véhicule était pourvu des derniers gadgets à la mode : air climatisé, sièges rembourrés et adaptables dont les dossiers pouvaient basculer complètement, radio stéréophonique, verres teintés pour se protéger du soleil et des regards.

Quand Edelmiro Sargats, comme prévu, passa la chercher en voiture pour une promenade dominicale, Magdalena qui avait suggéré d'aller au Yacht Club de Miramar, pas très loin de la maison familiale, s'étonna de voir l'Aragonais prendre le Malecon en direction de l'est.

« Mais où allons-nous ? demanda-t-elle.

— A Santa Maria del Mar.

— Pourquoi ? nous serions aussi bien au Yacht Club !

— J'ai une surprise pour toi.

— A Santa Maria ?

— Oui. »

Et pour clore une conversation embarrassante, il avait augmenté le son de la radio.

Edelmiro Sargats roule vite, sans se départir de sa prudence habituelle. La voiture est merveilleusement confortable. La radio rend hommage à Nat King Cole dont les roucoulades langoureuses et érotiques en espagnol ravissent les Cubains qui lui vouent un véritable culte.

Magdalena ferme les yeux et se laisse bercer par la musique.

En arrivant à Santa Maria, la jeune fille reste sans voix. Edelmiro n'a pas menti, pour une surprise, c'est une surprise...

La plage de Santa Maria, située entre Varadero et La Havane, est le lieu de villégiature privilégié des intellectuels, des artistes et des bourgeois aisés, et plusieurs fois devant lui Magdalena avait vanté les mérites de ce genre de maison luxueuse dont on voyait des photos dans les magazines de décoration et les revues spécialisées.

« Cette maison est à toi, tu pourras y venir autant que tu veux », dit-il, l'air triomphant.

Paralysée et le regard absent, Magdalena parcourt le rez-de-chaussée, puis elle explore le premier étage avec ses cinq chambres richement meublées et ses deux salles de bains. Elle se doute qu'Edelmiro Sargats attend une réaction : une exclamation de joie, une manifestation d'enthousiasme, des commentaires... quelque chose... Mais elle ne peut que murmurer, abasourdie : « C'est beau... c'est très beau... »

Comment lui exprimer le fond de sa pensée sans le blesser ? « Il est fou, complètement fou. Il se ruine pour moi. Parce que j'admire une voiture en passant dans la rue, il achète la même. Et parce qu'un jour je lui ai montré cette maudite revue, des photos de maisons à Santa Maria del Mar, il m'offre ce palais sans rien demander en échange. »

En effet Magdalena ne lui a jamais rien donné : ni un regard de tendresse, ni un baiser sur la joue, ni le moindre espoir. Elle accepte juste qu'il lui serve de chevalier servant, ou en l'occurrence de père Noël.

« La maison de tes rêves ! Regarde comme elle est moderne, confortable. En vacances, il faut pouvoir ne plus penser à rien, se dégager des soucis matériels. Il y a même une machine à laver la vaisselle ! »

Elle ne l'a jamais vu aussi gai. Sa maladresse et ses gestes gauches ont disparu. Volubile et rayonnant, il se déplace avec aisance tout en faisant visiter à Magdalena cette somptueuse villa dont elle n'a que faire.

« Allons nous baigner, c'est pour ça que je suis venue ! Nous visiterons le reste plus tard ! »

Magdalena nage et tournoie longuement dans l'eau tiède. Se calmer, se détendre, sans tenir compte du temps qui passe, du jour qui décline, différant autant qu'elle peut le moment d'affronter le regard de reproche et lourd de tristesse de l'Aragonais.

Comme prévu, Edelmiro Sargats a emporté un de ses fameux paniers, et il a tout parfaitement disposé sur la table de la terrasse : les fruits, le poulet froid, le pain et le fromage.

Etendue sur une chaise longue, Magdalena n'a pas beaucoup mangé, par contre elle a bu tout son saoul. Les couleurs criardes du crépuscule tropical livrent dans le ciel leur combat journalier.

L'Aragonais fait le service en maillot de bain. C'est la première fois que Magdalena le voit sans son costume trois-pièces, sa chemise blanche immaculée et sa cravate noire serrée autour du cou. Elle le savait grand, mais elle l'imaginait plutôt gras, avec des chairs molles et des hanches tombantes.

A la lumière du jour déclinant qui a basculé d'un seul coup dans la nuit, et sous les rayons argentés de la lune, Magdalena, déjà passablement ivre, les paupières à demi closes, s'étonne de sa silhouette d'homme-taureau, massive et puissante. Une statue de granit surgie du fond des âges.

« Le Minotaure est de retour ! » dit-elle en éclatant d'un fou rire nerveux.

« Pardon ? »

Il se penche vers elle pour lui remplir à nouveau sa coupe.

Elle jette la coupe contre le mur et lui tend les bras.

Quand elle était rentrée chez ses parents tard dans la nuit, Magdalena, encore ivre, avait annoncé d'une voix forte devant les invités :

« J'épouse Edelmiro Sargats. Nous aurons des paniers de Noël à vie, Rita... papa... »

Elle avait eu un rire strident, proche de l'hystérie, puis s'était évanouie dans les bras de son père.

Le corps assoupi de sa mère pèse contre lui. Julian a du mal à retenir la tête ballottante de Magdalena contre son épaule.

Magdalena.

Il joue un double jeu, il l'appelle maman devant les autres et Magdalena lorsqu'il pense à elle. C'est la seule chose qu'il partage avec son père. Edelmiro Sargats ne dit jamais « ma femme », « chérie », ou « Magda », mais toujours Magdalena. Après vingt ans de mariage, les bagarres et tous les mots cruels qu'ils se sont envoyés à la figure, la voix rude de l'Aragonais est toujours empreinte d'une sorte d'émotion lorsqu'il prononce le nom de Magdalena.

Julian l'appelle aussi Mady, en anglais, ou Madeleine, en français...

Dans toutes les langues du monde ce prénom porte en lui sa petite musique secrète, un rayon de soleil... et rien que d'y penser le fait sourire.

Le parfum français de Madeleine envahit l'intérieur de la Cadillac, absorbant peu à peu l'épaisse fumée du cigare.

Sa grand-mère, il s'en souvient, avait coutume de dire « Magda baigne dans son parfum », avec un hochement de tête désapprobateur, et Julian avait appris à déchiffrer ses mots qui signifiaient : « Ma fille s'est encore saoulée. Elle se verse une bouteille de parfum sur la tête pour dissimuler les relents d'alcool. »

« Madeleine a bu. Magdalena boit. Et elle boira demain », se dit le jeune homme.

Dans ses moments de désarroi, il répète cette phrase pour se donner du courage. Car il a maintenant accepté le fait que sa mère est alcoolique, et qu'elle le sera sans doute jusqu'à la fin de ses jours.

Sa grand-mère Rita, son grand-père le psychiatre, Edelmiro Sargats lui-même et les amis de la famille, à tour de rôle, tous, il le sait, lui avaient un jour posé la question fatidique « Pourquoi bois-tu, Magdalena ? » et tous avaient reçu en guise de réponse un visage fermé, un regard furieux et un rictus amer. Il le savait, sa mère pouvait garder le silence pendant de longs moments en fixant son interlocuteur. Cette maladie de sa fille avait miné le Dr Lino Moreno qui, avant de mourir, confessa à sa femme : « On dit de moi que j'étais le meilleur psychiatre de l'île. C'est faux. J'ai été incapable de soulager Magdalena de son alcoolisme. Cet échec ternit et rend dérisoire toutes mes victoires contre la souffrance et la maladie. »

Quant à Julian, il n'avait jamais oublié cet épisode douloureux survenu des années auparavant.

Je viens d'avoir dix ans. Mes parents sont sortis dîner en ville avec un associé de mon père. Au milieu de la nuit, j'entends du bruit dans ma chambre et je me réveille en sursaut. Magdalena se dirige vers moi en titubant dans la pénombre. Elle trébuche et s'accroche aux meubles pour se rattraper. Sa robe du soir vert pâle fait ressortir sa carnation aux reflets de miel et ses immenses yeux clairs. Son chignon sophistiqué s'est un peu défait et le mascara coule sur ses joues. Elle réalise que je me suis réveillé et s'assoit sur mon lit. Son regard brumeux et brillant est plein de nostalgie.

Je me dis à moi-même : « Madeleine est ivre, Madeleine a bu. »

Sa main se pose doucement sur ma tête. Ses doigts aux ongles longs et nacrés se mettent à parcourir les traits de mon visage en l'effleurant délicatement, comme de la porcelaine précieuse. Et d'une voix légèrement éraillée aux intonations chantantes, elle consent à se livrer :

« On a dû te dire des choses, mon prince. Ou peut-être les as-tu entendues sans le vouloir. Je veux que tu saches... que je ne bois pas pour oublier, comme les gens ont coutume de le dire. Certains boivent pour noyer leur peine ou leurs malheurs. Pas moi. Je bois pour m'enivrer, pour sentir l'alcool bouillir dans mes veines et incendier mon cœur. Je bois pour la joie, Julian ! »

Magdalena se relève avec difficulté, et je la regarde quitter la chambre en zigzaguant, s'appuyant aux murs et aux meubles.

Cette confidence de ma mère est mon cadeau d'anniversaire. Désormais je suis en possession d'un secret très précieux, connu de moi seul : Madeleine ne boit pas par vice ou par désespoir mais pour retrouver la joie, cette joie qui a dû l'habiter au temps de son enfance et de son adolescence et qu'elle a perdue en cours de route, sans que je sache bien pourquoi.

Ce soir-là, je m'endors avec un sentiment bienheureux. Je navigue sur un nuage, je me sens capable d'affronter le monde et l'adversité. A quiconque oserait se moquer d'elle, je rétorquerais de toutes mes forces :

« Ma mère boit, oui, mais elle boit pour la joie ! »

« Pensez-vous vous exiler pour longtemps, don Edelmiro ?

— Grands dieux, Serafin, ça n'est pas un exil mais un départ prolongé ! Les barbus promettent trop de choses et veulent aller trop vite. Souviens-toi de notre révolution précédente, celle de 33 contre Machado. Qu'ont fait Grau San Martin et ce fou de Guiteras ? Nationaliser à tour de bras, parler de réforme agraire et menacer les intérêts américains dans l'île. Résultat ? Guiteras a été retrouvé criblé de balles. Et que fit Grau San Martin lorsqu'il est devenu président dix ans après ? Il avait bien appris sa leçon : il noua de solides liens d'amitié avec Washington, et de nouveau le dollar coula à flots dans les rues de La Havane. Sais-tu une chose, Serafin ? Ce Fidel Castro, tout fils de bon Galicien qu'il est, finira par se souvenir des enseignements de Grau. Et s'il arrête ses conneries socio-communistes, je serai le premier à rentrer à Cuba.

— Je ne sais pas, don Edelmiro, je ne sais pas. Le commandant Castro est très mal entouré. A supposer qu'il veuille un jour retourner en arrière, son frère et les autres exaltés qui travaillent dans l'ombre l'en empêcheront. Raul, Che, Osmany... de la racaille, don Edelmiro, une sinistre racaille... »

En entendant la conversation entre les deux hommes, Julian fulmine et se retient d'insulter le Noir. Ce même chauffeur noir qui s'est vanté un jour d'être le cousin d'un policier chargé de l'ignominieux travail consistant à faire parler les détenus.

« Mon cousin m'a bien expliqué. Il n'y a qu'à serrer très fort les couilles, s'il s'agit d'un homme, les tétons, si c'est une femme. Même le plus viril de ces enculés finit par céder. »

Serafin admirait son cousin tortionnaire et voici qu'il était devenu l'interlocuteur privilégié d'Edelmiro Sargats. Son chauffeur mais aussi son bras droit, son confident et son antenne, celui qui le renseignait sur la situation véritable dans l'île. Les contacts du Noir avec la police politique de l'ancien régime étaient bien réels car ce fut ce même Serafin qui, le premier, mit en garde Edelmiro Sargats sur ce qui risquait d'arriver.

« Les choses vont mal, don Edelmiro. On dit que Batista a la situation bien en main et que l'armée va bientôt déloger les barbus de la Sierra. C'est complètement faux. Mon cousin m'a présenté des soldats qui revenaient du front. Ils étaient pessimistes. "On est foutus Serafin", m'ont-ils dit, "les paysans, les ouvriers, les enfants, les femmes et les vieux aident les guerilleros. Batista a perdu la bataille du peuple. Tirons-nous, Serafin", m'a dit mon cousin. »

Grâce aux informations de son chauffeur, l'Aragonais, prudent, avait pris contact avec la colonie étrangère de La Havane. Il se mit à fréquenter les gens qui allaient et venaient entre Cuba, les États-Unis et l'Europe, et des journalistes bien informés. Réaliste, énergique et efficace comme il pouvait l'être, Edelmiro Sargats commença à vendre ses magasins, excepté la maison mère de La Havane, et à placer son argent judicieusement.

Un jour de décembre 1958, il dit à sa femme :

« S'il arrive un malheur, le gros de mes intérêts se trouve déjà à Miami. Il suffira de sauter dans le premier avion et en une demi-heure, Magdalena, nous serons à l'abri. »

Et quelques jours plus tard, la nuit de la Saint-Sylvestre, les Cubains se partagèrent en deux groupes bien définis : ceux qui pleuraient la fuite de Batista vers l'île de Saint-Domingue, et ceux qui applaudissaient au triomphe de la Révolution.

Un sourire de béatitude aux lèvres, l'astucieux Aragonais, comme l'appelait Serafin, attendit encore une année pour voir comment les choses allaient tourner puis il se décida.

« Etre obligé d'abandonner ces chères rues, si belles et si vivantes... cette vieille Havane qui me rappelle tant ma Jaca natale ! Dieu, que j'aime cette ville, Serafin, et comme il me coûte de la quitter ! »

En entendant ces mots, Julian sort de sa torpeur et sursaute. Il a du mal à contenir son exaspération. Comment l'Aragonais peut-il prétendre aimer une ville qu'il ne connaît pas ?

Encore une fois, ce sont les paroles de sa chère grand-mère qui lui reviennent à la mémoire, et sa voix indignée :

« Edelmiro ne s'est jamais intéressé à son pays d'accueil. Un inculte et un vampire, voilà ce qu'il est ! Arrivé en espadrilles, il ne porte aujourd'hui que des chaussures et des costumes sur mesure. Il roule en Cadillac, possède plus de biens que Rockefeller et suce le sang de notre pauvre île, mais que lui donne-t-il en échange ? Rien. Il va de ses magasins à sa maison, de sa maison à ses magasins. Toujours le cul dans sa limousine sombre, derrière ses vitres fumées, pour être sûr de ne rien voir. Qu'il saute dans un avion et rentre dans son Jaca de merde, avec ses moutons pelés et ses lugubres montagnes aragonaises. Ça ne sera pas une grosse perte ! »

Rita Alfaro avait un penchant naturel à l'exagération. Elle forçait la dose. Pourtant Julian savait qu'au-delà de ses emportements sa grand-mère n'avait pas tout à fait tort. Son père avait vécu trente ans à Cuba comme un visiteur, sans chercher à connaître la maison qu'il habitait, persuadé qu'un jour ou l'autre il devrait l'abandonner.

On dit qu'avant son mariage Edelmiro Sargats ne quittait presque jamais son magasin si ce n'est pour faire la tournée de ses établissements dans le reste de l'île. Mais une fois marié, ne pouvant pas habiter la maison de Miramar à cause de la haine ouverte de sa belle-mère, l'Aragonais fit un pied de nez à son ennemie andalouse en achetant une petite fortune la maison qui se trouvait juste en face de celle du Dr Moreno. Il détruisit l'imposante demeure inspirée d'un château écossais qui se trouvait à cet emplacement et fit construire à la place une copie conforme de la villa de ses beaux-parents. Les deux maisons jumelles qui se reflétaient l'une dans l'autre en se narguant devinrent un sujet d'attraction et de moquerie pour les habitants de La Havane et un lieu de promenade pour les Cubains de passage dans la capitale. Pendant de longues saisons la famille dut subir un défilé continu de voitures qui passaient et repassaient entre les deux maisons pour les admirer. Rita Alfaro envisagea même de déménager, mais la curiosité des gens s'atténuant, elle trouva qu'après tout il n'était pas désagréable d'avoir sa fille juste en face de chez elle, sa fille et ses deux enfants, Gisela et Julian.

En homme d'affaires qu'il était, Edelmiro Sargats s'astreignait à un minimum de vie sociale. Il sortait dans des dîners mondains et accompagnait sa femme à des ventes de charité et des kermesses. Mais la plupart du temps il ne sortait de la maison de Miramar que pour aller un mois par an au bord de la mer à Santa Maria del Mar.

Comment pouvait-il donc prétendre aimer une ville qu'il ne connaissait pas et qu'il méprisait ? « Moi, murmura Julian pour lui-même, je la connais sur le bout des doigts, cette ville à laquelle on m'arrache ! »

S'il pouvait en effet se vanter de connaître La Havane de fond en comble, c'était grâce à l'ouverture d'esprit, à l'énergie et à l'inépuisable curiosité de sa grand-mère. Lorsqu'il avait sept ans, elle lui avait dit un jour :

« Je suis née dans un quartier pauvre de Séville, Julian, où les enfants juifs, maures et chrétiens jouaient ensemble dans les rues. Toute jeune, j'ai commencé à chanter et danser pour échapper à la misère en parcourant l'Andalousie et l'Estremadura à dos d'âne avec une compagnie de théâtre itinérante. Nous dormions à la belle étoile ou dans la carriole au milieu des décors et des costumes parce que nous ne pouvions pas nous payer la plus minable auberge. Vois-tu, je garde un souvenir émerveillé de cette époque. Nous traversions les beaux paysages d'Espagne et j'apprenais à connaître mon pays, sa géographie variée, son histoire vivante. Mais le plus extraordinaire, Julian, c'était les gens que nous rencontrions. Je n'avais peur de rien ni de personne, les yeux et les oreilles grands ouverts. Bonnes ou mauvaises, ces rencontres m'ont enrichie et je suis remplie de cette expérience inoubliable. Mais, suffit ! Tournons la page du livre de ma vie et observons ton père, Julian. En venant à Cuba, l'Aragonais ne pensait qu'à s'enrichir. Il est arrivé à ses fins à force d'obstination. Mais s'il est aujourd'hui riche en biens, il est pauvre en esprit. Il ne pense qu'à se défendre des autres, se referme dans sa coquille, fût-elle de porphyre ou d'argent massif ! Attention, je ne te dis pas de ne pas aimer ton père qui est un homme respectable, Julian, mets-toi bien ça dans la tête, je te dis seulement de ne pas l'imiter sur ce point. Je vais vous sortir, toi et Gisela, nous allons découvrir La Havane, comme Christophe Colomb notre île. Car La Havane est une île en soi. L'île aussi je l'ai parcourue en long et en large en donnant des concerts dans toutes les villes. Je suis devenue une artiste célèbre mais mon cœur était resté le même. Qu'ils soient riches ou pauvres, jeunes ou vieux, noirs ou blancs, je connais les Cubains comme ma poche. Dommage que l'Espagne se soit si bêtement comportée car sans la concupiscence et la stupidité des gouvernements espagnols Cuba serait encore une province éloignée de l'Espagne ! L'Andalousie des Caraïbes ! Alors ? Qu'en dis-tu, mon grand ? Si nous partions à la conquête de notre ville ? »

Rita avait ainsi appris à Julian et à sa sœur Gisela à prendre les tramways et les autobus qui sillonnaient la ville. Eux qui n'avaient fréquenté jusqu'alors que les endroits chic et résidentiels de La Havane parcoururent à pied les quartiers populaires du Cerro et de Santa Suarez, de Luyano et de La Ceiba.

Julian n'osa pas demander à sa grand-mère comment elle s'était fait des amis dans ces quartiers si différents. Rita Alfaro aimait entretenir le mystère, et il aimait profiter des surprises auxquelles elle l'avait habitué. Comme par exemple participer à une séance de santeria dans une vieille baraque en bois de Guanabacoa, ou être reçu comme un roi chez des Chinois, propriétaires d'une petite boutique dans la calle Zanja, le quartier interlope de la capitale. Qu'auraient pensé l'Aragonais et la très démocratique Magdalena s'ils avaient su que leur rejeton avait pris un somptueux goûter chez une prostituée, amie de sa grand-mère ? Grosse mulâtresse à la peau cannelle et sentant jusqu'à l'écœurement *Nuit de Paris*, le parfum préféré des putes, Conchita avait assis Julian sur ses genoux moelleux, le gavant de gâteaux de coco et d'un épais chocolat au clou de girofle. « Le clou de girofle, c'est bon pour tes couillettes, Juliancito ! Souviens-toi de mes conseils d'experte. Ecoute Conchita et tu auras toutes les femmes de la calle Zanja à tes pieds, petit mac de mon cœur ! Regardez comme il est beau ! »

La dame était partie d'un rire orgiaque qui faisait trembler tout son corps comme un flan. Julian, complètement secoué, s'était accroché à son giron et avait ri à en perdre le souffle, encouragé par Rita qui se tordait en poussant sa voix dans les aigus.

« Comment peut-il aimer cette ville, lui, l'Aragonais qui n'a jamais mis le nez en dehors de chez lui ? Moi je les connais ces rues et ces gens ! »

D'exaspération, Julian donne un grand coup de pied dans la portière de la Cadillac, réveillant en sursaut Magdalena qui se dresse comme un i, le dos raide, sans même ouvrir les yeux.

Elle a encore rêvé. Un de ces rêves longs et confus — labyrinthe d'images se superposant les unes aux autres, si réelles qu'elle en éprouve le goût amer sur ses lèvres... Une chambre cossue dans une clinique privée avec le ronronnement sécurisant de la climatisation. Une pénombre discrète qui permet à la patiente de se reposer en toute tranquillité, un téléphone blanc à portée de main. Des roses rouges, d'un rouge éclatant, qui semblent artificielles tant elles sont magnifiquement épanouies et parfumées.

« Des roses trafiquées, droguées, comme moi. »

Roses offertes par la direction de la clinique à une patiente clandestine. Car elle a donné un faux nom, bien sûr. Mais qui croit-elle tromper ? En tant qu'épouse d'un des hommes les plus riches de l'île, Magdalena Sargats a participé à d'innombrables bals de soutien, marrainé des hôpitaux pour les pauvres, assisté à des messes en présence de la haute société cubaine et de l'évêque de La Havane. Sa photo en long et en large, en couleurs et en noir et blanc sort régulièrement dans le supplément dominical de *El Mundo* ou *El País*. Ses faits et gestes sont commentés, ses coiffures et ses tenues aussi. Il est donc impossible à Mme Sargats de s'inscrire dans une de ces cliniques privées où l'on pratique de discrets avortements ou de sordides interventions chirurgicales comme celle qu'elle vient de s'offrir sans changer d'identité. S'il ne trompe personne — ni le médecin qui l'a opérée ni les infirmières au regard sournois — le nom de « Martinez » sous lequel elle s'est inscrite lui assure cependant une sorte d'immunité. Magdalena Sargats risquerait de faire jaser le petit personnel de la clinique mais avec « Martinez » rien de ce qui se dit ici ne filtrera à l'extérieur. Elle a payé le prix fort pour obtenir silence et discrétion. La clinique n'a jamais failli à sa réputation et personne en effet n'entendra parler de cette opération demandée par la patiente, à savoir l'ablation de tous ses organes féminins.

Pour Edelmiro Sargats, sa femme est devenue stérile car la nature en a décidé ainsi. Un mauvais coup du destin... lui qui aurait tant voulu avoir une famille nombreuse à qui léguer son patrimoine.

Magdalena cherche appui contre son fils, de nouveau. Elle glisse son bras sous le sien et pose sa tête sur l'épaule du jeune homme, elle a besoin de le sentir contre son cœur pour se débarrasser de ce mauvais souvenir qui hante ses nuits sans sommeil et ses instants de lucidité, entre deux gueules de bois.

Son fils est là, elle ressent sa chaleur, elle entend les battements de son cœur. Il est aussi tendu et malheureux qu'elle. Ils n'ont pas besoin de se parler, elle sait ce qu'il éprouve. Une même colère les unit : ils quittent ce pays qu'ils aiment, et tous les deux haïssent secrètement l'homme qui les sépare ainsi de leur vie et de leur passé.

Combien de fois, lorsqu'elle était ivre, s'en est-elle prise à Dieu, le maudissant. « Ce n'est pas la faute d'Edelmiro, pauvre marionnette ridicule et tragique projetée dans un monde mal fichu, non, la faute ne peut venir que de Dieu ! »

Et pour manifester sa révolte contre cette puissance occulte et silencieuse qui avait fait de sa vie une succession de désillusions, Magdalena Sargats n'avait rien trouvé d'autre que de détruire en elle toute possibilité d'engendrer à nouveau.

« Une femme qui se nie est une femme qui extirpe d'elle la source de son malheur. »

Elle se dit qu'un jour, peut-être, elle sera capable d'expliquer cet acte à son fils. Lui raconter ses angoisses en se rendant à cette clinique et comment elle avait répété, dans le taxi qui la menait sur les hauteurs du Vedado :

« Pour toi, pas de rédemption. Tu as choisi l'enfer. En toute conscience et liberté. »

Un jour, elle racontera ses souffrances à Julian et les pensées qui l'ont assaillie dans son lit après l'opération. « A quel moment précis l'idée s'est-elle imposée à moi ? Dès le début de mon mariage, je dirais. Et même avant. La première fois où nous avons couché ensemble à Santa Maria del Mar. Cette rage avec laquelle il me pénétrait en hurlant. "Je veux un fils, je veux un fils de toi." Pas un mot pour moi, pas un mot d'amour. Dieu le père voulait un fils, la chair de sa chair et le sang de son sang et je n'existais que pour ça. A cet instant précis j'aurais dû me refuser à lui, le frapper, le mordre, m'échapper. Je suis restée immobile, pétrifiée et hypnotisée. Mon âme refusait mais mon corps subissait le poids insupportable de ce taureau furieux qui hurlait dans la nuit : un fils ! »

Elle n'oubliera jamais non plus le regard d'Edelmiro Sargats se penchant sur elle après la naissance de Gisela, leur premier enfant. « Ne t'inquiète pas Magdalena, la prochaine fois nous aurons un fils ! » avait-il dit à sa femme en guise de parole tendre, persuadé qu'elle partageait avec lui l'humiliation d'avoir une fille, et son besoin obsessionnel d'assurer sa descendance.

A partir de ce moment, leur vie était devenue un cauchemar. Sargats, l'homme en rut, le mari insatiable épuisait sa femme à la recherche de cet enfant de qui, croyait-il de bonne foi, leur bonheur dépendait.

Magdalena ne comptait plus les fausses couches qui couronnaient leurs accouplements. Elle avait fini par croire que le ciel l'avait maudite. Comment avait-elle pu supporter une situation aussi humiliante et intolérable ?

La fascination. Le plaisir physique.

Elle redoutait ces moments où le regard de l'Aragonais se couvrait d'un voile de désir, où ses mains épaisses aux doigts lourds et plats se posaient sur son corps, quand son sexe pénétrait en elle. Elle se haïssait de ne pouvoir réprimer les mouvements frénétiques de son corps et elle le détestait de la tenir ainsi, jour après jour, esclave de ce pouvoir physique brutal et dément qui les faisait hurler dans la nuit.

« Je me punissais en faisant des fausses couches, la honte empêchait mon corps de s'épanouir. »

Contre toute attente, six ans après la naissance de Gisela, une grossesse arriva à son terme, toute de douceur et de joie retrouvée.

« Ce sera un garçon », vaticinait Edelmiro Sargats.

Et ce fut un garçon. Ils l'appelèrent Julian.

L'Aragonais donna un jour de congé à ses employés et aux ouvriers de tous ses établissements dans l'île. Il distribua mille paniers Sargats à des institutions charitables et offrit un banquet de trois cents personnes au Country Club de La Havane. Ses collaborateurs, ses amis, les amis du Dr Lino Moreno et de sa femme étaient présents. Il pria le maestro Ernesto Lecuona, roi incontestable de l'opérette cubaine, de se produire devant cette foule hétérogène et bruyante. Le récital fut un succès. Et Lecuona insista pour accompagner Rita Alfaro qui chanta comme une reine en l'honneur de son petit-fils.

Cela aussi, Magdalena ne l'oubliera jamais.

« J'ai honoré ma part du contrat », se disait-elle en écoutant chanter sa mère.

« Le divin enfant est né. J'ai maintenant droit au repos, à l'amour pour le plaisir de l'amour... »

Elle s'était saoulée magnifiquement puis, conduisant son mari jusqu'au lit, elle avait pris le temps de le déshabiller, de le caresser...

« Nous aurons d'autres fils, Magdalena. Je vois tes hanches, tes seins... ton corps est fait pour enfanter. Tu seras mère de dix enfants, mon amour. »

Ses paroles l'avait laissée de glace, inerte entre ses bras et elle s'était juré « jamais plus ».

Deux mois plus tard, Mme Martinez entrait en clinique afin d'éliminer le problème une fois pour toutes.

« Il y a d'autres moyens d'éviter les grossesses sans que votre mari le sache, madame Martinez, lui avait dit le chirurgien, un moyen moins radical qui vous laisserait le temps de réfléchir. Vous êtes encore jeune. Si dans un ou deux ans vous désirez à nouveau être maman...

— Faites ce que je vous demande, docteur, je suis venue pour ça. »

« Il est temps de prendre la route de l'aéroport, déclare don Edelmiro.

— La circulation est fluide, mais sait-on jamais... Les barbus nous inventent des manifestations tous les jours pour amuser la foule. Tout y passe : l'anniversaire de ceci, l'annonce de cela... et le peuple est dans la rue. Rumba, bongos, et Vive Fidel ! Plus personne ne travaille dans ce pays, don Edelmiro. La maladie de notre peuple, c'est qu'il n'aime pas travailler. Je vous envie, don Edelmiro, de quitter ce pays de merde !

— La faute n'est pas au peuple, Serafin, mais à celui qui prétend le guider. Sous Batista, tous travaillaient et notre pays ne se portait pas si mal. Quand l'ordre régnera à nouveau sur notre malheureuse île, quand ce coup de folie collective aura passé, je reviendrai. Mais si la situation s'enlise, je ferai mon possible pour te faire venir à Miami...

— Je vous respecte trop, don Edelmiro, pour accepter cette invitation. Vous êtes assez généreux pour nous accueillir, moi et ma famille. Mais imaginez ma grosse Lorenza et ses douze petits nègres à Miami ! Nous sommes nés sur cette île et nous ne connaissons qu'elle. Ici, quoi qu'il arrive, on se débrouillera toujours.

— Espérons-le, Sérafin. Cette Cadillac que je te laisse te servira pour un bout de temps. Tu pourras faire le taxi, ou la vendre. Ecoute-moi bien, Serafin, mon nez de paysan aragonais te le dit : dans peu de temps, nous nous retrouverons ici, à La Havane. Et nous rirons en évoquant les événements.

— Dieu vous prenne à témoin, don Edelmiro. Qu'il vous entende ! »

Julian, hors de lui, se retient d'intervenir dans la conversation. Il se souvient du temps de la dictature quand les deux hommes se remontaient le moral en attendant les défaites de l'armée Batista. « Même si les barbus de la Sierra triomphent, disait l'Aragonais, Castro, dans le pire des cas, sera liquidé par les siens ou par un rival. Comme Villa ou Zapata au Mexique. Les guerilleros sont des bandits, un jour ou l'autre ils finissent criblés de balles. »

Julian avait toujours refusé avec une volonté farouche les déclarations de son père, se sentant plus proche des opinions de sa grand-mère. Quand elle apprit que Fidel Castro et ses compagnons d'exil au Mexique étaient rentrés clandestinement à Cuba, l'Andalouse redoubla d'activité.

« Ç'a été dur... La mer déchaînée... un vieux rafiot... Ils ont presque tous été tués, sauf Fidel et son frère. Tu te rends compte ! Ces deux-là ont la baraka ! »

Rita Alfaro qui bénéficiait d'un véritable réseau d'information partait tôt le matin et parcourait La Havane de long en large pour rendre visite à ses amis : telle copine femme de chambre chez un haut gradé de l'Armée, tel coiffeur d'un ministre, la maîtresse d'un diplomate américain... elle était au courant de tout ce que la presse taisait, tout ce que les radios contrôlées par le gouvernement se gardaient bien de dire.

Rita racontait à son petit-fils les faits d'armes des rebelles et des soldats de Batista. Peu importait à Julian de savoir si les informations que colportait sa grand-mère étaient vraies ou inventées de toutes pièces, il vivait les événements comme un conte fabuleux où, comparé à ce Fidel Castro, Robin Hood n'était qu'un pâle personnage d'opérette. Il y avait aussi le Che, romantique médecin asthmatique, et ces femmes guerilleras qu'il imaginait avec le visage d'Ingrid Bergman dans *Pour qui sonne le glas ?* Ces héros avaient une aura puissante, c'est pourquoi entendre son père radoter au bout d'une table comme une vieille paysanne inculte avec son ami noir, traître à sa race et à sa classe, paraissait à Julian d'une médiocrité insupportable.

Sans compter tout ce que Rita rapportait à la maison pour mieux « saisir la réalité du pays », comme elle disait : les tracts révolutionnaires, le bulletin du M-26, le groupe de Fidel Castro, la presse du Parti Socialiste

Populaire, les communistes cubains, et même *L'Etat et la Révolution* de Lénine.

La vieille femme et son petit-fils l'avaient lu ensemble, assis sur le lit, la porte de la chambre fermée à clé, à la lumière d'une petite loupiote et à l'affût des bruits lointains car on craignait toujours l'arrivée de la police politique de Batista, des hommes de main experts en enlèvements, tortures et autres disparitions de cadavres. Rita Alfaro et son petit-fils ne comprenaient pas la moitié de ce que disait Lénine. Mais ils s'enivraient de phrases étincelantes qu'ils apprenaient par cœur et reprenaient en chuchotant comme une prière.

C'est ainsi qu'était né entre eux un langage codé : « Comme il dit (sous-entendu Lénine), la bagarre que tu sais (la lutte des classes) fera triompher les bons (les révolutionnaires) des salopards (l'armée de Batista). »

Et ils riaient à la barbe des autres, enchantés de leurs facéties.

Les deux années qui marquèrent les combats dans la Sierra entre les guerilleros et l'armée de Batista symbolisèrent pour Julian les déchirements de sa famille. Sa sœur Gisela s'était enfuie avec un danseur argentin, deux mois avant le débarquement du *Granma* de Fidel Castro sur les côtes cubaines, et Edelmiro Sargats considérait que Rita Alfaro était responsable de la fuite de Gisela. En effet elle avait payé au couple son billet d'avion pour Buenos Aires. La haine entre la belle-mère et son gendre ne fit que croître. Ils ne se parlaient plus, même en présence des invités. Cette situation provoquait un malaise constant car, très préoccupé par les changements survenus dans l'île, Edelmiro Sargats avait changé ses habitudes. L'homme réservé qu'il était s'ouvrit au monde extérieur et commença à recevoir chez lui journalistes, hommes politiques et agents commerciaux étrangers, ou quiconque était susceptible de le renseigner sur la capacité de Batista à exterminer « la vermine qui infecte les montagnes d'Oriente », comme il disait en évoquant les guerilleros.

Il donnait de longs dîners et d'interminables déjeuners auxquels Julian ne participait pas. Rita Alfaro, par contre, ne manquait pas une occasion. Et cela pour deux raisons : elle expliqua à Julian qu'il fallait écouter ce que « les fascistes » disaient et pensaient pour mieux connaître le langage de l'ennemi, et surveiller Magdalena pour qu'elle ne boive pas au-delà de la raison.

L'alcoolisme de Magdalena n'était plus un secret pour personne mais Julian refusait désormais de jouer le jeu que, depuis sa tendre enfance, son père lui imposait, à savoir venir saluer les invités avant le repas pour montrer à quel point le fils de la maison était élégant, intelligent et bien élevé. Au début, Julian éprouvait une certaine vanité à ce petit rituel. Il aimait serrer les mains, se laisser dorloter par les dames âgées ou dire un mot anglais à un correspondant étranger... Mais bien vite ce plaisir se transforma en cauchemar lorsqu'il surprit les regards et les sourires de quelques invités observant sans pudeur les efforts que faisait Magdalena pour marcher sans tomber, ou articuler normalement.

« Ils se moquent d'elle et mon père s'en fout », avait crié Julian en tapant sur le mur de ses poings fermés. « Il le fait exprès, j'en suis sûr. Il exige sa présence à ces repas grotesques, pour mieux l'humilier. »

Et lorsqu'elle voyait son petit-fils hurler sa révolte, une lueur de fierté illuminait le regard de Rita Alfaro. Un jour, Julian la vengerait de cette rancœur animale que l'Aragonais avait fait naître en elle.

Ainsi, la vieille dame et l'enfant revivaient à huis clos les haines qui secouaient le pays de part en part. La rage de Julian bouleversait son existence comme une plante empoisonnée.

Il était donc naturel que le triomphe de la Révolution provoquât chez les deux une sorte d'exaltation permanente : le monde d'Edelmiro Sargats était en train de s'écrouler. Son dictateur vénéré s'était enfui comme un rat dans la nuit du 31 décembre 1958, quittant le navire avant le naufrage et abandonnant lâchement ceux qui avaient cru en lui et l'avaient défendu.

Lorsqu'au début de l'année 1959 on annonça que Fidel Castro donnerait son premier discours à La Havane, Rita Alfaro, sa fille et son petit-fils se plantèrent, émus et excités, devant le poste de télévision. Sargats était parti à l'aube pour s'enquérir auprès de ses amis politiques des répercussions pour ses affaires des changements introduits par le nouveau pouvoir en place.

On s'attendait à un discours vibrant et rapide. Le Lider Maximo commença à parler devant une marée humaine attentive qui, debout, résistait stoïquement aux morsures d'un soleil tropical de janvier. Les heures passèrent et le Lider parlait toujours... Rita Alfaro allait et venait du salon à la cuisine. Les paniers Sargats furent bienvenus. Ils dévorèrent fruits, fromages, saucisson catalan, noix et raisins secs de Murcia. Ils burent sans compter, un vin âpre et fort... une bouteille, puis une autre et encore une autre. Quand le jour tomba, on alluma sur la place de puissants phares pour illuminer le podium où se trouvait encore le Lider Maximo. Une colombe blanche vint se poser sur l'épaule du héros de la Révolution cubaine et ce fut l'apothéose. Julian, Magdalena et Rita, ivres morts, scandaient avec la foule :

« Fidel ! Fidel ! »

Quand à son retour Edelmiro Sargats trouva sa femme, son fils et l'Andalouse complètement saouls, chantant en chœur le nom de son ennemi abhorré, il se dirigea vers le poste de télévision, le souleva, le brandit au-dessus de sa tête et l'écrasa par terre de toutes ses forces.

« Trente ans, Serafin, trente ans de travail et de sacrifices pour créer un modeste empire et des emplois pour les citoyens de ce pays. Sept cent trente-deux personnes dépendent de moi. Sept cent trente-deux, presque autant que le nombre d'habitants de certains villages de mon Aragon natal.

— Personne ne peut vous accuser ni vous reprocher quoi que ce soit, don Edelmiro. Vous avez essayé de tenir un an avant de vendre et de fermer vos magasins. Vous avez été plus que généreux avec vos employés, je suis bien placé pour le savoir. Vos indemnisations nous feront vivre quelque temps.

— Quelque temps ! Jusqu'à quand, Serafin ? Jusqu'au retour à la normalité ? Ou jusqu'à l'apocalypse ?

— Tout s'arrangera, don Edelmiro, vous verrez, les choses vont changer. »

Sur l'autoroute, la Cadillac est forcée de ralentir. Une longue file de camions pleins de travailleurs volontaires roule vers l'intérieur des terres. Des drapeaux, des mots d'ordre peints sur la carrosserie proclament : LA RÉVOLUTION EST EN MARCHE.

« Des travailleurs volontaires ! Des vandales, oui ! Des incapables, des étudiants, des bureaucrates hypocrites, des ronds-de-cuir paresseux qui vont semer la mauvaise herbe chez nos paysans au lieu de faire fructifier la riche terre cubaine. On ne fait pas pousser les légumes avec des slogans. Dépasse-moi cette racaille, Serafin, je ne veux pas les voir !

— Je fais ce que je peux, don Edelmiro », rétorque le Noir, agacé.

La présence des soldats qui escortent les camions l'incite à conduire avec prudence.

Julian pose sa main sur le rebord de la portière. Ils roulent lentement. S'il saute de la voiture en marche à cette vitesse, il ne se fera pas mal. Quelques contusions, quelques égratignures sans importance. Il suffira de se relever et de courir. Courir loin devant soi, n'importe où, le plus loin possible.

Il fait l'inventaire rapide de tous les gens qui pourraient l'héberger et sur qui il pourrait éventuellement compter. Son professeur de littérature au lycée, par exemple. L'homme n'est pas à proprement parler un révolutionnaire mais il est contre Batista. Il comprendrait. Ou l'organisation de jeunesse à laquelle il a adhéré sans savoir que son père se préparait à l'exil. C'est sans doute la meilleure solution. Il arriverait et il dirait... quoi ? Que dirait-il ? « Mes parents fuient le pays, moi je veux rester ! »

Il est encore mineur et les lois, en cette première année de la Révolution, sont les mêmes que partout ailleurs : un enfant de treize ans n'a que le droit de se taire et d'obéir à ses parents.

« Rita, si tu étais encore vivante ! » murmure-t-il.

Si Rita Alfaro avait encore été de ce monde, il n'aurait jamais quitté Cuba pour Miami. Peu avant sa mort, après sa première crise cardiaque, sa grand-mère avait eu une intuition. Elle avait fait venir son petit-fils dans sa chambre d'hôpital et lui avait dit :

« J'ai fait un rêve, Julian. Une sorte de cauchemar : l'Aragonais prenait la fuite derrière son général Batista chéri. Il vous emmenait en paquebot... non, sur un voilier, comme celui du Hollandais volant. Suppose qu'un jour ton père vous oblige à quitter Cuba, Magda et toi. Eh bien, Julian, je vous aime plus que ma vie, mais moi je resterais ici. Chaque jour je rendrais visite à la tombe de mon mari. Je penserais à vous, mais je ne partirais pas ! »

Le convoi de camions bifurque à gauche, laissant la voie libre.

Cette fois, sans attendre les ordres de son maître, Serafin appuie sur l'accélérateur et la Cadillac file à toute allure vers l'aéroport de Ranchero Boyeros. Les dés sont jetés. Dans quelques minutes, ils seront dans l'avion.

Julian ferme les yeux pour tenter de contrôler l'angoisse qui le submerge. « Que me restera-t-il de ces treize années à Cuba, de qui me souviendrai-je, et de quoi ? » se demande-t-il.

J'ai sept ans et ma sœur Gisela treize quand grandmère décrète que, vivant sur l'île de tous les métissages, nous, ses petits-enfants chéris, bien qu'élevés dans la stricte religion catholique, devrions découvrir d'autres rites et d'autres pratiques religieuses.

Avec Rita, ma sœur et moi empruntons l'omnibus de La Havane puis un bateau pour traverser la baie jusqu'à Regla. Grand-mère nous a expliqué que la petite ville de Regla était le Vatican de la santeria, la religion des Noirs venus d'Afrique et vendus comme esclaves aux colons espagnols.

« J'ai la chance de connaître la plus fameuse prêtresse des lieux. Il y aura des danses et des chants, mais surtout, il y aura des transes », a dit grand-mère.

Je nous revois encore tous les trois, Rita, Gisela et moi,
traversant un dédale de rues sales et misérables. Les somp-
tueuses demeures en bois qui avaient appartenu aux
colons espagnols sont aujourd'hui des maisons commu-
nales. Là où vivait jadis une famille s'entassent à présent
une quinzaine de personnes. Les antiques balcons avec
leurs festons de bois travaillés ont perdu leurs couleurs,
et des plaques de zinc remplacent les vitres manquantes,
comme des plombages sur une dent cariée.

En entrant chez la prêtresse, j'ai la sensation étrange
et jamais éprouvée que grand-mère, Gisela et moi
sommes les seuls Blancs au milieu d'une foule noire. Ma'
Carmina, la prêtresse, me cueille et me pose sur ses
genoux, me calant d'une main ferme entre ses deux
immenses seins. Puis elle me gave de bananes frites, de
noix de coco et de cuisses de poulet mijotées dans du
miel et du jus de mangue. Ma' Carmina sent l'alcool et
la sueur, mais son corps est moelleux et sa chair envoû-
tante. Je me laisse bercer, cajoler, embrasser, sentant
peser sur moi les regards admiratifs de tous les officiants.
Puisque la Mambo, la mère Carmina, la Grande Prê-
tresse prend tant de soin du petit Blanc, c'est qu'il est élu
des dieux.

« Bois mon petit ange, un peu de rhum ne fait pas de
mal », susurre à mon oreille Ma' Carmina.

Je ne me souviens plus à quel moment elle me dépose
par terre, à quel moment je me retrouve au milieu d'un
essaim d'enfants noirs qui gesticulent et hurlent sans
motif, pour le simple plaisir de hurler. Puis j'aperçois
Gisela entourée d'adolescentes noires. A-t-elle bu aussi ?
Ses joues sont roses, ses yeux brillent comme des phares
et elle a un sourire insolent que je ne lui connais pas. Un
groupe de jeunes garçons est au centre de l'attention de
Gisela et de ses nouvelles amies. Et je me mets à rire,
sans savoir pourquoi...

J'ai dix ans. La complicité entre Rita, Gisela et moi ne
cesse de grandir, tandis qu'avec le temps et sous l'in-
fluence de l'alcool la pauvre Magdalena se transforme en
zombie de jour en jour.

Elle a toujours son beau regard vague, un sourire empreint de nostalgie et des gestes d'ondine. De plus en plus légère, immatérielle. On dirait qu'elle danse sur le sol, ne sachant où porter ses pas.

Rita Alfaro qui déteste les plages privées réservées à l'aristocratie de La Havane nous emmène clandestinement sur les plages populaires de Marianao.

C'est un après-midi d'été. Je joue sur le sable avec trois petites amies noires, Nena, dix ans, Lola, huit ans, et Zilia, six ans. Rita et Gisela ont préféré rester à l'ombre des palmes de la cafétéria.

Les trois filles et moi construisons et reconstruisons sans fin un château de sable au bord de l'eau qui s'écroule chaque fois que les vagues viennent lécher le rivage. Comme ce petit jeu devient lassant, Nena propose de « partir en expédition ».

Nous marchons vers un coin de la plage quasiment désert à cette heure de la sieste. Entreprenante, Nena propose alors de jouer « aux crêpes ». « On enlève nos maillots de bain, on entre dans la mer puis on se roule dans le sable. Tu vas voir comme c'est agréable », dit Nena qui a vite fait d'enlever le sien.

Je regarde les trois fillettes s'élancer toutes nues vers la mer, et je me demande si je dois rejoindre ma grand-mère et ma sœur ou courir derrière mes amies. « Viens, Julian ! » hurle Nena, me faisant des grands signes.

J'enlève mon maillot et je les rejoins dans l'eau. Nous jouons et nageons dans les vagues, nus et frétillants comme des poissons. Puis, sous les injonctions de Nena, nous sortons et nous roulons dans le sable méthodiquement.

Nena lance un nouveau mot d'ordre :

« Crêpe sur crêpe ! »

Apparemment ses petites sœurs connaissent bien les règles du jeu, car Nena et Zilia tombent l'une sur l'autre et roulent comme un seul corps, m'intimant l'ordre de faire pareil. Je regarde Lola restée seule. Je ferme les yeux et je m'étale sur elle de tout mon long. Je la serre fort entre mes bras et mes jambes et nous roulons ensemble comme un galet sur la grève.

« Regardez, ça pousse, il a sa queue toute dure ! »
hurle Lola, donnant le signal d'alarme.
Paniqué, je me détache d'elle et constate avec stupeur
que mon sexe est en pleine érection. Assis sur le sable,
honteux, le sexe dressé, je suis complètement désemparé
tandis que les trois fillettes noires se tordent de rire et
crient à tous les vents :
   « Il bande ! Julian bande ! »

D'autres images, d'autres moments de rire ou de tristesse.

Luis Armando Argüelles, professeur de littérature espagnole, se tenait toujours devant ses élèves en équilibre sur la pointe des pieds.

« J'ai pris cette habitude quand j'étais gosse », leur expliquait-il sans le moindre complexe. « Comme vous pouvez le constater, je suis tout petit. Napoléon aussi était petit. Sans compter Charlie Chaplin, le plus grand des acteurs. »

Argüelles ne parlait jamais de politique, mais tout le monde savait qu'il était sympathisant de la Révolution. Il était intarissable sur la littérature classique espagnole en général — son sujet de conversation favori — et sur les deux grands poètes mystiques Jean de la Croix et Thérèse d'Avila en particulier.

Grâce à sa grand-mère et dès sa plus tendre enfance, Julian avait appris à connaître les chansons de geste espagnoles et les auteurs dramatiques du Siècle d'Or, mais c'est avec Armando Argüelles qu'il avait découvert Jean et Thérèse, qui représentaient surtout pour lui des saints catholiques, et qu'il avait de ce fait tendance à mépriser un peu. Tandis que pour son professeur, ces deux-là étaient surtout d'immenses poètes.

La passion communicative du professeur réussit à éveiller la curiosité de Julian. Sensible à l'attention soutenue de son élève, le maître se lia d'amitié avec lui. Ils commencèrent à se fréquenter en dehors des cours. Ils buvaient des cafés ensemble et, coudes sur la table et textes en main, Julian et Argüelles reprenaient phrase par

phrase et vers après vers les écrits de Jean de la Croix et
de Thérèse d'Avila, leurs idoles.

« Tu es en avance sur le programme, Julian. Je ne veux
pas te faire l'affront de te parler comme à un élève... mais
j'ai des propositions à te faire. »

Le professeur et ami sortit un cahier de son cartable.
Il avait fait une longue liste de livres à lire, de films à voir
et de gens à rencontrer. « Méfie-toi de la spécialisation à
l'américaine, Julian. Des experts en ceci ou en cela. Tu
connais ma passion pour ce couple de poètes inspirés.
Mais j'aime aussi bien Lorca que Verlaine, Groucho
Marx que Laurence Olivier. Quand on voudra t'enfermer
dans un tiroir, saute comme une puce et passe au tiroir
suivant. Je veux dire, Julian, que c'est la vie qui compte.
La culture fait partie de la vie. C'est une partie, mais pas
tout. »

Julian se lança tête baissée dans ce programme spécialement conçu pour lui par Argüelles. Il dévora tous les
journaux, se mit à écouter les programmes de radio les
plus populaires, à aller voir toutes sortes de films.

« Je sors de ma coquille, je me lance à la conquête du
monde », avait-il griffonné sur la couverture d'un cahier
où était écrit en grosses lettres : PENSÉES.

Deux mois plus tard à peine, Edelmiro Sargats annonçait à sa famille qu'ils partaient pour Miami.

Julian attendit la fin du cours et s'approcha d'Armando Argüelles. « Mes parents s'exilent », dit-il, la
gorge nouée, des larmes plein les yeux et les poings serrés
au fond de ses poches, comme chaque fois qu'un chagrin
trop fort faisait irruption dans son cœur.

Dans un geste familier Argüelles le prit par le bras et
ils marchèrent en silence jusqu'au parc qui se trouvait en
face du Vedado.

« Laisses-tu derrière toi des personnes qui te sont très
chères ?

— Non. Ma grand-mère est morte. Ma sœur a quitté
le pays il y a maintenant trois ans.

— Ce n'est donc pas aussi grave, Julian. Les voyages
forment la jeunesse, comme on dit. Tu n'as que treize ans
et l'avenir devant toi. Je me sens très éloigné du mode de

vie américain, mais les Etats-Unis n'ont pas que des défauts. On trouve dans ce pays d'excellentes universités. A toi de prendre ce qu'il y a de meilleur là-bas. Personne ne sait ce que va devenir Cuba, mais rien ne t'empêche de revenir plus tard, si tu en as envie. »

Et Argüelles se hissa sur la pointe des pieds pour donner l'accolade à son élève.

L'aéroport de Rancho Boyeros est pris d'assaut par une foule fébrile. Il y a ceux qui partent avec leur famille venue en force les accompagner, mêlant rires et pleurs aux serments de retour, et ceux qui rentrent d'exil, mêlant rires et pleurs à la joie des retrouvailles. Dans quelque camp que l'on se trouve l'émotion est à son comble. Selon la bonne vieille habitude tropicale on parle fort, on hurle, on gesticule, on s'embrasse et se lamente.

Quelques employés d'Edelmiro Sargats sont au rendez-vous.

Magdalena tient contre elle son sac à main et deux encombrants bouquets de lys. On a collé dans les bras de Julian un paquet de revues, des boîtes de chocolats et de bonbons. L'Aragonais distribue des accolades vigoureuses comme un politicien en campagne, et imitant le général MacArthur :

« Je reviendrai ! » lance-t-il à la ronde.

Julian aperçoit un copain de lycée, Manuel, qui vient vers lui. Il fait partie du petit groupe des préférés d'Armando Argüelles. Julian sait que le frère aîné de ce garçon, un révolutionnaire notoire, a été torturé par la police politique de Batista et a dû s'exiler à New York. Julian et Manuel ont suivi ensemble les cours d'Argüelles et ils ont échangé livres et cahiers. Sans être de véritables amis, il a toujours passé entre eux un courant de sympathie et un respect mutuel dont Julian se sent fier. Il a été adopté par la jeune garde d'élite qui entoure le professeur Argüelles.

Heureux de rencontrer un visage familier dans cette foule hagarde et hystérique, Julian se dirige vers Manuel pour le saluer. Il se taille un passage dans la foule mais une fois arrivé à sa hauteur voilà qu'il essuie un regard de mépris, plus cinglant qu'une gifle. Lui tournant le dos, Manuel s'éloigne bras dessus, bras dessous avec son grand frère, le révolutionnaire de retour d'exil.

A son grand soulagement, la voix suave d'une hôtesse annonce dans un haut-parleur : « Les voyageurs à destination de Miami sont priés de se diriger vers le hall d'embarquement. »

Edelmiro Sargats attrape sa femme et son fils par le bras et se dirige d'un pas décidé vers le lieu de passage symbolique qui fera d'eux des exilés, la petite porte par où, bien que se trouvant encore sur la terre cubaine, ils ne feraient désormais plus partie d'elle.

Julian suit ses parents sur la piste goudronnée qui mène à l'appareil, il se laisse conduire, les yeux mi-clos, sans rien voir que la pointe de ses souliers, sans rien entendre.

Dans l'avion l'hôtesse le place près d'un hublot. Ses parents sont assis derrière lui. Il croit entendre sa mère pleurer. Mais il n'en est pas sûr. Il n'en sait rien. Il ne veut rien savoir.

L'hôtesse lui boucle sa ceinture. Il n'a pas même jeté un regard sur elle. Car il est comme mort, les deux poings fermés dans les poches de son knickerbocker. Encore une idée d'Edelmiro Sargats.

« C'est ce que portent les garçons de ton âge aux Etats-Unis, lui avait-il dit.

— Tu parles ! »

Ce genre de pantalon était à la mode dans les années 20, mais en cette année 1960 les choses ont bien changé. Les adolescents de son âge, il le sait, se promènent en short, ou à la rigueur en costume blanc, mais la plupart du temps ils portent des jeans.

« Calme-toi, Magdalena, calme-toi, mon amour ! »

La voix de son père, les hoquets désespérés de sa mère.

C'est la première fois qu'il entend Edelmiro Sargats appeler sa mère « mon amour ». Sans doute réserve-t-il ses élans de passion à leurs moments d'intimité. Ou peut-être ne lui a-t-il pas dit « mon amour » depuis des lustres, car dans la bouche de l'Aragonais ce mot résonne comme une hache rouillée.

L'avion pointe le nez vers le ciel puis l'appareil se penche légèrement sur la droite comme pour mieux embrasser la ville qui s'éloigne.

Julian relève son siège. Sa ceinture de sécurité lui serre l'estomac. Il veut voir. Il veut regarder en bas le cimetière de Colomb où reposent Lino Moreno et Rita Alfaro, ses grands-parents. Mais on ne distingue qu'une profusion de toits. Les maisons basses à deux et trois étages de l'époque espagnole. Les tours qui ont poussé au temps de Batista, avec des piscines et des terrasses, et des restaurants de luxe protégés des intempéries sous d'énormes structures en verre capables de résister aux cyclones des Caraïbes. La Havane vue du ciel.

L'avion prend de la hauteur et se stabilise, il navigue maintenant sur un tapis ouaté uniformément blanc et lumineux.

« Regarde, Magdalena, nous quittons Cuba. Pense à Miami, mon amour. Pense à Miami et tout ira bien. »

Magdalena ne pleure plus. L'Aragonais a eu la bonne idée de lui commander un cognac. Bientôt, elle en prendra un autre. Ou un daïquiri. Ou du vin. Elle n'a plus de pays. Magdalena vit dans son monde. Une île déserte où il n'y a de place ni pour son mari ni pour son fils, ni pour sa fille absente.

« Je n'ai rien. Ni pays, ni personne. Rien », se dit Julian, serrant les poings dans ses poches. Puis il met des lunettes noires et ferme les yeux pour se couper du monde. De toute façon, il ne veut pas voir Miami.

Boston. Printemps 1972

Julian Sargats descend les marches qui mènent aux quais de la Back Bay et se promène le long du Charles River. Les eaux du fleuve sont vertes. « La pollution », pense-t-il. Le meilleur moyen d'offenser un Bostonien de souche, il le sait, c'est de faire allusion à la pollution des eaux du fleuve. Toujours la même histoire, le même refrain, qu'il a d'ailleurs fini par oublier pour ne plus se souvenir que de cet accent typique de Boston, si chargé de la nostalgie de la vieille Europe.

« Là où vous voyez à présent l'Institut de Technologie du Massachusetts, réputé dans le monde entier, et la Société d'Histoire naturelle, une des plus riches des Etats-Unis, il n'y avait jusqu'à la fin du XIXᵉ siècle que marécages, eaux stagnantes, pullulement de moustiques... La mer recouvrait le terrain où nous sommes. Et qu'ont fait les Bostoniens ? Ils ont gagné mille acres de terre sur la mer. Cette couleur verte du fleuve ne vient pas de prétendues matières chimiques et autres produits menaçant la santé de nos habitants, non, monsieur, mais du suc des algues, des herbes folles, de la vie végétale qui lui donnent sa couleur si particulière. Charles River est notre mémoire. »

Julian Sargats sourit en se remémorant la silhouette du vieil homme, propret et digne, qui évoquait sa ville en mélangeant poésie et mensonges. Etait-il un descendant de Hollandais, de Danois, d'Anglais ? Ses joues couperosées, ses prunelles d'améthyste transparente et le mélange or et argent de ses cheveux le cataloguaient d'emblée parmi la première vague des migrants européens qui avaient colonisé cette partie du nord-est de l'Amérique.

« Boston. Le Boston des autres. Mon Boston à moi », murmure Julian, s'adressant aux eaux du fleuve sur le ton de la confidence comme s'il parlait à un ami.

Sa première année à Harvard avait été décevante et difficile. Il s'était finalement décidé à quitter sa famille et l'ambiance cubaine de Miami. Boston, le voyage au Nord, avaient marqué une vraie rupture dans sa vie. Quant à Harvard, le joyau des universités américaines, il avait eu tellement de mal à se faire accepter qu'il avait un moment songé à se replier sur une université de Floride. Jusqu'à ce fameux soir où un de ses condisciples, Louis Duverne-Stone, un gaillard de presque deux mètres de haut, cheveux roux et regard gris acier, membre privilégié de ce que le Tout-Boston appelait « les vieilles familles », pour ne pas dire « l'aristocratie », l'avait invité à une réunion de son club.

« Club ?

— Oui. Nous nous réunissons dans un pub. On mange, on boit, on se raconte des histoires. Pas d'autres formalités.

— Pourquoi moi ? » demanda Julian en fixant Louis Duverne-Stone droit dans les yeux.

Avec le temps, il avait appris à connaître les us et coutumes de l'université, ses clans, ses sociétés secrètes, son esprit de classe et son sectarisme. Il était tout particulièrement sensible au mépris affiché de certains de ses camarades pour les « rastacouères », comme ils disaient, et à cette façon qu'ils avaient de donner du « métèque » à tous les gars qui, étrangers ou non, avaient le teint mat et les cheveux noirs. Julian ne connaissait pas bien Louis-le-Second, comme l'appelaient ses amis pour le différencier de son père, Louis Duverne-Stone Senior, président-directeur général d'un célèbre institut de communication. Encore un exemple de pudeur ou d'hypocrisie typiquement bostonienne, songea Julian, car derrière cette noble institution se cachait une agence de publicité qui ne voulait pas dire son nom.

« Pourquoi toi ? Mais parce que tu es cubain, pardi !

On parle beaucoup de ton île mais on la connaît mal. Il paraît que tu es studieux. On dit que tu vas rafler les meilleures notes de notre promotion mais on te trouve, je cite : "lointain, snob, inaccessible". Tu ne souhaites pas te mêler aux indigènes, ai-je aussi entendu dire. Tout cela est fait pour me plaire. Voilà pourquoi, ce soir, je t'invite à te joindre à notre club. »

Julian eut du mal à refréner un fou rire. Lui qui souffrait d'un complexe d'infériorité, il passait aux yeux de ses camarades pour quelqu'un de distant et de prétentieux !

La même envie de rire le prit lorsqu'il se retrouva dans le pub en question et qu'il surprit son reflet dans la glace, de l'autre côté du comptoir : lui, le noiraud au regard ténébreux au milieu d'un groupe de grands blonds et de rouquins aux yeux d'azur !

L'accueil du groupe se montra si chaleureux que Julian, à l'unisson de ses nouveaux camarades, se mit à boire et à manger avec entrain. A quel moment accepta-t-il de relever le défi en se soumettant à une « épreuve patriotique » sur l'histoire bostonienne, il ne saurait le dire. Mais il se revoit debout, une chope de bière à la main, tournant sur lui-même et répondant du tac au tac aux questions qui l'assaillaient.

« 1636 ! » lança quelqu'un.

Et de répondre sans hésiter :

« Création de l'école latine à Boston !

— 1639 !

— Ouverture d'une imprimerie près de Cambridge à l'emplacement même de notre chère université Harvard.

— 1673 !

— La première grande bibliothèque des Etats-Unis est inaugurée à Boston ! »

Les connaissances de Julian Sargats ne se limitaient pas à un défilé de dates importantes : il s'était aussi intéressé à certains détails anecdotiques plus révélateurs pour lui du caractère particulier de la cité. Une manifestation du genre de celle qui s'était déroulée dans les rues de la ville un beau jour de 1745 ne pouvait arriver qu'à Boston...

quand trois cents jeunes filles s'étaient installées avec leurs rouets sur la grand-place et filaient en chantant un hymne à la défense des valeurs morales, à la gloire de la production et à l'amour du travail bien fait !

« Boston n'est pas une ville, c'est un état d'esprit. »

Il avait retenu cette phrase récoltée au hasard d'une lecture et il l'aimait. L'*Atlantic Monthly Revue*, la fameuse revue littéraire créée à Boston en 1857, procédait pour lui du même état d'esprit. On pouvait y lire des articles d'Emerson, des poèmes de Longfellow, des nouvelles de Hawthorne et les brillantes chroniques d'Olivier Wendell Holmes. Ecrivains, moralistes et poètes avaient toujours défendu les traditions libérales et démocratiques de la nation américaine.

Et ce soir-là, dans l'euphorie du pub de Cambridge, Julian Sargats, l'exilé cubain, le métèque de service, en fêtant son baptême dans cette société très select qu'il redoutait, avait étonné ses camarades anglo-saxons.

« Tu connais Boston et tu l'aimes autant que nous », avait décrété Louis Duverne-Stone.

Depuis ce jour, il était devenu membre à part entière du club le plus exclusif de l'université, côtoyant les fils des plus anciennes familles de Boston, les descendants des premiers colons débarqués sur le nouveau continent.

« Même sous les Tropiques, tu possédais déjà cet état d'esprit bostonien, Julian », se plaisait à dire Louis-le-Second.

Les Tropiques...

Julian Sargats savait pertinemment qu'il avait déçu certains de ses professeurs et de ses camarades d'étude. Chaque fois qu'on lui posait des questions sur Fidel Castro, sur la révolution cubaine ou sur l'exil, il haussait les épaules et balbutiait : « Je ne sais pas... tout cela est bien loin. »

Car il évitait autant que possible de penser à la situation sur son île et à ce village au cœur de Miami qu'on appelle la Petite Havane. Bien sûr, il continuait à correspondre avec son père et sa mère, et sa sœur Gisela qui était venue rejoindre ses parents en Floride avec ses cinq enfants.

Au début, à son arrivée à Boston, il avait fait un effort pour garder le contact avec un petit groupe de garçons et de filles, des amis du lycée américain. Mais au fil du temps, il avait fini par ne plus écrire à sa famille qu'épisodiquement et, lorsqu'il retournait à Miami pour les vacances, il se sentait de plus en plus éloigné de ces Cubains dont il ne partageait pas l'obsession de l'exil : cette façon qu'ils avaient de ressasser sempiternellement le Cuba d'avant Castro, le Cuba d'hier, l'irritait.

Au cours des années 60-65, il avait écrit quelques lettres à son professeur Armando Argüelles. L'homme restait égal à lui-même. Il trouvait le temps de répondre à son ex-élève de longues missives qui ne reflétaient en rien l'actualité sur l'île. Toujours habité par les deux mystiques espagnols, Jean de la Croix et Thérèse d'Avila, il se lançait dans de longues exégèses sur la Nonne Inspirée, comme il l'appelait, et son compagnon de route.

« Tolède, Julian, Tolède... la clé de *Mes demeures* et des *Chemins de la perfection* réside dans les rues de Tolède, quand le grand-père de la future religieuse, un juif converti, est surpris en sortant d'une synagogue et qu'on le contraint de se traîner sur les genoux dans les rues de la ville, un bonnet d'âne sur la tête. C'est à la suite de cet incident que la famille quittera Tolède pour Avila. Le reste appartient à l'histoire. Cette humiliation est-elle à l'origine de l'élan mystique et de la recherche de l'extase religieuse chez la jeune femme ? Je ne voudrais pas faire de la psychanalyse bon marché, mais je crois, Julian, je crois que oui. La blessure a été trop forte. Alors, en compensation de ses souffrances, la descendante du juif marrane reçoit l'appel du Seigneur. Elle communie dans la chair et le sang du Christ, éprouve la crucifixion dans la profondeur de ses entrailles. Et elle parle avec Dieu, Julian, elle communique directement avec lui ! »

Juin 1965. Ce fut la dernière lettre d'Armando Argüelles. A partir de cette date, le professeur ne répondit plus à son courrier.

Vers la fin 1968, un Cubain récemment exilé à Miami lui raconta qu'Argüelles vivait toujours à Cuba, mais qu'il n'était plus professeur. S'était-il retiré pour mieux

écrire son livre sur Jean de la Croix et Thérèse d'Avila ?
Avait-il été nommé à un poste important ? Ou tout simplement ne voulait-il plus entretenir de relation avec son
ex-élève ?

Ces petites désillusions, cet éloignement progressif des
siens convainquirent le jeune homme que la poursuite de
ses études à Boston était pour lui la seule issue possible,
sa bouée de sauvetage, loin du bruit et de la fureur de
Miami, loin de Cuba.

Combien de fois a-t-il fait ce trajet, parcourant la ville
d'est en ouest, marchant le long de l'avenue de Commonwealth ou de la rue Washington, jusqu'à Beacon Street,
à la rue du Congrès au cœur de la ville, déambulant sur
les trottoirs enneigés, affrontant les tourbillons aveuglants du vent, les piqûres du froid, s'extasiant devant les
bourgeons naissants sur une branche d'arbre qui, la veille
encore, était nue et transie.

Ses amis bostoniens se moquaient de lui :
« Mais quoi ? Il n'y a donc pas de saisons à Cuba ?
— Non, pas de saisons. Nous n'avons droit qu'à une
alternative : la pluie ou la sécheresse, la chaleur écrasante
ou une caricature d'hiver qui vous oblige à sortir de la
naphtaline tricots de laine et maillots de corps pour
quelques semaines. Entre les deux, l'œil du cyclone menaçant et imprévisible. La Havane et Miami ne connaissent
que les extrêmes. Ceci explique pourquoi il n'y a jamais
eu et il n'y aura sans doute jamais de grand philosophe
aux Caraïbes ni en Floride, jamais.
— Tu veux dire...
— Je veux dire que si la Grèce s'était trouvée sous les
Tropiques, la philosophie ne s'y serait pas épanouie
comme elle a pu le faire dans le berceau de la mer Egée.
Imagine Anaximandre en train de développer sa théorie
de l'*apeiron* dans une région du monde qui ne serait nul-
lement soumise au passage des saisons. Il serait devenu
poète, peintre ou joueur de cythare, certainement pas
philosophe. »

Julian amuse ses camarades du club qui prennent ses

propos pour une boutade. Mais s'il sourit à son tour, il n'en reste pas moins persuadé de la sincérité de ce qu'il avance. C'est à Boston qu'il a compris l'importance de cette attente, après un long et rude hiver, quand la nature se met à bourgeonner et reverdir. Il se souvient encore de son premier Noël dans la ville, et de l'effet qu'avaient produit sur lui les enseignes lumineuses et les autos qui circulaient prudemment à cause du verglas. Les demeures du quartier colonial construites par l'architecte Bulfich étaient recouvertes d'une épaisse couche de neige. Les façades du XVIIIᵉ et du XIXᵉ siècle se détachaient avec netteté sur le ciel gris et cotonneux : on n'était plus au XIXᵉ ni sur la côte Est de l'Amérique, mais dans un vieux quartier d'Amsterdam ou de Londres. Un paysage éternel. Et, comme à chaque Noël, la lueur fragile d'une bougie scintillait à chaque fenêtre. La légende dit que les habitants saluent ainsi le passage du père Noël dans la ville, une façon aussi de se rappeler à son souvenir.

Comme d'habitude, Julian est en avance à son rendez-vous. Pour passer le temps, il entre dans le bar, le Parker's, où Louis-le-Second a ses habitudes. C'est ici que son ami dévore d'énormes biftecks en absorbant quelques litres de bière.

Il commande une vodka glaçons pour se détendre avant d'affronter les Duverne-Stone père et fils, leur énergie, leur volonté d'hommes du Nord et la froideur cristalline de leur regard qui a le don de le paralyser.

Assis au bar, du haut de son tabouret, il dirige son regard vers le fond de la salle où se trouve la table réservée à son nouvel ami chaque dimanche à l'heure du brunch. C'est d'ailleurs au cours d'un de ces longs déjeuners dominicaux qu'il avait appris à mieux connaître le Bostonien.

Julian mange peu et boit avec modération. Louis, quant à lui, est capable d'engloutir un bœuf entier et de boire un tonneau de bière. A un certain moment, son visage s'empourpre, son front ruisselle de sueur et ses cheveux roux se mettent à flamboyer d'une étrange façon.

« Arrête de boire, Louis, tes cheveux flambent. Tu vois bien que tu es saoul, s'inquiétait Julian.

— Non, je suis moi-même.

— C'est-à-dire ?

— Rouge, mon vieux ! Je suis rouge comme l'enfer et je sue comme le diable ! »

Louis se faisait un devoir de prononcer le prénom de Julian à l'espagnole, en mettant l'accent sur le *a* et non pas sur le *u* comme en anglais.

« Je préfère bouffer avec toi et te raconter ma vie plutôt que de payer un psy qui, de toute façon, ne m'apportera aucun remède. Toi qui viens des îles, tu es un peu sorcier... Avec cette manie que nous avons en Amérique de déballer nos vies privées en public, un psychanalyste serait capable de publier un jour l'histoire de mon cas, tandis que toi tu es muet comme une carpe et je fais confiance à ta loyauté scrupuleuse... Laisse-moi donc divaguer et profiter de ma flamboyante ébriété. »

C'est ainsi que Louis-le-Second avait initié Julian Sargats aux secrets de sa famille. « Un lourd héritage génétique pèse sur nous autres, les Duverne-Stone. La branche Stone anglicane fit sa fortune en exploitant les terres riches et fertiles qui s'étendent de l'est au sud de Boston dans les régions de Roxbury et de Charleston. De leur côté les Duverne étaient huguenots et navigateurs au long cours. Ils possédaient une flotte qui commerçait entre Boston, l'Europe, l'Asie et l'Amérique latine. Du commerce ! Disons plutôt qu'ils s'étaient enrichis dans le trafic d'esclaves et qu'ils se recyclèrent à l'abolition de l'esclavage, disent les mauvaises langues, dans le commerce de l'opium. C'est précisément à cette époque que les Duverne rencontrèrent les Stone et entamèrent un long cycle de mariages et d'alliances qui devait souder une famille à l'autre. Au point de faire un nom patronymique de leurs deux noms : les Duverne-Stone. Peut-on concevoir une idée plus perverse de concupiscence incestueuse ? Cousin et cousine, tante et neveu, oncle et nièce.

— Et la religion dans tout ça ?

— Huguenots et anglicans. Point besoin de dispense

du Vatican. Rien à payer. On baisait en famille et personne n'intervenait. »

C'est encore au cours d'un de ces déjeuners bien arrosés que les deux amis avaient évoqué un poème de Julian publié dans une revue universitaire :

> *L'air du temps me brise*
> *comme une lame d'acier.*

« Mea culpa, Louis, je m'en veux d'avoir eu la vanité de publier cette chose insipide. Pas de quoi être fier ! confessa Julian.

— Ne t'inquiète pas, l'ami, ce n'est pas le point de vue littéraire qui m'intéresse. Si je me mets dans la peau du futur patron d'agence de publicité que je veux devenir, alors, chapeau pour ton poème, il est très bon !

— Que veux-tu dire ? demanda le Cubain abasourdi.

— Que ça ferait un magnifique slogan publicitaire pour une marque de couteaux de cuisine ou de lames de rasoir ! »

Louis-le-Second se mit alors à évoquer de quelle façon il envisageait l'avenir. Il n'avait pas l'intention d'exercer la profession d'avocat : une fois son diplôme de Harvard en main, il entrerait à l'Institut des Sciences de la Communication Duverne-Stone que dirigeait son père.

« Sciences, Institut... des mots pour frimer. Mon père ne fait que perpétuer la passion de ses ancêtres : vendre. Il vend tout : l'image publique d'un homme politique, un produit nouveau qui arrive sur le marché, les avantages d'une mini-croisière en bateau faisant la navette entre Boston et New York... Car tout se vend, Julian. »

Louis-le-Second expliqua à son ami qu'en attendant d'obtenir son diplôme, il se faisait la main en supervisant des campagnes publicitaires pour la société de son père.

Ce même soir, il proposa à son ami de collaborer à son entreprise.

« Je m'occupe du lancement d'une petite maison d'édition qui ne publiera que des livres rares, des tirages limités avec lithographies et gravures d'artistes originales. De ceux qu'on achète comme un objet d'art. Le symbole même de notre ville : du beau, du rare, du culturel. »

Voilà comment Julian fut amené à exercer sa plume en rédigeant des textes pour le lancement de cette édition. Et devant le premier chèque que Louis-le-Second lui remit entre les mains, il resta bouche bée.

« Tout ça pour trois feuillets ?

— Julian... Si Shakespeare vivait à notre époque, il serait dans la publicité, mon frère. Connais-tu de meilleur slogan qu' "être ou ne pas être" ? »

Reste que, pour le jeune Cubain, ce chèque était la solution à un grave problème moral qui l'obsédait depuis plusieurs mois. Il savait que les affaires de son père à Miami ne marchaient pas aussi bien qu'il l'avait espéré. Ses études coûtaient cher à l'Aragonais et les cliniques où Magdalena faisait de fréquentes cures étaient un gouffre d'argent. Sans compter que l'arrivée de Gisela et de ses cinq enfants, orphelins de père, n'avait pas contribué à renflouer les finances du vieil homme. En collaborant à l'Institut des Sciences de la Communication, Julian pourrait se payer le luxe de refuser les chèques que son père insistait pour lui envoyer, et il en était fier.

Le glaçon a fondu dans le verre de vodka. Julian l'avale d'un trait et se lève pour aller à la rencontre des Duverne-Stone, au restaurant Locke-Ober sur Winter Place où ils se sont donné rendez-vous.

Père et fils sont déjà attablés face à un immense hors-d'œuvre. Dans la pénombre, on les prendrait pour des jumeaux. La même carrure, les mêmes épaules larges de footballeur, les mêmes cheveux plantés haut sur le front.

« On dit que c'est une marque d'intelligence, mais qui pourrait imaginer que derrière l'imposante et haute façade de nos fronts tout ne soit que vide et confusion ? » disait Louis avec ironie.

A la lumière, on remarque mieux ce qui les distingue. Les cheveux blonds du père ont viré au gris platiné ainsi que la moustache soigneusement taillée qui souligne sa lèvre supérieure. Le visage s'est alourdi et les poches sous les yeux atténuent légèrement l'éclat brillant de ses pupilles.

« Par je ne sais quel mystère de la réincarnation ou de nos gènes, mon père et moi avons hérité du même caractère. Les Egyptiens de l'Antiquité auraient peut-être expliqué cela par la transmigration d'une même âme dédoublée qui se baladerait, à travers les époques, de père en fils. »

Julian Sargats connaît le rituel cher aux Duverne-Stone : on attend la fin du plat de résistance et le passage au dessert pour commencer à parler affaires.

Le restaurant Ober se vante de servir les produits de la mer les plus frais de toute la côte Est. Au menu, la carte annonce avec fierté : « Nos poissons et crustacés passent directement de la mer à vos assiettes. »

« Ils ont pillé l'océan », commente Julian en admirant les homards, les clams, le plateau d'huîtres et les pétoncles que le serveur vient de déposer sur la grande table ronde.

« Je viens de lire dans le *New York Times* que si nous continuons ainsi à déverser nos déchets chimiques dans la mer, l'Atlantique sera bientôt pollué. Dépêchons-nous de faire honneur à ces petits animaux encore sains avant qu'ils ne nous empoisonnent ! Sers-toi, mon fils », dit Louis-le-Premier, invitant d'un geste large Julian à remplir son assiette.

La maître d'hôtel fait glisser le bouchon d'un champagne français millésimé et remplit les coupes que les Duverne-Stone et le Cubain lèvent comme un seul homme :

« A notre ami !

— A Julian ! »

A quoi le Cubain répond par le toast traditionnel :

« Je bois à la patrie des haricots et des morues où les Cabot ne parlent qu'aux Lowel, et les Lowel ne parlent qu'à Dieu ! »

Suit un silence religieux, interrompu brusquement par un :

« Et si nous parlions de ton avenir, Julian ? »

Le signal de départ de la discussion vient d'être donné. Louis-le-Premier s'acharne sur une pince de homard, faisant mine d'être entièrement absorbé par son geste, une façon à lui de se mettre à l'écoute de son interlocuteur.

« Je doute encore », dit Julian, esquissant un sourire pour mieux dissimuler son embarras.

« Je vous ai averti, honorable père. Quand se pose la question de fond, ce n'est plus à Julian Sargats que nous avons affaire, mais à Hamlet en personne. Pour le reste, vous connaissez comme moi les qualités de ce garçon.

— Y a-t-il quelque chose dans ma proposition qui ne te convienne pas ? Tu ferais équipe avec mon honorable fils. Un prédateur-né et un littérateur doué pour les formules choc : le tandem idéal pour notre métier. »

Comment lui expliquer l'inexplicable ? Comment lui dire que moi aussi je suis double, que je suis partagé entre deux langues, deux cerveaux, deux raisons, que mon exil est permanent, que je vis ici et là-bas, que j'appartiens aux deux cultures. Une algue flottante, à la dérive sur les eaux du Charles River. Une espèce étrangère qui ne peut plus s'enraciner nulle part. D'autres portent leur exil comme la tortue sa carapace. Gertrude Stein avait tout compris lorsqu'elle écrivit « A rose is a rose and a rose and a rose ». L'exil est l'exil et l'exil et l'exil. Je vis dans une maison aux miroirs déformés. Chaque image s'y reflète à l'infini. Elle est toujours la même et cependant toujours différente. Ils s'imaginent que je suis adapté, intégré, parce que je connais leurs poèmes et leurs chansons, parce que je mange de la tarte aux pommes au petit déjeuner comme tout bon Bostonien, parce que j'imite leurs gestes et que je respecte leurs codes. Je suis allé à la messe avec Louis-le-Premier et sa famille. J'ai chanté leurs psaumes. Mon corps était là, mais mon esprit était ailleurs. Je m'adapte sans pour autant faire de choix. Duverne-Stone père m'a dit : « L'Amérique reste le pays phare de notre planète parce que chez nous la roue qui broie les immigrés ne cessera jamais de tourner : on s'adapte ou on crève. Les tombeaux de mes ancêtres se trouvent en Irlande, en Grande-Bretagne, en France. Et alors ? Eux, c'est eux. Moi, je suis américain à cent pour *cent. Ne te trompe pas Julian, tu n'es plus cubain, déjà tu es des nôtres, tu nous appartiens !* » Comment expliquer à Louis-le-Premier ce que je ne comprends pas moi-même ? Bien sûr, je suis tenté d'accepter tout ce qu'ils m'offrent : la stabilité, le sentiment et l'assurance d'appartenir à une ville, une communauté, un milieu social. Certes, je pourrais devenir le plus bostonien des Bostoniens. Par instinct de survie, comme le caméléon. Simplement il faudrait pour cela assassiner cette autre partie de moi-même, et je ne me sens pas encore prêt à faire ce saut dans le vide. Il me faut du temps...*

« Vous êtes plus que généreux avec moi et j'en suis très touché. Votre proposition m'intéresse, mais laissez-moi un peu de temps. Non pas pour réfléchir, car nous en avons déjà longuement discuté. J'ai besoin de temps pour revoir mes parents, pour leur annoncer un départ qui risque de les peiner.

— Je t'assure, honorable père, qu'il rêve seulement de se replonger pour un temps dans l'atmosphère de la calle Ocho de Miami. Mais il nous reviendra. Laissons-lui l'été, saison perfide entre toutes. Le moment venu, nous le reverrons grimper Beacon Hill pour contempler Boston à ses pieds, les courbes sinueuses du Charles River et les frondaisons flamboyantes de l'automne.

— Je comprends, oui, je comprends... Va donc t'encanailler à Miami, mon fils, et reviens-nous plein d'énergie pour t'investir à fond dans le monde magique de la publicité ! »

La discussion est close.

Louis-le-Premier se penche sur la boîte en bois précieux et choisit un de ces havanes castristes importés par Davidoff et que les Américains achètent comme un produit suisse, contournant ainsi le célèbre embargo contre Cuba.

Miami. Eté 1972

L'avion amorce sa descente vers l'aéroport de Miami. Vaste extension de terrain couverte de maisons basses, dédale d'autoroutes enchevêtrées, tissant l'espace tous azimuts. La ville semble s'être développée au hasard, à coups de cœur, à coups de dés. D'un côté des quartiers chic avec de belles résidences Art Déco, de l'autre une zone de constructions modestes, une architecture de désolation et de misère. Et partout les mêmes grandes tours d'acier et de verre dont la présence annonce le triomphe insolent de l'argent.

Comme d'habitude, Julian Sargats est pris de malaise : la gorge serrée, la bouche sèche et la vision troublée. Il s'en veut de ne pas pouvoir contrôler ce syndrome du retour à Miami qu'il connaît si bien. Voilà des années qu'il en fait l'expérience, chaque fois qu'il quitte Harvard et Boston pour aller rendre visite à ses parents. Ce n'est pas tant la ville qui est la cause de son malaise, mais les gens. Eux, les Cubains de la Petite Havane. Sa propre famille.

Il connaît par cœur la chanson et peut décrire par le menu ce qui l'attend à l'arrivée : des nouveaux magasins en tous points semblables à ceux qui existaient à La Havane avant la Révolution auront ouvert leurs portes sur la calle Ocho ou dans Flager Street. Au restaurant la Carreta, ou à la cafétéria Versailles, lieux d'élection des exilés, des têtes nouvelles seront apparues et ces nouveaux venus parleront, comme ceux qui les ont précédés, du seul sujet qui les concerne : Cuba. Le manque de

Cuba. Le retour à Cuba. La mort ou la chute de Fidel. D'ailleurs il se demande par quelle curieuse habitude tous ici continuaient à l'appeler Fidel. Seuls quelques professionnels de la politique prononçaient le nom de Castro, sonore et sec comme un coup de trique. Mais pour le peuple cubain en exil, « Castro » restera toujours « Fidel ». Aucune victime du nazisme ou du stalinisme n'aurait eu l'idée d'appeler Hitler « Adolf » ou Staline « Joseph ». Jamais non plus à Cuba on avait appelé Batista « Fulgencio ». Non, c'était une exception. Treize ans après l'arrivée au pouvoir du Lider Maximo qui les avait chassés, Castro, pour ses adversaires réfugiés à Miami, continuait d'être « Fidel ».

Sa famille... ici encore Julian Sargats sait ce qui l'attend. Sa mère serait sans doute en cure de repos, ou à peine sortie. Gisela, en perpétuelle guerre des nerfs avec ses enfants — le seul mode de communication qu'elle connaissait —, continuerait de leur hurler dessus, tandis que les marmots surexcités mettraient méthodiquement la maison à sac. Quant à Edelmiro Sargats, égal à lui-même, indestructible et pétrifié, il n'aurait pas changé d'un poil.

« Un Aragonais sera toujours un Aragonais », disait Rita Alfaro. « Têtu et borné, il préférerait mourir dans l'erreur plutôt que d'admettre qu'il s'est trompé. »

Edelmiro Sargats qui refuse à présent de retourner dans sa Jaca natale pour ne pas rompre un vœux pieux : « Je ne retournerai pas en Aragon tant que Cuba sera sous le joug du communisme », disait-il d'une voix grave et sombre.

Dans le hall de l'aéroport, Julian attend de récupérer sa valise. Il n'a emporté avec lui qu'un bagage discret. Toutes ses affaires personnelles, livres, disques, gadgets et vêtements, sont restées à Boston.

« Tu voyages léger », avait commenté Louis-le-Second avec un fin sourire en l'accompagnant à l'aéroport.

Ce à quoi Julian avait rétorqué :

« Mon appartement en ville est loué jusqu'à l'automne. Mais ne t'étonne pas si tu me vois rappliquer avant la fin de l'été.

— Don't worry, dit son ami, je mets dès aujourd'hui le champagne au frais. »

Louis-le-Second avait insisté pour que Julian visite le bureau qui lui était destiné avant son départ, dans l'hypothèse qu'il finirait par accepter sa proposition.

« De la fenêtre, on voit le fleuve et le port. Le bureau est un peu à l'écart, pour avoir la tranquillité d'esprit nécessaire. Ici tout a été pensé en termes d'efficacité. Table du XVIIIe, bibliothèque en acajou, fauteuil royal et confortable, qui dit mieux ? »

Julian avait bien compris que Louis Duverne-Stone allait reporter de plus en plus la direction générale des affaires sur les épaules de son fils et que celui-ci redoutait un peu cette pesante responsabilité.

« L'Institut est une création de mon père, il lui a insufflé un style, donné cette énergie particulière. Le conquérant, c'est lui : il a ouvert la marche, défriché à grands coups, et moi j'arrive derrière...

— Ne t'inquiète pas, je reviendrai », avait dit Julian, donnant l'accolade à son ami... Il aura de mes nouvelles... plus vite que prévu... pense-t-il maintenant, sa valise dans une main, son porte-documents dans l'autre, sans parvenir à bouger.

Quand il était adolescent, Julian aimait passer des heures entières dans cet aérodrome, pont entre l'Amérique latine, les Caraïbes, l'Europe et la ville de Miami. Assis dans un coin, il regardait passer les milliers de voyageurs parlant toutes les langues du monde, étudiait le tableau électronique où s'affichaient des noms de rêve : Londres, Madrid, Paris, Lima, Buenos Aires... Il suffisait d'un billet et en quelques heures de vol on se retrouvait de l'autre côté de la planète, en territoire inconnu. Il notait sur un carnet les horaires de départ, le nom de la compagnie et le numéro de vol.

« Un jour, je quitterai cette ville », se disait-il alors.

Une équipe de footballeurs en partance pour Bogota envahit le hall dans une indescriptible cacophonie. La plupart portent une radio cassette géante à l'épaule qui diffuse à plein volume une musique différente.

Légèrement hagard, Julian attrape sa valise, se fraye un passage dehors et hèle un taxi.

Il donne l'adresse au chauffeur, un Haïtien au teint brouillé :

« Coral Gables. »

Avec son accent bostonien, le type le prend pour un Anglo-Saxon et se lance dans une diatribe sur les risques de sa profession.

« On ne peut plus vivre dans ce putain de monde, M'sieur. A Port-au-Prince, les tontons macoutes vous saignent comme de la volaille, ici c'est les Cubains qui vous font la vie dure ! Féroces, M'sieur. Les pires, ce sont les nègres. L'autre jour, y a un camé de négro qui est monté dans ma tire. "Frère", qu'il me dit, et moi, je sors mon flingue pour qu'il reste à sa place. "Nous sommes pas de la même race, mon pote, c'est pas parce qu'on a la même foutue couleur de peau." Vous voulez que je vous dise ? Fidel Castro a été trop brave avec eux. Ce genre de racaille, je la mets en taule avec des fers aux pieds. Des bons à rien, oui, M'sieur ! »

Et l'Haïtien rangeant le revolver qu'il avait sorti de sa boîte à gants tapote rythmiquement sur le volant en chantant « fers aux pieds, fers aux pieds... » tandis qu'il appuie sur le champignon et monte à plein volume la radio qui diffuse du reggae.

Miami. L'hôtel où l'Aragonais devait installer provisoirement sa famille se trouvait face à la mer. Julian et Magdalena y vécurent pendant plus de sept mois une vie oisive et coupée du monde.

Mère et fils descendaient tôt le matin par le chemin qui menait à une plage privée et ne rentraient qu'à la tombée du jour. Julian qui nageait peu aimait se promener au bord de l'eau pendant des heures. Il parcourait des kilomètres en longeant la côte jusqu'aux plages populaires où il se perdait dans la foule des baigneurs.

Je marche, non pas par plaisir mais pour m'autopunir,

en quelque sorte. Je sais que c'est dérisoire, stupide, mais je ne peux empêcher ces interminables déambulations. Comme elle passe sa journée à l'ombre d'un parasol à siroter des cocktails en feuilletant des magazines, ma mère se fait un devoir de s'occuper de moi. Une façon excessive de composer avec sa mauvaise conscience. Cela se traduit par un rituel matinal où elle met toute son ardeur à surveiller que je m'enduis le corps et les cheveux d'huile de coco. Dès les premières heures de la journée, je me retrouve ainsi poisseux et luisant, couvert des pieds à la tête d'une épaisse glu à l'odeur rance qui me donne la nausée.

« Tu es blanc, Julian, fils et petit-fils d'Espagnols. Pas une goutte de sang noir dans nos veines. Et le soleil de la Floride, comme celui de Cuba, est aussi nocif que le soleil africain. J'ai lu l'autre jour dans une revue que la Floride battait tous les records de cancer de la peau. Voilà pourquoi je m'inquiète, mon fils. » Après cette onction huileuse, ma mère exige que j'endosse une chemise en denim à manches longues, un pantalon corsaire à mi-jambes, des baskets et des chaussettes en coton qui montent jusqu'aux genoux. Puis elle emplit mon thermos d'un jus d'orange, de deux litres d'eau et de gros sandwichs au thon. J'ai beau lui expliquer que la plage est bordée de baraques de restauration et buvettes : « Le thon donne de l'énergie, insiste-t-elle, l'orange est pleine de vitamine C pour lutter contre les effets négatifs du soleil et rien ne remplace l'eau. Je ne veux surtout pas que tu te goinfres de hamburgers, Coca-Cola et pop-corn comme ces gros lards de gosses de yankees qui ont du beurre de cacahuète à la place du cerveau. Tu pourrais me remercier, Julian. »

Certes ce souci l'honore, mais à peine franchies les limites de l'hôtel je m'empresse de me mettre en maillot de bain, pieds nus, et mon ridicule accoutrement passe dans mon sac à dos. Puis je distribue mes sandwichs aux mouettes ravies pour mieux me régaler de hot-dogs et autres saloperies dont je raffole.

Miami Beach.

Rêve de combien de millions de touristes sur la pla-

*nète ! Bande de terre et de sable séparée de la ville par
trois larges autoroutes surplombant la baie de Biscayne.
Onze kilomètres de long, un kilomètre dans sa partie la
plus large.*

Miami Beach.

*D'après les statistiques dont ma mère se repaît, la
plage compte plus d'hôtels au mètre carré que dans n'importe quel autre paradis pour vacanciers au monde. Certains sont de véritables bijoux d'architecture kitsch et
d'un luxe inouï. Ainsi ce mythique Fontainebleau où mon
père nous paye une retraite dorée, avec sa plage privée,
ses sept courts de tennis, ses piscines avec cascades et
chutes d'eau, ses saunas importés de Suède... Mais à quoi
bon tout cela puisque ma mère ne quitte sa chambre que
pour le jardin où elle s'enivre du matin au soir et que,
fidèle aux principes inculqués par ma grand-mère, je n'ai
de goût que pour les plages populaires ?*

Miami Beach.

*Voici que depuis des mois j'arpente comme un som-
nambule tes rivages sans fin. Tête nue, cheveux gras et
collés comme George Raft dans ses films de gangsters,
qui font sur mon crâne une croûte durcie. Les yeux irrités
par la blancheur étincelante du sable, car je refuse de
porter les lunettes que ma mère m'a offertes. La sueur se
mêlant à l'huile dessine sur ma peau bronzée une colonie
de gouttes perlées qui dégoulinent en rigoles.*

*« Mon Dieu, Julian, mais tu es tout noir ! Regarde-
moi cette peau de crocodile. Prends vite un bain mous-
seux et enlève-moi ça, j'ai envie de vomir ! » s'écrie ma
mère.*

*Mais elle oublie de dire que ses envies de vomir sont
plutôt le résultat de sa gueule de bois permanente, de ce
mélange suicidaire de daïquiris, Margaritas, Manhattan
et Tom Collins qui sont sa ration quotidienne.*

Miami Beach.

*J'ai appris à t'aimer mais aussi à te connaître. Je sais
par exemple que jusqu'en 1912 cette région était vierge
comme aux premiers jours de la création. Marais, palmiers sauvages, Indiens primitifs et caïmans. Tu aurais
pu rester ainsi jusqu'au Jugement dernier, mais c'était*

compter sans l'esprit d'entreprise qui fait la force de *l'Amérique. Car si Dieu créa la Floride, John S. Collins créa Miami Beach. Ce gentleman-farmer, cet horticulteur inventif et astucieux assainit le marais et féconda une grande partie de la longue île située de l'autre côté de la baie de Biscayne. Là où l'on ne trouvait que boue, plantes et bêtes sauvages, il fit pousser agrumes et plantations d'avocats. Comprenant très vite que le succès de son entreprise dépendrait de la rapidité avec laquelle il pourrait livrer ses produits sur le continent, il se mit en tête de construire un pont qui engloutit sa fortune avant même d'être terminé. Ce geste d'ingénieur illuminé est passé dans l'histoire sous le sobriquet de « la folie de Collins », folie qui fut sauvée in extremis par un autre citoyen émérite, pur produit de l'Amérique de cette époque et digne rejeton d'une famille d'immigrés blancs et protestants : un certain Carl Fischer qui arriva avec des paquets de dollars. L'argent coulant à flot, les investissements se multiplièrent, attirant dans leur sillage des touristes du monde entier en quête de loisirs et de bords de mer aménagés.*

Miami Beach, tu vis le jour en 1913.

Une décennie plus tard millionnaires séniles, politiciens véreux, gangsters sur le retour et artistes du showbiz s'entendirent pour faire de toi une copie conforme du paradis sur Terre, version hollywoodienne, cela va sans dire.

Dieu avait créé l'étroite langue de terre et de sable que des entrepreneurs avisés baptisèrent Miami Beach.

Miami Beach, pour tous tu pris le visage de Dieu.

Et moi je marchais obsessionnellement sur ton visage. Pour venir à bout de mes souvenirs, me vider de cette nostalgie d'une autre île qui n'était plus la mienne, essayant fébrilement d'effacer de ma mémoire cette dernière matinée à Cuba. Car ce jour-là il aurait suffi, je le savais, d'ouvrir la portière de la Cadillac de mon père et de me perdre dans la foule. Ma passivité s'est transformée en constat d'échec. Ne pas m'enfuir revenait à accepter l'exil et par conséquent je méritais ce qui m'arrivait.

Miami Beach.

Chaque jour je passe devant un hôtel plein d'octogé-
naires et de nonagénaires semblables à des insectes der-
rière leurs gros yeux de verre bariolés, sous leurs
chapeaux de paille et visières en plastique, parasols et
coupe-vent, dans leurs chaises longues et pneumatiques.
Momies pétrifiées, cadavres en sursis dans le grincement
des balançoires. Pauvres vieillards oubliés même par la
mort et qui se disent sans doute : « Si nous restons là,
bien sagement sans bouger, à l'abri du soleil sous les
parasols, les palmes, les auvents de nos maisons, dans
les antichambres de nos beaux hôtels, nous pourrons lui
échapper. Distraite et fascinée par cette multitude de
corps nus et bronzés, aux muscles élastiques, frétillants
et sautillants, la Mort ne nous remarquera pas. Chair
fraîche gorgée de sang, chair offerte. Viande étalée au
soleil exhalant un suc savoureux. La Faucheuse est gour-
mande. Elle préférera ces corps svoltes et souples à nos
peaux de parchemin, à nos membres flétris, nos chairs
flasques et nos os si friables. Immobiles et silencieux. Fai-
sons-nous oublier, peut-être gagnerons-nous ainsi encore
un an ou deux... »
Miami Beach.
J'ai appris à aimer tes crépuscules flamboyants quand
l'or et le rose se fondent dans l'azur. Tes fiançailles
d'aube, quand la nuit et le jour tremblants se tiennent
suspendus dans le fragile instant. Je connais ton littoral
poudré, chacun de tes grains de sable, les vagues de ta
mer. Un œil de faucon pourrait retrouver dans mille ans
la trace de mes pas dans ta géographie mouvante. Prome-
neur solitaire venu se vider de son amertume, consumé
par le feu de tes rayons africains, Miami Beach... je te
hais.

A son retour, Julian prenait sa mère sous le bras et
l'aidait à remonter le chemin et à gravir le grand escalier
de l'hôtel jusqu'à l'étage où se trouvait leur suite. Il savait
qu'elle avait bu de l'alcool à vous assommer un taureau.
Magdalena se tenait droite sur ses jambes, un vague sourire aux lèvres et son regard semblait tout entier tendu
vers l'horizon lointain.

Et chaque jour à la même heure Magdalena répétait avec cette intonation chantante qu'elle avait héritée de sa mère l'Andalouse :
« La vie est belle, Julian, es-tu d'accord avec moi, mon prince ? La vie est belle... » Un après-midi, l'Aragonais était arrivé sans prévenir. Il était méconnaissable. Un large sourire éclairait son visage morose. Ses yeux brillaient de bonheur, sa voix plus haute et légère avait un timbre presque adolescent.
« Julian ! Magdalena ! Je vous ai fait une surprise ! »
En fait de surprise, il y en avait plusieurs. Ils avaient trouvé devant la porte de l'hôtel une Cadillac continentale bleu ciel. Le même modèle exactement que la voiture qu'ils avaient laissée à La Havane. A côté de la limousine se tenait un chauffeur noir, habillé dans le même uniforme clair que Serafin. L'homme était plus jeune, il avait la peau légèrement moins foncée mais il se comportait envers son patron avec la même obséquiosité que celle de l'ancien chauffeur.
Une fois dans la voiture, Edelmiro Sargats refusa d'en dire plus à sa femme et à son fils. Il se contentait d'indiquer la route au chauffeur, en direction du quartier résidentiel de Coral Gables, au sud-ouest de Miami, non loin du golf de Granada et de Biltmore.

Ce jour-là, Julian et Magdalena découvrirent Miami qu'ils ne connaissaient pas encore. Voyant défiler les larges avenues bordées de luxueuses demeures entre une double rangée de palmiers royaux, Magdalena ne put s'empêcher de s'exclamer : « Ça ressemble à... »
A peine eut-elle le temps de terminer sa phrase qu'Edelmiro Sargats renchérit d'une humeur joyeuse et inattendue :
« A La Havane ! Ça ressemble à La Havane ! Et ce n'est pas tout, vous allez voir... »
Quand la Cadillac s'arrêta devant le portail en fer forgé ouvrant sur un jardin touffu et fleuri au fond duquel on apercevait le péristyle d'une maison de pur style colonial, Magdalena s'écria :

« Mais c'est notre maison de Miramar ! »... puis, se dressant, elle s'affaissa sur le siège en suffoquant et libérant un flot de larmes.

Bourru, retenant son émotion, l'Aragonais déclara fièrement :

« Vous avez vécu comme des gitans dans cet hôtel, mais votre patience est récompensée. Sept mois, c'est long. Voyez, je n'ai pas perdu mon temps. J'ai cherché et je l'ai trouvée. Bien sûr, elle n'est pas tout à fait pareille à celle de Miramar : il manque le patio et j'ai dû changer l'orientation de la terrasse sur le jardin, faire repeindre les murs... Quoi qu'il en soit, nous avons deux chambres de plus, et une piscine ! »

En pénétrant dans la maison, Julian et Magdalena restèrent muets et paralysés : tous les objets et les meubles de la maison de Miramar étaient là, et leur ordonnancement, dans les moindres détails et dans la mesure du possible, avait été respecté.

« Vous comprenez maintenant pourquoi je vous ai demandé de quitter la maison de Miramar quelques mois avant notre départ, pourquoi tout ce mystère. J'étais bien renseigné, je savais ce qui risquait de se passer avec ce régime révolutionnaire : fermeture des frontières, impossibilité de sortir le moindre objet ou bijou... J'ai donc vidé notre foyer quand c'était encore possible et j'ai loué un garde-meuble ici en attendant de trouver ce dont je rêvais : et la voici, la maison de nos rêves ! Allez-y, inspectez-la. Tout y est. Le piano de ta mère. La photo que lui a dédicacée Garcia Lorca. Tes livres d'enfant et tous tes jouets, Julian ! »

Le taxi de l'Haïtien a tourné l'angle de la rue, emportant avec lui ses rythmes syncopés et abandonnant Julian sur le trottoir.

Piqué à l'entrée, il regarde la grande maison et le jardin et n'en croit pas ses yeux. En quelques mois, les enfants de Gisela ont transformé ce coin de paradis en triste capharnaüm. La roseraie qui était l'orgueil du jardinier japonais, avec ses subtiles variétés de roses thé, jaunes et blanches, ne donne quasiment plus de fleurs. Le coin des narcisses, protégé du soleil de la Floride par une construction de verre polychrome, s'est transformé en dépotoir pour les balles, les gants et les battes de base-ball. Les herbes folles ont gagné du terrain et les jasmins grimpants ont séché contre les murs. Des ours en peluche sans tête ni bras, des autos au toit défoncé, des rails et des locomotives cassées pendent des arbustes moribonds. L'allée tapissée de carrelages vénitiens est ternie par la boue.

Portes et fenêtres sont grandes ouvertes. A l'intérieur, la radio diffuse à tue-tête en espagnol un discours anti-castriste enflammé.

Julian se maudit de n'avoir pas suivi sa première impulsion : s'installer à l'hôtel et ne venir à Coral Gables qu'en visiteur.

Soudain, il entend sa sœur hurler :

« Taisez-vous, les monstres ! Venez dire bonjour ! Oncle Julian est là ! »

Des bigoudis sur la tête, son corps difforme enroulé dans un vieux kimono taché et des chaussons d'hiver à ses pieds gonflés, Gisela court vers son frère, l'embrasse et le conduit vers la maison.

« Si tu veux que mes sauvages te fichent la paix, tu n'auras qu'à t'enfermer, voilà la clé, c'est le seul moyen d'éviter qu'ils transforment ta chambre en porcherie. »

Le dos appuyé à la porte, les mains dans les poches, Gisela ne quitte pas son frère des yeux. Il écarte les rideaux et ouvre les fenêtres pour laisser entrer la lumière, puis tourne lentement sur lui-même, inspectant chaque recoin, comme un animal prenant possession de son territoire.

« Parfois quand j'ai le cafard, Julian, je me réfugie ici. Assise sur ton lit, je ferme les yeux comme tu fais à présent et je me dis... la porte va s'ouvrir et Rita va surgir, abolissant le temps, la séparation, la mort, aussi naturelle que vivante, et elle me dira "Ne t'en fais pas, ma petite fille, mon amour de petite fille, ton chagrin n'est qu'un nuage, il est passager, et toi, tu es un astre rayonnant, un astre ! Regarde-moi, Julian, vois ce que la vie a fait de moi ! " »

Julian garde les yeux fermés et murmure :

« Ne t'inquiète pas, petite sœur, Rita avait raison, tu es un astre rayonnant. »

La clinique où Magdalena Sargats fait une cure de repos depuis plusieurs mois n'a pas lésiné sur la publicité. Au-dessus des portes grillagées de l'entrée un panneau lumineux annonce sans complexe :

Le Paradis à portée de vos rêves

La brochure que Paradis'Home distribue à ses clients reprend le thème en le développant jusqu'à la nausée, à grand renfort de textes alléchants et de photos tape-à-l'œil aux couleurs agressives : *Des bungalows dotés de tout le confort moderne sont à votre disposition toute l'année, au cœur de notre Foyer vous trouverez de quoi satisfaire tous vos désirs : un gymnase, un centre de thalassothérapie, un complexe cinématographique, trois restaurants, une discothèque, un cabaret où se produisent les meilleurs artistes. Nos boutiques n'ont rien à envier à celles de New York, Londres et Paris. Dior, Moschino, Vuitton, il y en a pour tous les goûts et tous les styles.*

La brochure mentionne aussi la présence d'une équipe de surveillance ultra-performante : *Vigiles et gardes dotés d'un équipement électronique sophistiqué assurent jour et nuit la sécurité des résidents de Paradis'Home.*

« Maman n'a pas quitté son refuge depuis six mois. Ces enfoirés distribuent une carte de crédit à leurs clients. La carte sert à tout : commander une pizza ou acheter une robe d'Yves Saint-Laurent. Et c'est papa qui paye. Jusqu'à quand pourra-t-il ? L'argent que maman dépense en un mois suffirait à nourrir la population du Bangladesh, et même... de l'Asie tout entière ! » l'avait averti Gisela.

Julian est arrivé le matin par le bateau qui fait la

navette entre Miami et Hurricane Harbor au port de Key Biscayne. Puis il a pris un taxi jusqu'à Paradis'Home où il est accueilli par un bataillon d'hôtesses, des blondes platinées et des rousses aux yeux pervenche. Le circuit de télévision interne transmet à Mme Sargats dans le bungalow qu'elle habite l'image de son fils dans le hall d'accueil, et Mme Sargats apparaît sur le petit écran du bureau de la réceptionniste. Elle sourit doucement et déclare d'une voix douce :

« Oui, c'est Julian Sargats, mon fils bien-aimé, faites-le venir. »

Une petite voiture électrique à deux places conduite par une de ces délicieusement impersonnelles créatures vient chercher le visiteur. La voiturette s'engage dans des allées ombragées où pins et palmiers voisinent avec des platanes et des saules pleureurs. Leurs troncs solides, sains et lisses, les branches robustes et bien dessinées et les feuilles aux couleurs éclatantes et vernissées ont quelque chose d'un décor en carton-pâte.

« Chaque espèce d'arbre, chaque fleur reçoit les soins des meilleurs spécialistes, poursuit la jeune fille d'une voix de robot... Des jardiniers hollandais et des botanistes asiatiques... Dans tous les domaines, nous bénéficions ici de ce qui se fait de meilleur... »

Ce disant, elle penche vers le visiteur son visage de poupée en celluloïd. Le regard de Julian, quant à lui, semble irrésistiblement attiré par les genoux et les cuisses de la jeune femme que sa minijupe découvre largement. Il est ravi de voir la fille rougir : enfin une réaction humaine dans ce coin de paradis où tout a l'air préfabriqué.

« Tu admires les reflets cuivrés de mes cheveux auburn, Julian ? » demande Magdalena en guise d'entrée en matière.

Pris de malaise, Julian dévisage sa mère. Elle a terriblement changé.

« Quinze kilos ! J'ai perdu quinze kilos ! Et rien que des jus de fruits, mon prince, pas une goutte d'alcool ! Paradis'Home a fait de moi une femme nouvelle ! » dit-elle en faisant un demi-tour sur elle-même pour que son fils puisse admirer sa silhouette.

Magdalena lui raconte ensuite comment chaque matin, après une séance de gymnastique intensive, quelques longueurs dans la piscine et un séjour prolongé au sauna, elle se livre aux esthéticiennes du salon de beauté de l'établissement. Les mains expertes des maquilleuses contribuent à améliorer ce à quoi la chirurgie esthétique n'a pu remédier. Les sourcils, épilés et redessinés forment un arc parfait au-dessus des paupières subtilement ombrées et des cils, trop longs pour être naturels. L'auréole foncée de ses cheveux ondulés et gonflés avec art met en relief les pommettes hautes et les joues redessinées par le chirurgien. Le silicone, distribué avec tact, donne à la bouche un air boudeur et charmant.

Le bungalow de Magdalena tout comme les bâtiments collectifs de Paradis'Home sont inspirés du quartier chic de Miami, tendance Art Déco californien redevenu à la mode en ce début des années 70.

« Miami doit tout aux années folles d'avant le krach de Wall Street. A cette époque les gens savaient vivre, tu peux me croire ! Valentino, la Dietrich et Rockefeller pouvaient s'asseoir à la même table qu'Al Capone, si tu vois ce que je veux dire ? Ici dans ce paradis nous avons l'impression de revivre ces années de bonheur. » Magdalena baisse ses paupières lourdes et fardées, lève les bras et ondule tout le corps sur une mélodie de Duke Ellington, un 78-tours original qu'elle vient de poser sur un gramophone RCA Victor, La Voix de son Maître.

Elle porte une combinaison en tweed de laine bouclée — et sa veste assortie est rehaussée d'un col en vison et d'un collier de perles dont l'authenticité ne fait pas de doute —, des bottines en veau velours et veau verni, et des gants en agneau glacé parés de renard. La robe et les accessoires sont tous signés de couturiers célèbres à Londres, Rome et Paris. Une tenue entièrement achetée avec sa carte de crédit Paradise dans le souk de luxe du complexe hôtelier dûment protégé par des vigiles armés, des chiens et des puces électroniques.

Magdalena danse et Julian observe sa mère. Ce n'est

pas seulement son visage refait, son corps dégonflé ni le luxe choquant de ses habits qui provoquent en lui un sentiment de répulsion, ce sont aussi ses gestes : sa démarche ondulante, sa robe et son maquillage étudié, sa voix sensuelle, tout n'est que le reflet mimétique d'une autre personnalité, celle d'une morte.

Magdalena Sargats tente de revivre désespérément l'époque de splendeur de Rita Alfaro, sa mère.

Julian se souvient, il devait avoir cinq ou six ans... Rita Alfaro, sous la pression de ses amis et de son mari, avait accepté de projeter l'unique film dont elle était la vedette. Pour la circonstance, on avait loué un cinéma de quartier, le Strand. Julian était assis sur les genoux de sa grand-mère. Elle le serrait contre elle et il sentait le souffle de la vieille dame sur son cou et l'odeur de jasmin de sa peau. C'était un film muet et tous s'amusaient des gesticulations exagérées des acteurs. Julian qui s'ennuyait ne cessait de répéter :

« Quand est-ce qu'on va te voir, mamie ?

— Bientôt », répondait la voix grave et angoissée de sa grand-mère.

Puis arriva le moment tant attendu : Rita Alfaro, habillée en homme, dansait parmi un groupe de gitans. Personne dans la salle n'eut plus envie de rire. L'absence de son rendait la scène encore plus forte. Rita Alfaro n'avait pas besoin de son. Tout son corps était musique, ondulation, grâce, nuance mélodique, énergie et puissance ensorcelante.

L'enfant sentit glisser dans son cou les larmes brûlantes de sa grand-mère qui murmura entre deux souffles :

« Le temps est assassin. Comment arrêter les années qui passent, comment ? »

Rita Alfaro avait fini par détruire l'unique copie du film et voici que bien des années plus tard son image déformée prenait corps dérisoirement dans un bungalow de stuc de Key Biscayne.

Magdalena Sargats dansait devant son fils, répétant des gestes volés à un film muet.

Une Mercedes nacrée les attend devant le bungalow.

Le chauffeur en uniforme bleu marine, bottes resplendissantes et képi sous le bras, semble tout droit sorti des pages glacées d'un magazine de mode : un athlète aux gestes souples, longue chevelure blonde de Viking, puissante mâchoire et regard bleu azur défiant l'avenir.

« Fritz, voici Julian, un ami de Boston. Conduisez-nous au zoo, Fritz. »

Magdalena entraîne son fils vers la voiture comme si elle pressentait une réaction négative de sa part, et elle poursuit :

« Figure-toi que Fritz a quitté l'Allemagne de l'Est à dix-huit ans, en risquant sa peau. Il travaille comme chauffeur en attendant de pouvoir se payer des études universitaires. Il veut être ingénieur... » confie Magdalena à l'oreille de son fils.

« Tant mieux pour ce rejeton de nazi, rétorque Julian. Maman, veux-tu bien m'expliquer... depuis quand suis-je "un ami de Boston" ? » poursuit-il, en insistant bien sur le « maman » en direction de l'Allemand qui, imperturbable, conduit avec une parfaite maîtrise, le visage immobile et le regard absent de celui qui est bien décidé à ne pas intervenir dans les affaires d'autrui.

« Julian ! Tu as mis le doigt sur le secret du succès de notre Home : toute la thérapie consiste à mettre en veilleuse le passé, à l'oublier, à le nier, comme si cette vie-là n'avait pas existé... car il s'agit bien ici de renaissance. Tout le contraire de ton docteur Freud, si tu veux savoir. Nous ne sommes ni père, ni mère, ni frère, ni sœur, mais des individus à part entière, des êtres vivants. Un point c'est tout. Jouissons dans l'instant de ce que la vie nous offre. Ne sommes-nous pas ici dans une voiture de rêve sous un ciel de Fra Angelico, longeant les avenues splendides de cette île merveilleuse ? Dans quelques minutes, nous allons voir des animaux exotiques extraordinaires, car ici tout est conçu pour vivre en dehors du temps. Ne pensons pas à hier, Julian, et encore moins à demain. »

Et sans transition Magdalena se met à chanter *Yeux sorciers*, la chanson préférée de l'Andalouse, d'une voix qui ressemble à s'y méprendre à celle de Rita Alfaro à ses meilleurs moments.

Ils sont appuyés à la balustrade en bois sculpté, sur le petit pont qui enjambe le lac artificiel. Des cygnes noirs glissent en miroitant sur une eau immobile.

« Regarde-les, Julian, quelle beauté ! L'arabesque du cou, ce maintien arrogant, un prince transformé en cygne par la baguette d'une méchante fée ? J'ai sûrement été un cygne dans une autre vie.

— Maman, il faut que je t'annonce quelque chose : ton ami de Boston va s'installer définitivement dans cette ville du Nord où il a poursuivi ses études.

— Quoi ? Comment ? Que dis-tu ?

— Je quitte Miami pour de bon.

— En as-tu parlé à ton père ?

— Pas encore. Il n'est presque jamais à la maison. Et quand il est là, il est toujours entouré des membres de son groupe de patriotes. »

Julian s'attendait à tout sauf à cet éclat de rire intempestif de sa mère. Rejetant la tête en arrière, elle prend le ciel à témoin de sa réaction de joie dérisoire.

« Edelmiro Sargats, président d'un groupe patriotique d'exilés cubains ! Tu ne trouves pas ça réjouissant ? L'Aragonais, le déraciné qui pose ses assises sur le terrain mouvant des marais de Floride ! Voilà un homme qui n'a pas su régler ses comptes avec son passé. Mais toi, mon ami, mon fils... Vas-y. Gère ton avenir, Julian, et si ta vie est à Boston, n'hésite pas, vas-y ! »

Prenant Julian par la main, Magdalena Sargats l'entraîne le long de la promenade au bord du lac où ils se mêlent aux singes, aux canards et aux paons.

« Ce soir on dîne, on s'amuse, on danse ! » avait annoncé sa mère d'un ton péremptoire qui coupait court aux explications de Julian. Rien ni personne ne l'attendait à Miami, mais le long après-midi passé en sa compagnie lui avait laissé une drôle d'impression.

Madeleine s'est construit une muraille de protection, des murs invisibles plus solides qu'un bouclier d'acier ou de béton armé. Au-delà de ses fards, de ses liftings, de son maniérisme Art Déco, j'essaie de retrouver ma mère, mais ce que je vois m'alarme. Quand elle prononce le nom de mon père, Edelmiro Sargats, son regard est glacial. Rita Alfaro, elle, haïssait mon père d'une haine violente, chaude, humaine, alors que la rancune de ma mère pour son mari est devenue presque abstraite. Madeleine fait de nous ce qu'elle veut, elle nous abandonne et s'éloigne. L'ami de Boston... Ça n'est certes pas une blague innocente. Elle a éliminé le fils. Reste l'ami qui doit faire attention à ne pas dépasser certaines frontières.

Comme il n'a pas prévu de passer la nuit à Key Biscayne, Julian a loué un *guest room* à Paradis'Home et s'achète une chemise blanche et une cravate pour pouvoir entrer dans le cabaret où sa mère a prévu de passer la soirée.

Cet hôtel cinq étoiles ressemble à n'importe quel autre hôtel cinq étoiles du reste de l'Amérique. Dans la salle de bains aussi vaste qu'un dancing il reste une heure sous la douche, passant du chaud au froid et se préparant, corps et âme, à cette nuit singulière que sa mère lui a promise.

« Oscar Peterson sera là. »

Voilà pourquoi il s'était finalement décidé à rester.

Il avait découvert le jazz à Harvard et pris l'habitude d'étudier en écoutant les meilleurs interprètes depuis la sublime époque de La Nouvelle-Orléans jusqu'aux derniers enregistrements de Charlie Mingus, Thelenious Monk et Charlie Parker. Au panthéon du jazz il accordait à Oscar Peterson une place privilégiée. Avec les années, Peterson avait acquis une densité et une profondeur nouvelles, il avait gagné en humanité là où d'autres avaient surtout développé une virtuosité technique. Comme chez Miles Davis, on sentait la sensibilité de l'homme évoluer parallèlement à celle de l'artiste. Voir Oscar Peterson jouer sur scène était une tentation trop grande à laquelle il ne pouvait résister.

Magdalena a réservé, dit-elle, « la meilleure table ».

Pour Julian, cela voulait dire une petite table discrète entre la scène et la salle, de l'autre côté de la piste de danse d'où l'on pourrait bien voir et entendre les musiciens. Mais sa mère ne l'entendait pas ainsi. La meilleure table pour elle était forcément la plus en vue, de préférence au centre, à mi-chemin de la porte d'entrée et de la scène où devait se produire le trio.

Tandis qu'il traverse la salle avec sa mère, Julian a la désagréable sensation d'être jaugé, mesuré, déshabillé par des paires d'yeux malveillants. En effet lorsque Magdalena, enfin prête, s'était présentée à lui en robe du soir satin et mousseline qui lui tombait jusqu'aux pieds avec des bretelles en strass, Julian s'était senti défaillir.

« Un rêve signé Balmain, chéri ! »

Ses épaules nues, ses bras dorés par le soleil de la Floride n'en laissaient pas moins voir les ravages du temps. Magdalena n'avait jamais été adepte de l'effort physique et ses bras quand elle les levait pendaient en paquets de chair flasque. Le décolleté mettait en valeur des seins trop ronds et fermes pour être honnêtes.

« Je ne peux pas t'accompagner en jean et veste sport, maman ! » avait dit Julian dans l'espoir de la faire changer de tenue.

« Nous sommes à Paradis'Home, Julian, ici, toutes les folies sont permises ! »

C'est ainsi qu'ils avaient fait leur entrée au Sky Room de Paradis'Home, lui en jeans et veste sport, elle dans une robe du soir signée Pierre Balmain.

Magdalena commande son cocktail de fruits favori, « Nouvelle Vie ».

Julian, pour supporter son exaspération, demande un triple scotch sans eau ni glace.

« Regarde ces vieilles perruches, mais elles nous assassinent du regard ! » dit-il assez fort pour que toutes l'entendent, en absorbant une longue rasade de whisky. Magdalena, la mine radieuse, renchérit :

« Les vieilles taupes, elles sont jalouses !

— Ça ne les empêche pas de se bécoter sans pudeur.

— Des gigolos, mon chéri. De pauvres petits immigrés récemment débarqués chez l'oncle Sam. Ils viennent pour la plupart de notre Amérique latine profonde. Celui-là est péruvien... L'autre, là, c'est un Equatorien... Et le troisième est de Patagonie... vraiment pitoyable ! »

Triste agonie que la leur... se dit Julian, en observant le groupe de jeunes hommes engoncés dans des smokings de location, trop grands ou trop petits pour eux. Cheveux crépus ou lisses, peaux mates, quelques visages affichent des marques de petite vérole, une maladie qui continue de sévir dans les pays « en voie de développement ». Regards de fouine, regards de fauve. Regards sans lumière intérieure ou laissant apparaître par instants une rancœur séculaire. Des bouches aux lèvres épaisses, au sourire sans éclat. Leurs mains parcourent d'autres mains à la peau tachée par la vieillesse, des cous flétris, des bras gras, flasques ou décharnés.

Julian boit son verre de whisky d'un coup sec tandis que le noir se fait dans la salle.

« Oscar Peterson, un don du ciel ! » murmure-t-il avec ferveur. Les trois musiciens ont l'air de revenir de loin. Ils donnent l'impression de se déplacer dans le monde avec leur musique, sans avoir besoin de rien d'autre. Leurs visages marqués sont empreints d'une séduisante sagesse. Les pérégrinations de leur vie nomade semblent les avoir nourris mieux que tous les livres d'une bibliothèque. Ils ont joué d'un continent à l'autre, avec leurs instruments pour seuls repères, et cette musique qu'ils créent et improvisent d'un cabaret à l'autre, de studio en studio d'enregistrement. L'Oscar Peterson d'hier était celui d'aujourd'hui et sera celui de demain. Les doigts qu'il pose sur son instrument ne vieilliront jamais, se dit Julian, l'observant, ils l'accompagneront jusqu'à sa mort. Magdalena l'énerve : pourquoi éprouve-t-elle le besoin de secouer la tête pour suivre le rythme, elle qui dit ne rien comprendre au jazz ? Pourquoi ces commentaires pénibles, du genre « Comme ils sont beaux ! La musique vous grandit, vous transforme ! Comme j'aurais aimé être musicienne ! »

Elle bat des cils, ses faux cils fardés et ses doigts accompagnent rythmiquement la mélodie sur le rebord de la table. Qu'elle se taise ! Qu'elle écoute en silence !

« Excuse-moi, chéri, la nature a ses urgences... »

Non, décidément, il n'en peut plus, il est exaspéré. C'est la seconde fois que sa mère se lève au beau milieu d'un morceau plein de feeling, délicat et nuancé, pour traverser la piste déserte et disparaître derrière les rideaux en velours rouge et or qui cachent la porte des toilettes, sur le côté de la scène.

Elle n'a pourtant bu qu'un cocktail de jus de fruits et n'a guère touché l'assiette de saumon fumé, blinis et caviar iranien qu'elle a commandée.

Quand elle revient de son long séjour aux toilettes, Julian remarque que les joues de sa mère sont plus colorées, ses pommettes paraissent plus hautes et bombées et ses lèvres détendues arborent un sourire lascif qui n'obéit à aucune cause apparente. A la flamme des bougies, il observe ses pupilles. Pour avoir rencontré dans les bars de Boston, de New York ou de Miami ces filles qui sniffent deux lignes de cocaïne sur un couvercle de WC, il sait très bien d'où lui vient cette énergie renouvelée, ce sourire figé, ces pupilles dilatées.

Magdalena n'a plus besoin d'alcool. La cocaïne est sa maîtresse. Et ce qu'il vient de découvrir gâche à Julian le dernier quart d'heure du récital d'Oscar Peterson et de ses musiciens.

Il en est à son cinquième double scotch lorsqu'un orchestre imitant le son Tommy Dorsey des années 50 remplace sur scène le trio. Les couples de vieilles momies accompagnées de leurs gigolos se lèvent comme un seul corps pour aller danser. Ballet d'organdi, de strass et froufrous de soie se frottant aux smokings de location, bras musclés et mains robustes se posant sur des corps décatis et raides. « Viens, on danse ! » s'écrie sa mère en se levant.

Julian, trop déprimé, n'offre pas de résistance et se laisse entraîner vers la piste où des rayons verts, bleus et roses balayent impitoyablement la ronde des couples qui tournent comme des insectes pris dans des faisceaux lumineux.

Piètre danseur, Julian se borne à suivre les mouvements syncopés de sa mère qui, les yeux mi-clos, se laisse envahir par le swing du faux Tommy Dorsey. Des décharges électriques traversent son corps par à-coups. Elle danse pour elle, sans tenir compte de rien ni de personne, pour le seul plaisir de danser et Julian finit par se tenir presque immobile face à cette femme possédée. Puis quand vient le moment du slow, Magdalena redescend sur terre et glisse son bras autour du coup de son fils. Julian reconnaît les effluves de *Narcisse Noir* de Caron, le parfum préféré de Rita Alfaro.

« Gloria Swanson et moi avons les mêmes goûts », aimait dire sa grand-mère.

Magdalena colle son visage à celui de son fils et se serre contre lui.

« Dis-moi si elles nous regardent... dis-moi qu'elles sont blêmes de jalousie de me voir avec un beau jeune homme transpirant la bonne éducation bostonienne. »

Couché sur le lit dans une chambre qui ressemble en tout point à sa chambre d'adolescent à Cuba, Julian regarde le plafond décoré d'une frise de feuilles et de grappes de raisin en stuc. Quelque part dans l'immense maison de Coral Gables les enfants de Gisela se livrent à leurs cavalcades habituelles, hurlent, se battent, s'insultent et pleurent : Ernesto, comme le Che ; Augusto, comme l'empereur romain ; Carlitos, comme Gardel ; Simon, comme Bolivar, le libérateur de l'Amérique latine, et Miguel, comme son père...

« A chaque grossesse j'attendais le miracle et à chaque accouchement je n'étais pas déçue : tous plus laids les uns que les autres ! Alors, pour compenser ma frustration, pour me venger du destin ou leur en choisir un, je leur ai donné des prénoms illustres », raconte Gisela avant d'ajouter : « Ces maudits garçons, ils auront ma peau ! »

Julian abandonne tout espoir de faire une sieste et de voir diminuer sa migraine. La veille au soir, il a bien dû vider une bouteille de whisky. Impossible de se souvenir à quel moment il avait commencé à parler à sa mère, poussé par l'urgence de cracher ce qu'il avait à dire pour ne pas mourir étouffé par ces mots qui sortaient de lui — et malgré lui — comme une nausée.

Madeleine. Que lui avait-il dit au juste ? Il ne sait plus.

Il a l'impression que son crâne va éclater, s'ouvrir en deux comme une vieille citrouille au fur et à mesure que la Mercedes s'approche de Hurricane Harbor. Sa langue pèse une tonne et ses lunettes noires ne suffisent pas à le protéger de la luminosité agressive.

Magdalena se tient très droite, assise à ses côtés. Le visage livide, sans le moindre maquillage. Ses yeux rougis témoignent d'une nuit sans sommeil et à ses paupières gonflées on devine qu'elle a passé de longues heures à pleurer.

« J'étais ivre mort. Excuse-moi. Je ne sais plus ce que je t'ai raconté.

— N'y pense plus. Il est bon de temps en temps d'entendre certaines vérités, même si elles font mal. »

Elle a insisté pour l'accompagner au bateau et Julian se sent pitoyable, malheureux et coupable. En descendant de voiture, il glisse discrètement dans la main de bûcheron du chauffeur allemand un billet de cinquante dollars.

« Reviens me voir, Julian », lui dit sa mère avec un sourire triste qui ne parvient pas à animer son visage de craie.

Malgré toutes ses ruses, Julian n'avait pas pu éviter d'assister au dîner que son père offrait en son honneur, pour célébrer « le retour du fils prodigue, du diplômé de Harvard ».

Il s'était dit qu'il profiterait de l'occasion pour annoncer à son père son intention de s'installer définitivement à Boston.

Il connaissait les invités de l'Aragonais, tous membres de l'Association patriotique pour la liberté de Cuba, créée en 1962 après la crise d'octobre.

« Fidel Castro et Khrouchtchev ont failli plonger le monde dans le chaos. John Fitzgerald Kennedy nous a sauvés. Il est temps d'agir. Organisons les luttes à venir », avait proclamé voilà déjà dix ans Edelmiro Sargats dans cette même salle à manger où il avait réuni, pour l'occasion, ces mêmes onze personnes.

« Les castristes disent que la Révolution a été gagnée

par les douze survivants du bateau *Granma*. Ils se prennent pour le Christ et ses apôtres. Qu'à cela ne tienne, nous aussi nous serons douze, et c'est par nous qu'arrivera la contre-révolution ! »

En dix ans, l'équipe du départ avait grossi. Le président Sargats était assisté aujourd'hui de quatre vice-présidents, un trésorier et trois secrétaires. Dans cette armée d'élite, personne ne voulait être simple soldat et tous revendiquaient un titre. Le grade le plus humble était celui de « capitaine ». Car l'APLC était hiérarchiquement organisée « comme la Compagnie de Jésus », avait précisé le chargé de presse. Vingt-cinq membres permanents, tous à la solde de Sargats. Onze exilés de la première heure — entre janvier 1959 et 1960 — côtoyaient les quatorze nouvelles recrues des dix dernières années : quelques hommes d'affaires, comme Sargats, deux avocats, un journaliste, trois retraités et un colonel, un vrai, qui avait appartenu à l'armée de Batista et qui, malgré ses soixante-neuf ans bien sonnés, était chargé de l'entraînement militaire des membres du groupe. Comme la Compagnie de Jésus ou le Parti communiste, l'APLC était structurée en cellules. Les membres d'une cellule se réunissaient tous les dimanches dans un coin perdu des Everglades pour s'entraîner en vue d'un futur débarquement à Cuba.

Gisela, en parfaite maîtresse de maison, sert le repas qu'elle a préparé : un porc entier rôti à la broche, couronné d'une montagne de riz blanc et de haricots noirs, d'ignames et de yuccas, de bananes frites et de beignets. La bière et le rhum Bacardi coulent à flots, et les combattants de la liberté semblent avoir un solide appétit.

Assis à la place d'honneur, Julian regarde son père qui règne en patriarche à l'autre bout de la table, au milieu de ceux qu'il appelle ses « patriotes acharnés ». Son corps s'est un peu alourdi et il a perdu ses cheveux. « Le profil d'un empereur romain fatigué », pense-t-il.

A force de vivre au milieu de Cubains, son accent aragonais s'est un peu policé.

Combien de fois avons-nous parlé d'homme à homme,

de père à fils, d'ami à ami ? Deux fois ? Une ? Jamais. A Cuba, tu travaillais trop pour pouvoir t'occuper de moi. En exil, tu étais trop obsédé par le retour à Cuba pour y penser. Toutes les décisions importantes, c'est avec ma mère que je les ai prises. Elle partait en clinique et je décidais de faire mon high school en internat. Puis un jour je t'ai dit : « Je veux m'inscrire à Harvard. » Tu écoutais. Tu acceptais. Tu payais quoi qu'il arrive. En silence. Sans un mot, sans un reproche non plus. Etait-ce un excès d'amour ou le signe d'une grande indifférence ? Je ne l'ai jamais su. J'aurais dû te demander : pourquoi tout encaisser, pourquoi tant de patience ? Un bouc solitaire escaladant le sommet des montagnes aragonaises n'aurait pas mieux fait. Résistant, indifférent à la douleur, courageux et persistant. Qu'ai-je hérité de toi et en quoi me ressembles-tu ? Un jour, peut-être, nous pourrons parler à cœur ouvert. Un jour.

Mario Valdès, vice-président de l'APLC de la première heure, se lève pour proposer une série de toasts :
« A Cuba libérée !
« A notre cher Président !
« A l'heureux diplômé de Harvard, son fils !
« A Gisela qui nous a si bien nourris !
« A la seconde mort du Che Guevara ! »
Tous les invités partent d'un rire gras qui secoue leurs corps massifs et trapus, leur coupe le souffle et leur fait gicler les larmes des yeux.
Edelmiro Sargats est pris d'une crise de toux et s'étrangle de rire.
Julian se couvre le visage des mains comme s'il était victime, lui aussi, de cette explosion de gaieté collective. Mais il ne rit pas, il a honte.

C'était l'époque des vacances à Miami. Il venait de passer brillamment ses examens de première année d'études universitaires. Pour fêter le succès de son fils, l'Aragonais avait organisé un de ces dîners dont il était coutumier. Les membres de son association étaient présents, moins nombreux qu'aujourd'hui. Le groupe d'hommes prenait l'apéritif en attendant l'arrivée du fils de leur président.

Un an auparavant, Che Guevara avait été assassiné en Bolivie et la communauté en exil de Miami voyait dans cette mort un signe positif. Désormais toute guérilla révolutionnaire dans le cône Sud de l'Amérique latine serait vouée à l'échec. Ni le peuple bolivien ni les paysans n'avaient bougé. Les partis communistes latino-américains proches de Moscou n'avaient pas non plus soutenu la lutte du Che en Bolivie, c'était un fait connu de tous. Et les Etats-Unis avaient fait leur possible pour que l'armée bolivienne encercle et assassine le révolutionnaire argentin.

L'espoir renaissait donc chez les exilés de Miami. Pour les militants, la fin du règne de Castro était proche.

« Les Américains ne permettront pas un second Cuba au-delà du Rio Grande. Et qui sait... qui sait... ? La disparition du Che peut inciter Washington à tenter une nouvelle opération Baie des Cochons qui, cette fois, Dieu le veuille, sera couronnée de succès ! » avait alors proféré solennellement Mario Valdès.

Paniqué à l'idée d'affronter ce dîner avec les larrons de son père, Julian avait traîné tout l'après-midi downtown. Pour se donner des forces, il avait fait une halte au Floridita, copie conforme du fameux bar de La Havane, l'authenticité en moins. Il avait avalé quelques daïquiris bien frappés en écoutant le barman lui raconter sa vie.

« A Cuba, je travaillais au Floridita comme serveur. Le barman était un pote à moi. C'est lui qui m'a initié aux secrets du mojito et du daïquiri. Mais ici, ça ne sera jamais la même chose. Le rhum, les feuilles de menthe, le sucre, ça n'a rien à voir, Monsieur ! Même l'eau du robinet n'a pas le même goût, et les glaçons, et l'eau gazeuse. Parce que Cuba, Monsieur, c'est inimitable ! C'est comme le soleil ! On me traite de con parce que je n'apprécie pas le soleil et la mer de Floride. No way, Monsieur, je sais ce que je dis ! Ça n'a rien à voir ! Cuba, c'est Cuba ! »

A force de daïquiris et de discours nostalgiques, Julian avait été pris d'un cafard monstrueux. Tout lui revenait en vrac : son enfance, sa grand-mère Rita, l'odeur si particulière des rues de La Havane et, surtout, cette aube du 1er janvier 1960, lorsque la Cadillac familiale avait traversé la ville et les avait emmenés à l'aéroport.

Un taxi l'avait reconduit, vacillant et chancelant, devant la maison de Coral Gables, si semblable à celle de Miramar et cependant si différente. Hébété, l'estomac noué, il ne pouvait se décider à entrer. « Qu'est-ce que je fous là ? Rita, où es-tu ? Pourquoi n'es-tu pas venue hanter les nuits de ce salopard d'Aragonais ? L'au-delà existe-t-il ? Ni dieu ni diable ! Il n'y a rien ni personne. Tu t'es évanouie pour toujours et je suis seul dans cette ville de merde ! »

Entrant comme un voleur par la porte de service, il avait regagné sa chambre juste à temps pour vomir dans le lavabo. Puis il s'était jeté sur son lit et avait mûri sa vengeance.

Lorsqu'un peu plus tard il était entré dans la salle à manger, impeccable, en pantalon de flanelle blanche, mocassins blancs, chaussettes de soie blanche et portant sur la poitrine un T-shirt à l'effigie du Che qu'il avait acheté à New York — son béret étoilé, ses cheveux longs, sa barbe, son sourire charismatique —, Mario Valdès venait juste de terminer sa tirade sur le Che.

Souriant et poli, le fils du président de l'APLC salua chaleureusement chacun des convives :

« Mario... Tony... Juan, quel plaisir !... Maestro Pepe, vous êtes là !... »

Personne ne fit le moindre commentaire, pas un ne sut comment réagir.

Et Julian, l'air affable, le sourire figé, prit place à table dans un silence de marbre, quand soudain la voix de basse d'Edelmiro Sargats, résonnant comme du bronze, rompit le malaise :

« Allons mes amis, si nous attaquions ce repas ? »

La nourriture et la boisson aidant à digérer l'incident, on parla de politique et les anecdotes sur les membres de la famille qui étaient encore à Cuba occupèrent le reste de la soirée. Les blagues allèrent bon train et tous se divertirent.

Dans son T-shirt, Julian se sentait misérable et ridicule. Il venait d'avoir vingt et un ans. Il avait obtenu d'excellents résultats à l'université et voici que quelques daïquiris et un vague à l'âme intempestif l'avaient poussé à se conduire comme un gamin. Sa guerre avec son père ne concernait que lui. Il s'en voulait d'avoir tout mélangé, la direction de l'APLC, le Che...

Dans son désarroi, il renversa du ketchup sur sa poitrine. La sauce rouge et gluante dégoulina lamentablement sur le visage d'Ernesto Che Guevara. C'est alors qu'Edelemiro Sargats s'était écrié d'une voix de stentor :

« Bravo, mon fils ! Tu viens d'assassiner le Che une deuxième fois ! »

Quatre ans ont passé et Julian ne s'est jamais remis de la honte et de l'humiliation qu'il avait éprouvées alors, et voici que les patriotes de l'APLC au grand complet rient encore du bon mot du père et de la facétie du fils.

La nourriture lourde, la chaleur et l'alcool commencent à faire leur effet. Les voix deviennent traînantes, l'articulation molle et les idées difficiles à exprimer. Personne ne s'occupe de Julian en bout de table et toutes les attentions sont tournées vers le président qui tient de grands discours. Comme d'habitude, la discussion tourne autour de Cuba et de l'espoir d'assister un jour à la chute de Fidel Castro.

« Il me maintient en vie. Je ne quitterai pas ce monde avant de voir Cuba retrouver la liberté », dit Edelmiro Sargats.

Mario Valdès qui n'en attendait pas moins pour passer à l'attaque informe le reste de l'équipe d'un rapport secret que, dit-il, il a « reçu d'en haut », accompagnant cette affirmation d'un geste et d'un regard vers le ciel.

Tous approuvent de la tête. Valdès a, semble-t-il, de bons contacts avec les autorités américaines. Ce mystérieux « en haut » peut aussi bien être un ami sénateur qu'un membre du Département d'Etat, ou le directeur de la CIA en personne.

« Vous vous souvenez, la bonne blague lancée par Fidel, les dix millions de tonnes de sucre pour 1970 ? Un échec total. Depuis, l'entourage du Lider Maximo commence à se poser des questions. »

Valdès évoque alors l'éventualité d'un soulèvement de l'armée, le malaise de la population d'Oriente, berceau des guerres d'indépendance et province d'où est partie la révolution castriste.

« Nous devons être en état d'alerte permanent, prêts à toute éventualité », ajoute-t-il en faisant tourner sa chevalière en or autour de son doigt.

A la suite de quoi il cherche à les convaincre de la nécessité de créer une infrastructure militaire, une logistique de base, un projet coûteux et ambitieux, utilisant à l'appui de sa démonstration des termes techniques et militaires. Des amis « haut placés » leur apporteront un soutien discret, mais ce sont les forces de l'exil qui devront se charger de l'organisation et de la mise en place du réseau.

Julian pense à ce que lui ont dit sa mère et sa sœur, à savoir que l'Aragonais, obsédé par la chute imminente de Castro, dépense dans cette affaire toute sa fortune et beaucoup d'énergie.

« Les autres parlent, lui paie », avait commenté Magdalena, jouant avec un bracelet de brillants signé Van Cleef & Arpels et répondant à Julian qui l'accusait de jeter l'argent par les fenêtres.

« Edelmiro joue au militaire, moi je m'amuse pour de bon. Sans compter que ce bracelet peut s'avérer utile un jour. *Chi lo sa ?* Mes bijoux sont un investissement. Moi au moins je vis mes désirs et mon goût du luxe, je l'assouvis. Ton père, lui, est naïf. Il mourra et Castro sera encore là. Les Galiciens sont deux fois plus coriaces et têtus que les Aragonais. Il n'y a qu'à voir Franco, un compatriote du père de Fidel. Le sang, Julian, le sang ne ment pas. Toi aussi tu es obsessionnel à ta manière. Tu me parles d'honnêteté, de décence et de rigueur avec la même intransigeance que ton père lorsqu'il s'obsède sur Cuba.

Tous les deux, vous partagez une même folie sous des bannières différentes. »

Le souvenir de cette conversation avec sa mère se superpose à la discussion des hommes qui alignent chiffres et budgets : il faut prévoir un financement pour l'achat de bateaux à moteurs, de vedettes performantes et bien équipées qui puissent approcher les côtes cubaines, mais aussi pour acheter des armes et secourir le flot des nouveaux exilés qui débarquent le long des côtes de Floride. De l'argent. Beaucoup d'argent.

Julian qui déteste les haricots noirs et le porc n'a presque rien mangé. Il a bu avec modération pour bien se tenir et éviter de se ridiculiser une seconde fois devant les membres de l'APLC. Et plus le dîner avance, plus le danger s'éloigne. En bout de table, isolé et oublié de tous, il n'a désormais plus rien à craindre.

Quand il se réveille le lendemain matin, un calme inhabituel plane dans la maison. Julian descend au rez-de-chaussée et trouve Gisela dans la cuisine en train de finir la vaisselle du dîner pantagruélique de la veille.

« Où sont les gosses ?

— Exilés à Orlando. Une amie les a emmenés à Disneyworld. Avec un peu de chance ils vont se perdre dans la foule ou se faire bouffer par les crocodiles.

— Il n'y a pas de crocodiles à Disneyworld, Gisela, mais des fausses souris, des fausses Blanche Neige et des faux nains.

— Je compte aussi sur les pédophiles, les serial killers, ou la fée Carabosse en chair et en os pour me débarrasser de cette épuisante progéniture. »

Difficile de savoir si elle plaisante ou si elle parle sérieusement tant elle semble abattue. L'humour noir comme exutoire pour mieux affronter la dure réalité. Julian n'a pas le temps d'approfondir la question que déjà Gisela monologue sur son père, ses amis et l'argent inutilement dépensé.

« Il faut être aragonais pour imaginer un seul instant que les paniers de Noël Sargats pourraient devenir populaires au royaume du fast food, du milk-shake et du hamburger !

— Père a investi dans d'autres affaires, non ? J'ai entendu parler d'une chaîne de garages, d'un parc d'appartements du côté de Hialeah et de la Petite Havane.

— Une chaîne de garages... réparer des vieilles bagnoles... la belle affaire dans un pays où tout vous pousse à la consommation, ou l'on préfère jeter et acheter plutôt que de réparer ! Et qui, selon toi, sont les gérants de ces garages ? Devine ! Ses potes de l'Association patriotique, pardi, ou leurs familles qui débarquent de Cuba sans un sou, une main derrière, une main devant. Tu parles d'un investissement ! Il ferait mieux de faire comme tout le monde ici : le blanchiment de l'argent de la drogue, voilà comment on s'enrichit dans la région. Après quoi il aurait peut-être pu se lancer dans ses œuvres charitables. Mais notre père est un honnête homme. Le pauvre, comme si cela ne lui suffisait pas d'être aragonais, en plus il est honnête ! »

Julian veut aider Gisela à transporter l'énorme pile d'assiettes en équilibre sur ses bras, mais elle refuse.

« Mange ton petit déjeuner, July, les toasts vont refroidir. »

Elle l'appelle July, comme le mois de juillet, et ça lui rappelle leur enfance quand il l'appelait Giselle en français. Elle riait et dansait pour lui sur la pointe des pieds, le corps svelte, dans une robe légère, les bras relevés au-dessus de la tête, et il disait, toujours en français, « ma Giselle est un cygne blanc ». Quand il avait sept ans, Julian était fasciné par la gamine de treize ans qu'elle était. Giselle, petit être plein de charme aimée d'un prince charmant. Emu, attendri, hypnotisé, il ne se lassait pas de la contempler. Il était amoureux transi de sa sœur et cette idée le troublait parfois au point de lui ôter le sommeil. Il se réveillait au milieu de la nuit et n'osait ouvrir les yeux, de crainte d'être aveugle... C'était la punition, croyait-il, que l'Eglise catholique réservait à ce désir coupable.

Quelques années plus tard, à son grand réconfort, il avait lu dans un livre d'histoire que les pharaons égyp-

tiens épousaient leurs sœurs pour assurer la descendance
de leur dynastie. Les Egyptiens, pensa-t-il, sont le peuple
le plus civilisé du monde. Il me suffira de devenir égyp-
tien, ou pharaon, se plaisait-il à rêver, plongé dans un
atlas et mesurant la distance qui séparait Cuba de ce pays
mythique.

Un jour, on lui fit cadeau de son premier appareil
photo et d'une dizaine de rouleaux de pellicule. Et que
photographia-t-il ? Gisela, sous toutes les coutures, dans
toutes les tenues possibles et imaginables. « Je serai pho-
tographe de plateau, je photographierai les stars d'Holly-
wood. Il suffit que je m'entraîne avec Gisela. Qui sait,
peut-être un jour deviendra-t-elle une star ? »

Un voisin s'occupa de faire les tirages. Julian passait
des heures à regarder les portraits de sa sœur. Gisela dans
une robe du soir à la Scarlett O'Hara, parée pour le Carnaval... Gisela en bottes de cavalier et casquette, retenant
son cheval par la bride... Gisela en naïade, sortant de la
mer, les cheveux ruisselants et le maillot collé au corps...
Gisela triste ou souriante... Gisela faisant une grimace à
l'objectif...

Il s'était installé un coin dans le grenier de Miramar
dont il était le seul à posséder la clé. C'est là qu'il ran-
geait dans une malle fermée par un cadenas les centaines
de photos qu'il avait prises de sa sœur. Parfois, l'été,
quand l'orage menaçait et que le ciel se chargeait de
nuages noirs, il se plaisait à imaginer que la fin du monde
était proche. Il n'y avait pas un souffle d'air, tout semblait suspendu dans l'attente, les oiseaux se taisaient, les
animaux domestiques, chats, chien et même la vieille tortue qui traînait sa carapace dans le jardin se terraient en
attendant que l'orage éclate et gronde. C'était l'instant
qu'il choisissait pour monter au grenier et s'enfermer à
double tour. Alors, il ouvrait la malle et disposait sur les
murs, le plancher, le plafond les photos de sa sœur.

Et quand le déluge faisait rage, que la pluie battait les
vitres comme un tambour, que les coups de tonnerre
déchiraient le ciel et que la foudre incendiait toits, arbres,
auvents et voitures, il contemplait l'image démultipliée
de sa sœur et il se masturbait.

Comment avait-il pu être aussi naïf ? Comment ne s'était-il pas rendu compte que ce danseur argentin que fréquentait sa sœur était plus qu'un simple ami ? Ignorant tout de la nature de leur relation, il leur avait même servi de messager.

Jusqu'au jour où Rita avait murmuré à son oreille :

« Ne dis rien à personne, mon chéri. Je viens d'accompagner Gisela et Miguel à l'aéroport. Ils se sont enfuis à Buenos Aires. Je m'attends au pire quand ton père va l'apprendre. Pendant qu'il laissera éclater sa furie, toi et moi nous fêterons le triomphe de l'amour ! »

Rita Alfaro n'avait pas compris pourquoi son petit-fils l'avait repoussée aussi brutalement et était parti en courant, faisant claquer toutes les portes derrière lui.

Hors de moi, je monte au grenier quatre à quatre, j'ouvre la malle, je répands les photos de Gisela par terre, des milliers de clichés, et je les déchire une à une. Une montagne de coupures de papier. Je les jette dans un grand seau. Je sors dans le jardin, j'attrape dans le cagibi un bidon d'essence et je fais brûler le tout. Le feu crépite, s'élève, des flammèches de papier volent dans le vent. Adieu, Gisela, adieu ma sœur bien-aimée...

Julian observe la silhouette lourde de sa sœur qui se déplace lentement, range les assiettes sur les étagères, empile les plats avec lassitude. Obèse, amère, le visage fermé comme un poing serré. Que reste-t-il de la frêle et romantique jeune fille qu'il a aimée ?

« Giselle ! »

Elle se retourne, surprise de s'entendre appeler comme autrefois.

« Oui ?

— Je vais abréger mon séjour à Miami. Je rentre à Boston.

— Quand ça ?

— Je ne sais pas. Samedi peut-être. »

Elle s'approche, s'appuie au rebord de la table, tire une chaise vers elle et laisse tomber la masse de chair de son corps comme une avalanche.

« Tu en as parlé à papa ?

— Non, pas encore. Ce soir. Ou demain. »

Elle se ressert du maté, car depuis son retour d'Argentine elle boit du maté à longueur de journée.

« L'Argentine est un pays féroce, les Argentins sont des cons, mais leur maté est bon », lâche-t-elle.

Elle ferme les yeux pour mieux déguster l'infusion au fort goût d'herbe qu'elle tire avec une petite pipette en argent d'une vieille calebasse gravée.

« Tu pars pour longtemps, July ?

— Pour toujours.

— Pas vrai ! »

Ses yeux n'ont pas changé. Elle a le regard de ses quinze ans, quand elle me disait : « Un jour, July, je grandirai, j'aurai un fiancé, un mari, des amants, c'est la règle du jeu. Mais toi et moi, c'est différent, tu sais. Toi et moi, c'est pour la vie. »

« J'étais persuadée que tu accepterais la place de prof qu'on t'offre ici... Tu dis toi-même que tu aimes enseigner...

— Oui, mais je déteste Miami.

— Si tel est ton choix, comme disait Rita... tu te souviens ?

— Tu me rendras visite à Boston, dis ?

— Oui, c'est ça, flanquée de mes monstres braillards. A propos, j'ai ma journée de libre aujourd'hui. Que dirais-tu de m'accompagner au cinéma ? On passe *El dia que me quieras* de Carlos Gardel dans une salle de la Petite Havane. Ensuite nous pourrions dîner à la Carreta. Je n'ai pas mis les pieds dans un restaurant depuis des siècles. »

L'interminable Huitième Avenue qui s'étire au sud-ouest de Miami et que les Cubains ont rebaptisée la calle Ocho ou la Sagüecera n'a pas changé. Un coin de passé noyé dans l'explosion de tours en verre et de constructions anarchiques qui poussent comme des champignons et transforment la ville de jour en jour. Les changements qui se sont produits calle Ocho sont d'un autre ordre. Après le triomphe de la Révolution, les anglophones ont déserté l'avenue et les Cubains se sont installés ici en masse, occupant bijouteries et parfumeries, restaurants, cafés et pompes funèbres, quincailleries et banques, boulangeries et salons de beauté. Et chaque boutique ou échoppe a repris, par réflexe patriotique, le nom d'un endroit connu de La Havane : « El Encanto », « Fin de Siglo », « Funeraria Caballero »...

WE SPEAK ENGLISH précise parfois une pancarte. C'est dire qu'ailleurs on ne parle qu'espagnol.

« Tu sens, July ?

— Quoi ?

— La chaleur, les odeurs, les couleurs... Regarde ce paysan de Camaguey. Et la mulâtresse, là-bas, dans sa robe jaune canari collée à son gros cul, avec ses rouleaux sur la tête. Incroyable ! Ici les filles se passent un fer à repasser chaud sur le crâne pour lisser la laine crépue de leurs cheveux et mettent ensuite de gros bigoudis pour les faire onduler. Les Cubaines... le surréalisme à l'état pur ! Tu entends les chancletas qu'elle porte aux pieds, ce petit claquement sec et caractéristique sur le pavé ? Comme à La Havane, place de la Cathédrale, le chant des chancletas ! Ici, à Miami ! Et tu veux te priver de tout ça, July ! Mais respire un peu l'air de ces rues : l'arôme du café brûlé qu'on est en train de moudre, les odeurs de fruits mûrs qui s'écroulent sur les étals. Mangues juteuses, papayes aux chairs éclatées, pulpe de pamplemousse rose, exhalaisons d'ananas pourrissants et pépites pourpre des grenades ouvertes. Pourrais-tu te passer de nos kiosques à boissons avec leurs granitas acidulées, du rhum blanc et de la menthe fraîche, du jus de la canne à sucre épais, doré et savoureux ? Chez nous soleil, sexe et sueur font bon ménage. Et les épices, July ? Ne me dis pas que c'est à Boston, à New York ou à Cincinnatti que tu pourrais te payer ce carnaval pour les narines et pour les yeux ! Leurs épiceries ne connaissent que les poudres défraîchies dans les tiroirs et les bocaux. Ici à Miami, comme à Cuba, les épices conservent toute leur vitalité... leurs forces secrètes rayonnent et s'épanouissent sous les effets de la chaleur et de l'humidité. Tamarin, gousses d'ail et piments oiseaux, origan, noix de coco et de cajou, poivre vert et girofle, cannelle, sucre roux, cardamome et muscade, ah, comme ils sont puissants, enivrants ! Un orgasme permanent ! Le souffle du diable, July ! Ici les parfums et les odeurs vous collent à la peau, et tu prétends pouvoir te passer de tout ça ? »

Il se contente de sourire sans rien répondre, accablé par la chaleur. Accoudés au comptoir d'un bar, ils boivent un café très fort et très chaud, puis entrent dans la salle de cinéma où l'air conditionné a fait descendre la température au-dessous de zéro.

Gisela pleure tout le long du film en dévorant deux paquets de pop-corn géants et avalant au moins trois litres de Coca-Cola. Quand les lumières reviennent, elle tourne vers son frère un visage décomposé.

« Je suis injuste. Après tout, mes enfants sont argentins. Qu'est-ce qu'ils foutent là, les pauvres chéris, entourés de Cubains et d'exilés plus ringards que notre père ? » Julian ne peut dissimuler son fou rire, et pour calmer les angoisses de sa sœur, sa soudaine nostalgie de Buenos Aires, il lui rappelle qu'ils ont réservé une table à la Carreta.

Comme sous l'effet d'une baguette magique, la calle Ocho qui était presque vide sous la chaleur intense de l'après-midi est à présent noire de monde. Un podium a été improvisé au coin d'une rue, devant un square où habituellement vieux retraités et jeunes chômeurs viennent disputer des parties de domino, de dames ou d'échecs.

Des haut-parleurs et de puissants projecteurs ont été accrochés sur les toits de quelques camions. On a tendu des draps entre les arbres où sont inscrits les slogans :

CUBA SOUFFRE !

HALTE AU CRIME !

FIDEL, ASSASSIN !

Julian et Gisela ont du mal à se frayer un chemin dans la foule.

« Que se passe-t-il ?

— On a encore trouvé un radeau sur la côte avec trois morts, un homme, une femme et leur enfant de deux ans...

— Le radeau pris en chasse a tourné en rond sur les courants du Gulf Stream, c'est fréquent, raconte quelqu'un. Ils sont restés des heures sans eau ni nourriture, sous un soleil de plomb.

— Rôti ! L'enfant était rôti comme un porcelet ! »

Les orateurs se succèdent sur le podium. Les micros transmettent la voix que les haut-parleurs amplifient. On comprend mal ce qu'ils disent parce que c'est à qui hurlera le plus fort pour s'imposer. Les têtes changent mais le discours reste invariable : Un seul coupable dans cette tragédie que vit le peuple cubain : Fidel Castro. C'est parce qu'il a imposé le communisme et fermé les frontières que le peuple cubain se jette à la mer...

« Sur de vieilles carcasses pourries ! hurle quelqu'un. En construisant des radeaux de fortune avec des pneus et de la ficelle. Parfois même ils arrivent à la nage. C'est le peuple de Cuba, citoyens, et non pas des ex-milliardaires comme voudrait le faire croire Fidel. L'homme trouvé mort sur ce radeau avait les mains calleuses d'un ouvrier. Et il était noir, mes frères !

— Fidel, assassin ! reprend la foule.

— Regarde, July, il est sur le podium ! Papa ! il va prendre la parole ! » s'écrie Gisela en poussant son frère qui bouscule tout le monde et se fait rabrouer.

« Excusez... c'est notre père ! Edelmiro Sargats, le président de l'Association patriotique pour la liberté de Cuba ! »

Avec sa stature de vieux taureau, il a le don de s'imposer. Il porte un pantalon blanc et une guayabera blanche immaculée ; trois longs cigares dépassent de la poche supérieure. Son crâne chauve, son visage bronzé le rendent aussi immuablement cubain que les pierres de la forteresse d'El Morro, à l'entrée du port de La Havane. Les gens le reconnaissent, crient son nom et l'applaudissent.

Julian et Gisela sont impressionnés par le sang-froid de leur père, lui, l'homme silencieux et pudique, souriant à la foule qui l'acclame. Il joue du micro avec cet air concentré que, sans s'en rendre compte, il emprunte à Fidel. Enfin sa voix s'élève, tonne, prend ce ton nasillard des Cubains quand ils s'exaltent.

« La patrie en exil pleure », commence-t-il.

Ses réflexes de professionnel reviennent au galop. Dans un exposé clair et précis, il se borne à répéter quelques idées simples avec assurance et conviction. Il vend au public son discours politique comme il vendait hier ses paniers de Noël.

Ses arguments sont simples : avant la Révolution, Cuba était un pays prospère et indépendant, aujourd'hui c'est un pays appauvri, un satellite de Moscou. Sans le soutien des pays soviétiques l'île prendrait l'eau comme une coque trouée.

Avant la Révolution n'importe quel Cubain pouvait aller et venir entre l'île et la Floride. Le prix de la traversée — avions et bateaux — était abordable et à la portée de tous. Si on quitte Cuba aujourd'hui, c'est pour toujours : exilé et apatride, on n'a pas le choix. Hier, Castro accusait Batista d'être un horrible dictateur, mais lui, est-ce un enfant de chœur ?

Avant la Révolution, n'importe quel Cubain, n'importe quel étranger comme lui pouvait, avec un minimum de travail, de discipline et d'esprit d'entreprise, prospérer et s'enrichir. Le slogan communiste égalitaire a brisé tout espoir de se forger un avenir meilleur. Tous égaux, oui, excepté les fonctionnaires haut placés dans la nomenclature, leurs familles et amis qui jouissent de tous les privilèges. Hier, n'importe qui pouvait s'exprimer librement, voyager où bon lui semblait, pratiquer le culte religieux de son choix et militer pour un parti ou un autre.

Aujourd'hui, une seule voie pour le Cubain : s'inscrire au Parti communiste pour survivre, être jeté en prison pour dissidence ou, dans un élan désespéré, s'enfuir sur un radeau où il aura toutes les chances de mourir en mer.

L'Aragonais ne fait que mettre en forme et organiser les idées que tous les Cubains de Miami ne cessent de répéter, jour après jour, depuis des années. Sa voix puissante, sa carrure de vieux lutteur, sa réputation d'honnête homme et d'homme d'honneur intransigeant donnent à son discours un impact particulier. A intervalles réguliers, la foule scande les slogans, repris par les haut-parleurs :

« A bas le communisme ! »

« Castro, assassin ! »

« Vive la liberté ! »

Gisela serre le bras de son frère si fort que Julian proteste :

« Lâche-moi, Gisela, tu vas me casser le bras !

— Tu as vu papa, comme il a changé ? »

Son regard brille, son sourire est lumineux. La Giselle de mon adolescence reprend vie quelques instants sous les faisceaux des projecteurs braqués sur la foule en délire. Se souvient-elle de cette comédie américaine que nous avions vue ensemble ? Lune sur Miami, avec Betty Grable et Don Ameche. Nous rêvions alors de nous envoler pour la Floride, et nous y voilà, des années plus tard. La lune est quelque part dans le ciel au-dessus de ces projecteurs agressifs. Pas de musique, plus de chansons, mais une foule qui scande des slogans haineux pour fêter un tragique événement.

Elle me serre à nouveau le bras et hurle « A mort ! A mort ! »

Au milieu de cette foule survoltée, le visage de l'adolescente disparaît pour faire place à celui d'une femme libérant la colère qui l'habite comme une maladie honteuse. « A mort ! » Un banal incident et tout pourrait basculer. Voitures renversées, incendies, vitrines brisées, hommes et femmes lynchés. « A mort ! » avec ou sans raison. Œil pour œil. Une escalade de haine meurtrière où je ne trouve pas ma place. Peut-être ai-je tort ? Je ne sais. Quand je pense aux trois cadavres étendus sur un radeau, mon cœur se serre. Par quelle perversité de l'esprit suis-je incapable de ressentir cette haine qui me ferait crier « A mort ! » La pitié suffit-elle à éviter le désastre dans un monde qui devient chaque jour plus cruel et plus fou ? Je ne sais. Je suis là. Figé. Vivant, par dérision, un rêve impossible, essayant de me souvenir de la chanson de Betty Grable qui parlait d'une douce lune et de l'amour. De l'amour. A présent Gisela pleure. Vidée de sa haine. Elle a pris ma main dans la sienne et nous restons là, perdus dans la foule qui hurle et vocifère, en scandant des slogans de haine et de mort.

Julian suffoque. Les derniers arrivants poussent la foule pour mieux s'approcher. Des années auparavant, aux premières heures de la Révolution, il s'en souvient, il s'était rendu à un rassemblement populaire avec sa grand-mère.

« C'est comme au théâtre, Julian, il y aura des milliers de personnes, des chants, des projecteurs. Et Fidel va parler.

— Je préfère le voir à la télé. C'est mieux, parce que s'il parle aussi longtemps que la dernière fois, on pourra en même temps aller et venir, manger, boire et faire pipi.

— Aïe, Julian ! Julian ! Le petit écran ne remplacera jamais la présence physique. Voir Fidel en chair et en os, même de loin, être là en même temps que l'on communie avec tous, c'est beaucoup plus enivrant que de rester devant un écran de télévision. Imagine-toi, si la télé avait existé au temps de la Terreur, pendant la Révolution française ! Quelle émotion ce devait être de voir, en vrai, la tête d'un noble tomber sous la guillotine. Il faut avoir le sens de l'Histoire, mon petit Julian. »

Rita Alfaro était capable d'user de la plus basse démagogie pour arriver à ses fins. Aussi ce jour-là réussit-elle à convaincre son petit-fils de l'accompagner à une manifestation de soutien aux jeunes volontaires qui partaient dans les montagnes d'Oriente alphabétiser les paysans. Ce jour-là aussi, il y avait place de la Révolution une marée humaine qui criait « Vive la Révolution ! Vive Fidel ! », et comme à Miami, les gens se pressaient pour mieux voir.

A La Havane, le jeune Julian avait trébuché et sa grand-mère avait été obligée de jouer des coudes pour éviter que son petit-fils ne soit écrasé, asphyxié. Elle le protégeait de toutes ses forces. A Miami, Julian, devenu adulte, sait qu'il ne dépend que de lui de rester ou de partir. Et pourtant il ne bouge pas, il écoute les derniers orateurs faire leur surenchère. Tout a été dit, mais les hommes qui se succèdent au micro représentent une association, un groupe politique ou un parti, et chacun tient à communiquer le message de son propre groupe. Tous déploient leur rhétorique, essayent de briller. Les mots s'enchaînent, forment une spirale ascendante où le contenu se perd au profit de la forme. Et de temps à autre, comme un rappel, un mot d'ordre est crié et repris en chœur :

« A bas Fidel ! Communistes assassins ! »

Au milieu de cette hystérie collective, Gisela colle sa bouche à l'oreille de Julian et crie :

« Je crois que nous devrions partir. Il y a un type derrière moi qui colle son truc dans mes grosses fesses, si tu vois ce que je veux dire. »

Julian pousse Gisela devant lui pour la protéger des avances du mulâtre à tête de fouine qui se déplace et trouve une nouvelle proie.

« Attends, dit Julian tenant sa sœur par les épaules, je veux écouter ce que dit cette fille-là. »

Un curieux manège est en effet en train de se produire sur le podium que se disputent les ténors de l'exil. Tous ont à peu près l'âge de son père. Et soudain une fille est montée et essaye de prendre la parole. Elle est accompagnée d'une femme, tout de noir vêtue, et qui porte un voile sur la tête en signe de deuil. On dirait une pleureuse antique. Un tout jeune homme de quinze, seize ans ressemblant à s'y méprendre à la jeune fille est également monté. Même implantation de cheveux très épais et très noirs, mêmes yeux brillants et sombres, même fierté dans le maintien. Ce couple androgyne et troublant a l'air de surgir d'une autre planète.

Au même moment, Julian observe que son père intervient, parlemente, se retire un peu à l'écart avec les autres et revient sur le podium pour finalement donner à la jeune fille l'autorisation de se manifester.

Elle s'approche alors du micro, entourée de la femme
à l'allure de pleureuse et de son double masculin.

« Je m'appelle Emma Alvarez Sierra. J'ai dix-sept ans.
Mon père, l'ex-commandant de la Révolution Julio Arsenio Alvarez, purge à Cuba une peine de vingt ans de prison... »

Elle se tient très droite, et par une sorte d'intuition ou
d'insolence propre à la jeunesse, se place face au micro,
comme si ces milliers de têtes n'étaient là que pour
entendre son récit. Elle parle posément et les haut-parleurs épousent cette voix un peu rauque qui se répand
comme une vague enveloppante. Par un contraste saisissant, sa simplicité et sa sincérité obtiennent ce qu'aucun
des orateurs précédents n'avait réussi à obtenir : le
silence. Sur la calle Ocho qui n'est à cette heure que cla-
meur et trafic fiévreux pèse soudain une atmosphère
solennelle.

Emma Alvarez, devant tous ici réunis, raconte l'histoire de son père. Ayant exercé la profession de vétérinaire, cet homme aimé et respecté dans son petit village
proche d'Holguin, de la province d'Oriente, s'était
opposé aux brutalités commises par l'armée de Batista.
Il fut obligé d'entrer dans la clandestinité après quelques
mois de prison et de traitements horribles.

« Torturé pendant trois jours et trois nuits, il n'a
jamais livré aucun nom. »

L'homme avait fini par prendre le chemin de la Sierra
Maestra pour rejoindre les forces rebelles de Fidel Castro. Sa femme, emportant ses deux enfants de trois et
un an, Emma et Ricardo, dut s'exiler au Mexique. Le
vétérinaire se distingua rapidement sur les lignes de front
et passa au grade de commandant quelques semaines
avant le triomphe de la Révolution. Apolitique, épris des
valeurs traditionnelles, de liberté et de démocratie, il
commença à se heurter aux membres du vieux Parti
communiste qui noyautaient petit à petit les forces révolutionnaires pour mieux imposer leurs idées. Le commandant Alvarez, explique sa fille, fut chargé de gérer les
fermes collectives créées dans sa région. En 1962, il
apprit que quelques-uns de ses anciens compagnons

d'armes conspiraient contre Fidel Castro et l'influence grandissante des communistes. Alvarez fut sollicité mais il refusa de participer au complot, sans dénoncer pour autant ses amis. Cette fois, on ne le tortura pas comme au temps de Batista, mais il fut condamné à vingt ans de prison.

La jeune fille rappelle ensuite que cette tragédie n'est pas seulement celle de son père mais aussi celle de tout un peuple. Il y a ceux qui ont choisi l'exil et qui se trouvent ici, dans la calle Ocho, ceux qui sont restés en prison à Cuba pour défendre les principes démocratiques, comme son père et tant d'autres avec lui.

« Les prisons cubaines sont pleines à craquer », ajoute-t-elle.

Enfin il y a ceux qui, à leurs risques et périls, tentent le tout pour le tout et prennent la mer sur des radeaux de fortune, comme ces trois-là, martyrs de la liberté.

Puis de sa voix de jeune fille sage, elle demande à la foule d'aller déposer, en hommage à ces héros anonymes, une fleur sur leurs cercueils.

« Oublions notre dîner, July, après ce qu'elle a dit, je suis incapable de bouffer quoi que ce soit.

— Je suis content de te l'entendre dire, moi non plus. »

Les projecteurs viennent de s'éteindre et les organisateurs de la manifestation font preuve d'un remarquable sens pratique. Le podium est démantelé en un clin d'œil et les planches entassées dans des camions.

La foule s'est dispersée et en quelques minutes la calle Ocho a repris son visage habituel.

Dans l'avenue Flager, Julian et Gisela ont réussi à trouver quelques œillets pas trop défraîchis au fond d'une boutique. La patronne, une mulâtresse, mélange de Noire et de Chinoise, ne cache pas son bonheur.

« J'ai été dévalisée. Tout est parti, en un rien de temps ! Même mes vieilles tulipes qui étaient en train de rendre l'âme. Ah, que voulez-vous, le malheur des uns fait le bonheur des autres. Celui qui a eu l'idée de faire porter des fleurs aux morts, je lui suis bien reconnaissante !

— Ce n'est pas "celui". C'est une toute jeune fille qui

a eu la généreuse idée de rendre hommage aux martyrs de la liberté, madame. »

Gisela insiste sur le « madame » qui claque comme une gifle, et elle jette sur le comptoir les cinq dollars que lui a passés Julian. Il n'a même pas le temps de ramasser sa monnaie que sa sœur est déjà ressortie au pas de charge.

« Je lui ferai bouffer ses œillets pourris, la salope !

— Laisse tomber, Gisela ! Pense aux trafiquants d'armes qui se font des millions de dollars en semant la mort partout. Cette pauvre femme n'est rien qu'humaine, sans compter que la plupart du temps, j'imagine qu'elle doit les bouffer en salade, ses fleurs ! Comment peut-on être fleuriste à Miami ? »

Ils se dirigent vers les pompes funèbres où se trouvent les corps. S'il était honnête avec lui-même, Julian laisserait Gisela continuer son chemin toute seule. En quittant Cuba, forcé par ses parents et les circonstances politiques, il s'était juré de ne jamais se laisser entraîner par les mouvements de foule et les passions collectives. Et il avait tenu bon malgré les pressions extérieures.

Pendant sa première année au lycée américain, il refusait même d'assister aux matchs de basket ou de baseball. Ses professeurs et ses amis lui en voulaient de son attitude. A l'université, il répéta le même scénario. Et c'est ainsi que Louis Duverne-Stone et ses copains l'avaient pris pour un snob.

Je devrais faire comme j'ai toujours fait, appliquer mes principes. Fuir les manifestations, la foule, et revenir un autre jour rendre hommage à ces pauvres gens. Dans quelques semaines ou quelques mois, quand tous les auront oubliés. Trois tombes abandonnées dans un cimetière de Floride. Mais non, voilà que j'accompagne Gisela, que nous faisons la queue pour entrer dans la salle climatisée de la morgue où sont exposées les trois victimes. Et Gisela qui n'en finit pas de parler... Si au moins elle pouvait se taire !

« Laura Sierra, la femme du commandant Alvarez, est arrivée à Miami en 1963 avec ses enfants. Elle qui venait d'une famille riche d'Holguin s'est mise à travailler dans une usine de fruits confits pour payer l'école à ses enfants. Ricardito, le cadet, est encore au lycée. Emma vient de finir ses études secondaires. La jeune fille a les meilleures notes de sa promotion. Elle veut devenir avocate et sa mère aimerait qu'Emma aille faire ses études ailleurs, dans une université prestigieuse de la côte Est. Mais la gamine ne veut rien entendre. Elle veut rester à Miami, près de Cuba, comme elle dit, "en attendant le retour de son père". »

Gisela est intarissable sur la famille Alvarez Sierra, mais surtout sur Emma. Il semble que le frère et la sœur soient en train de retrouver leur vieille complicité. Gisela a surpris les regards de Julian et l'intérêt qu'il portait à Emma Alvarez, et son sourire malicieux semble dire à son frère : oui, Julian, j'ai bien vu que cette fille te plaisait, et je te fais l'article comme mon père quand il vend ses produits.

« Emma est toujours entourée de garçons plus jeunes qu'elle. Ses frères, ses cousins, leurs amis... Elle est leur grande sœur à tous. On ne lui connaît aucun flirt. Ce qui est étonnant chez une petite Cubaine. Les filles ici sortent avec les garçons dès l'âge de dix ans. Que dis-je, même avant... »

Les trois cercueils sont alignés dans une salle tout en longueur et devant le mur on a déplié un drapeau cubain et une photo géante de José Marti, le libérateur.

Deux cercueils noirs et un minuscule cercueil blanc. Les gens s'approchent par deux, s'arrêtent, font une courte prière, déposent leurs fleurs et s'éloignent en se signant.

« Oui, que disais-tu ?

— Je pense qu'Emmita est bien trop occupée par ses études et obsédée par l'histoire de son père. Comme elle était digne devant la foule... On aurait dit Antigone, tu ne trouves pas ? »

Julian ne répond pas. Leur tour est arrivé, et ils se retrouvent devant les cercueils. On a habillé l'enfant tout en blanc et recouvert son visage d'un voile léger pour cacher les pustules et les brûlures causées par le soleil.

Debout, immobile, Julian Sargats essaie de réciter l'*Ave Maria* qu'il a appris dans son enfance. Mais il ne s'en souvient plus. Et son cerveau refuse de l'aider. En voyant le visage sous le drap, il trouve la prière dérisoire. Si Dieu existait, se dit-il, il s'opposerait au martyre des innocents. La prière ne sert qu'à se masquer la réalité. L'homme est seul, entouré d'infini, d'ignorance, de cruauté et de silence.

En sortant du salon funéraire, Gisela et Julian croisent leur père en compagnie de la famille Alvarez Sierra. Laura, la mère, a relevé son voile et Julian est surpris par la jeunesse et la beauté de son visage. Mère et fils se tiennent légèrement en retrait d'Emma, ce qui prouve l'ascendant que la jeune Cubaine exerce sur son entourage. Et tous les trois écoutent avec respect le discours enflammé de l'Aragonais contre Fidel Castro en particulier, et les communistes en général. Une enseigne fluorescente envoie ses reflets bleutés sur les personnes qui devisent dehors au bord du trottoir. Edelmiro Sargats s'interrompt pour présenter son fils à la famille, enchaînant aussitôt sur la nécessité urgente de faire tomber le gouvernement cubain.

Julian observe discrètement la jeune fille et il ressent la même déception qui l'avait envahi lorsqu'il s'était retrouvé un jour dans une rue de New York nez à nez avec une actrice qu'il avait beaucoup admirée au théâtre et au cinéma.

Sur le podium, Emma semblait plus grande, son aisance naturelle plus imposante que sur ce trottoir balayé de flashes bleutés. Toute fragile, mince, elle ne fait pas ses dix-sept ans. Seuls ses yeux, noirs et intenses, ont une flamme peu commune. Pas étonnant, pense Julian, qu'elle n'ait pas de flirt, comme disait Gisela : quel adolescent oserait se frotter au silex de ce regard ?

Gisela interrompt la palabre de son père, prétextant qu'elle doit rentrer car ses fils l'attendent.

« Ecoutez... Pourquoi ne viendriez-vous pas dimanche déjeuner tous les trois à la maison ? Julian, mon frère, qui sort de Harvard, pourra peut-être conseiller votre fille pour l'université. »

Rendez-vous est donc pris et les Alvarez Sierra vont rejoindre leurs amis tandis que l'Aragonais part à la recherche de sa voiture garée au parking.

« Gisela, je t'avais dit que j'allais partir plus tôt que prévu. Dimanche prochain, je ne serai sans doute plus là.

— Je t'ai bien entendu mais... Que je sache, personne ne t'attend à Boston ? Alors, pourquoi ne pas déjeuner avec nous dimanche prochain ? Qu'est-ce qui te fait sourire ?

— Ta façon de jouer les mères maquerelles. Mon intérêt pour cette fille est purement intellectuel. Ce qui me fascine, c'est sa force intérieure, cette conviction d'héroïne grecque dont tu as parlé, ma chère sœur.

— Eh bien tu n'as qu'à rester un week-end de plus, tu connaîtras ce qui la motive et tu résoudras peut-être une équation intellectuellement intéressante, mon cher frère. »

Seul dans sa chambre, tard dans la nuit, ce dimanche de juillet, Julian entend au loin les disques de tango argentin que sa sœur ne cesse d'écouter. Toutes ses idoles sont au rendez-vous, de Carlos Gardel à Hugo del Carril, de Libertad Lamarque à Amanda Ledesma et Tania. Quand Gisela a le cafard, elle s'enfonce avec nostalgie dans ses souvenirs.

S'il récapitule les événements de ce dimanche, Julian doit en convenir : sa sœur a des talents de metteur en scène.

Elle a tout réglé avec minutie et doigté. Premier acte de la comédie de mœurs inventée par Gisela : elle a flanqué ses cinq enfants à une amie, et ils sont partis pour Boca Raton jusqu'au lundi. Acte second, elle a préparé un déjeuner tout à fait exquis et léger.

« Cuisine française », annonce-t-elle à ses invités.

Et la cuisine française aidant, elle insiste pour ouvrir le meilleur bordeaux, sans lequel la nourriture n'aurait aucune saveur.

Si Edelmiro Sargats et Laura Sierra boivent de bon cœur la première bouteille, Gisela utilise des ruses de Sioux pour faire boire Emma et son frère.

Edelmiro et Laura trouvent dans leur sujet favori — le Cuba d'avant la Révolution et l'exil — un terrain d'entente facile : la douceur du pays perdu, l'enchantement de son climat, la gentillesse et la gaieté de sa population.

Julian pour sa part se donne du mal pour animer la conversation avec le frère et la sœur. Tous les thèmes sensibles à la jeunesse y passent : le cinéma, la musique pop, le sport... Tous deux sourient poliment. S'il apprécie Woody Allen, Ricardo avoue préférer de loin Clint Eastwood et John Wayne. Quant à Emma, elle va rarement au cinéma.

Après une première coupe, et grâce à l'insistance sournoise de Gisela qui n'a cessé de remplir leur verre, ils ont finalement pas mal bu.

Edelmiro et Laura trouvent refuge dans un coin du jardin, à l'ombre des sycomores. Quelques membres de l'APLC sont venus les rejoindre et la messe basse habituelle prend son rythme de croisière. Gisela, qui connaît la passion de Ricardo pour le ping-pong, lui propose de faire quelques parties. Julian n'en revient pas : malgré son corps imposant, Gisela mène le match à un rythme endiablé et gagne haut la main sur son jeune adversaire.

« J'ai appris à jouer avec mes fils. C'est la seule chose qui les fasse tenir en place. » Puis Gisela propose à Julian et Emma d'aller converser dans le petit salon de musique où se trouve le poste de télévision et la chaîne hi-fi avec les disques. « Vous pouvez écouter mes tangos. Et il y a l'air climatisé. »

Julian ne met pas de tangos mais sa vieille collection de Claudio Arrau interprétant Chopin et Debussy. Dans ce salon décoré et meublé comme celui de la famille Sargats à Miramar, les jeunes gens affectent un air détendu. Emma ferme les yeux pour mieux écouter ce *Children's Corner* qu'elle ne connaissait pas et qui paraît la toucher vraiment. Alors qu'il l'observe, Julian pense qu'il n'a jamais su parler d'égal à égal avec une toute jeune fille, et cette idée le trouble.

Au lycée, il n'avait eu que des relations de camaraderie superficielles, sans jamais chercher à aller plus loin, se méfiant trop de toute relation sentimentale qui aurait pu interférer avec ses études.

C'est à Time Square qu'un jour il était entré dans un bar et avait lié conversation avec une femme entre deux âges. Celle-ci lui expliqua qu'elle venait de divorcer et il fit semblant de la croire. Leur liaison, de courte durée, lui avait laissé un souvenir calme et agréable. Il en déduisit que cette sorte de liaison passagère et discrète lui convenait parfaitement et devint, comme disait Louis Duverne-Stone, « expert en femmes mûres et en cœurs solitaires, avec un goût pour les chansons sentimentales des années 50 et les cocktails aux noms énigmatiques : Alexandre, Tom Collins, Manhattan... »

Louis Duverne-Stone était loin d'imaginer — car Julian ne lui en avait jamais parlé — ce qui troublait tant son ami au moment d'embrasser ces femmes de passage : presque toutes, elles avaient l'haleine de Magdalena quand, se penchant sur le lit de son fils, elle venait l'embrasser pour lui dire bonsoir, ivre morte.

Quand Emma Alvarez ouvre les yeux, Julian se met à dire n'importe quoi pour meubler le silence. Il lui raconte sa vie à Harvard, puis essaie de la convaincre de l'avantage de poursuivre des études dans une université aussi cotée, si elle désirait vraiment faire une carrière d'avocate aux Etats-Unis.

« Je veux un diplôme américain, dit-elle, mais je compte exercer mon métier à Cuba, quand Castro sera tombé. »

Elle ne dit pas Fidel comme les autres. Son Castro résonne comme un coup de feu dans la nuit tropicale.

Un peu plus tard, Emma lui demande pourquoi il veut s'établir à Boston.

« Je déteste Miami.

— Quel Miami ? »

Elle se tient toute droite sur ce fauteuil de style Louis XV qui avait appartenu à Rita Alfaro.

« Quel Miami ?... »

Et, poussé par sa question, il se met à faire l'inventaire

de tout ce qu'il déteste : les riches Américains et les étrangers qui se cachent dans leurs demeures princières entourées de murs électrifiés, de gardes et de chiens. Les hôtels face à la mer d'où l'on voit, chaque matin, des momies de quatre-vingt-dix ans sur leurs rocking-chairs et transats, immobiles comme des lézards. Il ne peut pas supporter le quartier de la Petite Havane, et surtout la calle Ocho, où le temps semble s'être arrêté.

« Pour vous, les jeunes, ça doit être mortel d'entendre constamment parler du passé, non ? »

Emma sourit. Et Julian réalise qu'il la voit sourire pour la première fois. Et que ce sourire est un prodige de beauté.

« Tu ne connais pas Miami, Julian. »

C'est aussi la première fois qu'elle le tutoie, comme si, par cette méconnaissance de la ville, il se rapprochait d'elle, de son âge, de son rayon d'influence, devenant ainsi un camarade, un proche et non plus son aîné de huit ans.

« Nous avons notre Miami à nous, avec Ricardo et mes cousins... avec nos amis... Ici, on s'amuse beaucoup. Tiens, par exemple, la semaine prochaine nous sommes invités à un défilé de mode. Veux-tu te joindre à nous ? »

Et sans réfléchir, il répond :

« Un défilé de mode... pourquoi pas ? »

La sonnerie du téléphone le réveille en sursaut. Il regarde l'heure instinctivement et se demande qui peut bien l'appeler aussi tard : deux heures et quart du matin.

A l'autre bout du fil la voix forte de Louis Duverne-Stone résonne au milieu d'un brouhaha de voix et de rires, sur fond de musique d'orchestre.

« Je t'appelle de Martha's Vineyard, complètement bourré ! Comment va le sieur de Miami ? »

Et Louis, sans attendre la réponse de son ami, se lance dans une suite de propos incohérents que Julian a de la peine à interrompre.

Il connaît bien cette sorte de fausse gaieté chez Louis

Duverne-Stone, et ce qui se cache derrière la façade de ce gosse de riche à l'air optimiste, l'envers de la médaille.

Certes, la propriété des Duverne-Stone à proximité de Katama Beach ressemblait à un coin de paradis qui en faisait baver d'envie plus d'un, et Louis n'avait apparemment aucune raison de se plaindre.

« Tout l'esprit bostonien se résume dans cette demeure, avait-il confié à Julian. Ces allées sont splendides, personne n'oserait en douter, mais quiconque s'aventure sur ce chemin sans y être convié sait à quoi ressemble le dispositif de sécurité sophistiqué qu'il dissimule, et risque de se retrouver, avant même de comprendre ce qui lui arrive, nez à nez avec des vigiles d'une autre planète, dans des uniformes à la Flash Gordon. »

Et par cette même discrétion bostonienne, Louis s'était bien gardé de souligner que ces gardes protégeaient non seulement la famille et ses intérêts mais également le cercle intime de ses connaissances et amis, parmi lesquels figuraient le clan Kennedy, Jackie Onassis et Edward K.

Deux piscines, un jardin exotique aux essences rares, trois courts de tennis et dix-huit chambres d'amis. Comme Hearts, le magnat de la presse qui avait inspiré à Orson Welles son *Citizen Kane*, Louis Duverne-Stone père et sa femme donnaient dans cette propriété de somptueuses réceptions sous de grandes tentes de toile blanche qui protégeaient du soleil pendant la journée et du vent frais le soir. Dans un coin se dressait une estrade en bois pour l'orchestre et une piste ronde où les invités dansaient en robes longues et smoking sur un plancher de bois ciré.

« Saute du lit, cours à l'aéroport, prends le premier avion pour Newport et rejoins-nous au Martha's Vineyard ! Nous regarderons ensemble l'aube pointer derrière l'île de Nantucket, d'où l'on aperçoit, certains soirs et matins, l'ombre de Moby Dick, le Captain Achab sur le dos ! »

Mais Julian, à moitié assoupi, ne partage pas les dispositions d'esprit de son ami.

« Fous-moi la paix, je dors.

— J'ai le cafard, Julian. Un terrible coup de blues. »
Le Bostonien a soudainement laissé tomber le masque
et sa voix s'est faite vibrante et sourde. Il explique à son
ami qu'il sort d'une grande soirée chez ses parents, un
sublime méchoui dans le jardin, des feux d'artifice, de
la musique, des danses et les demoiselles de la meilleure
compagnie. Cette mémorable soirée était destinée à intro-
duire l'héritier de l'Institut de Communication au groupe
qui finance l'affaire de son père.

« Tu connais tous ces gens, Louis, tu as grandi parmi
eux et joué avec leurs enfants. Il n'y a pas de quoi se
mettre dans cet état.

— Comme le poète, mon frère, tu planes ! Je me fous
pas mal de les connaître. Pour eux je ne suis que le prince
héritier potentiel. Ce qui les intéresse, c'est mon pedigree.
Je représente le chef en puissance, le futur Boss, avec un
grand B. Mon père, qui est à cet instant précis dans un
état d'ébriété plus avancé que le mien, n'y a pas été par
quatre chemins : il a déclaré qu'il se retirait et me passait
les commandes dès le mois de septembre prochain, sans
demander l'avis de personne. Décision irrévocable... Si tu
avais vu leurs gueules, à tous ces vieux barbons puritains
originaires du Maine, de Boston, du Vermont et de
Rhode Island. Visages de marbre, œil de lynx et langues
de vipères. Pour les connaître, je les connais ! Ce qu'ils
auraient voulu — et moi aussi d'ailleurs — c'est une pas-
sation de pouvoir en douceur qui nous aurait permis de
nous habituer les uns aux autres : en commençant par
me nommer vice-président, j'étais entouré de la garde
prétorienne des avocats, comptables, experts financiers
et publicitaires chevronnés... et père continuait à tenir les
commandes à distance. Et piano, piano, on m'aurait
confié la responsabilité suprême, comme ils disaient, tous
les regards braqués sur moi, "une fois que j'aurais fait
mes preuves, qu'ils sauraient mieux de quoi je suis
capable". Mais non, mon père a préféré se la jouer à la
Ponce Pilate : je m'en lave les mains, mon fils, je m'en
lave les mains, messieurs de la finance. Entrez dans la
danse, je retire mes billes, je pars faire le tour du monde
avec ma bourgeoise... Voilà pourquoi je suis si déprimé,

Julian... Maintenant tu sais tout. Alors ? Ça ne te tente
vraiment pas de venir contempler la baleine mythique
dansant la rumba entre Nantucket et Martha's
Vineyard ? Je te présenterai mon équipe et je leur dirai :
Julian Sargats, mon collaborateur et bras droit. Un poète
exilé. Il ne connaît rien à la publicité ni à cette tarte à la
crème qu'on appelle la communication, c'est vrai, il
ignore et méprise le monde des affaires et de l'argent,
mais il pourra nous pondre quelques poèmes exquis pour
mieux vendre un papier chiotte recyclé, un godemiché à
pile, ou le prochain président américain. Crois-moi,
Julian, ça vaut largement le voyage.
   — Je suis au lit, et pas près de le quitter, mon pauvre
vieux ! »
   Suit un long silence au bout du fil, meublé par les cris
et la musique de l'orchestre style Walt Whitman.
   « C'est qui ?
   — Pardon ?
   — Depuis que nous nous connaissons, tu me rebats
les oreilles de Miami, ses vieillards fossilisés, ses Cubains
nostalgiques, la Petite Havane et l'anti-castrisme pri-
maire. Mais mon nez de Bostonien de souche me dit que
tu as rencontré une dulcinée qui ne te laisse pas indifférent !
   — Va cuver ton brandy, Louis-le-Second, et fous-moi
la paix. Nous en reparlerons en temps utile.
   — Du rhum jamaïcain, mon cher ! Puisque tu ne veux
pas m'aider, je sais comment me débarrasser de l'héritage
qui me pèse : je vais prendre en otage le ferry entre Martha's et Cape Cod, hisser un drapeau et me lancer à la
conquête des océans. A moi l'aventure ! A toi les coïts
sans joie sous la lune bleue de Miami ! »

   Emma Alvarez a tenu parole. Deux jours plus tard, elle
a appelé Julian pour lui confirmer son invitation au défilé
de mode alternatif, dans la Galerie de « Manouchka »
Epstein, à deux pas du Center for Fine Arts.
   La famille Alvarez habite une maison basse, une imitation de style colonial, entre les rues Alhambra et Ponce

de Leon. La porte d'entrée donnant sur la terrasse est ouverte sur un grand salon tout illuminé où un groupe de jeunes gens en habits fantaisistes mangent des sandwichs au thon et boivent des rafraîchissements servis par Laura Sierra, toujours vêtue de noir. Son épaisse chevelure, tirée en arrière, accentue ses traits indiens, son nez fin et busqué à la narine bien dessinée, ses pommettes hautes et ses lèvres épaisses.

Subitement Julian réalise qu'il n'a rien compris : lui qui avait imaginé une sortie en tête à tête avec la jeune fille se retrouve au milieu de toute une bande où il se sent tout à fait déplacé.

Si Ricardo Alvarez est habillé un peu plus sobrement que ses compagnons — pantalon de smoking noir, baskets, chemise à motifs palmiers et veste rouge —, ses cousins de seize ans, les jumeaux Ciro et Lino, sont affublés de costumes à paillettes bleu ciel comme ceux qui ont fait le succès du pianiste Liberace. Tous ces jeunes gens sont polis et souriants, ils s'adressent à lui avec une indifférence naturelle, mais Julian ressent tout de suite l'effet de dinosaure égaré que produit sa présence, et il a l'air d'autant plus ridicule qu'il a eu la malencontreuse idée d'apporter à Emma une orchidée.

Planté au milieu du salon encombré de meubles d'époque et de jeunes gens, son orchidée dans une main et un verre d'orangeade dans l'autre, il se demande bien ce qu'il est venu faire ici.

« T'en as mis du temps, sœurette, à changer ta face de citrouille en tarte à la crème ! On allait partir sans toi ! »

A cette remarque de Ricardo, les deux cousins s'esclaffent. Et quand Julian, se retournant, aperçoit la jeune fille, il a du mal à contenir une exclamation : le personnage sophistiqué qui vient d'entrer n'a en effet plus rien à voir avec l'Antigone qu'il avait observée sur le podium de la calle Ocho.

Emma porte un smoking noir cintré, une chemise blanche et un nœud papillon qui lui donnent un air androgyne. Ses cheveux ont été coupés et peignés à la manière de Louise Brooks dans *Loulou*.

« Je suis l'auteur de ce chef-d'œuvre. Si Dieu le veut,

je serai un jour le Cézanne du maquillage. Que pensez-vous des ombres violacées sur ses paupières, subtil, non ? » susurre à son oreille un éphèbe délicieusement ambigu.

Il a la voix d'un jeune homme, mais sa robe moulée sur un corps plutôt long, ses cheveux cendrés et son visage fardé en font une provocante jeune fille.

« Julian, je te présente Rudi, la star du défilé. Allons-y, dépêchons-nous, bande d'empotés, Manouchka va nous tuer si nous sommes en retard !

— Un cattleya, l'orchidée préférée de Marcel Proust », bafouille Julian en lui tendant la fleur.

Délaissant la Ford de Rudi, tous s'entassent dans la Cadillac que l'Aragonais a prêtée à son fils pour la circonstance. Rudi répartit les rôles : il prendra le volant, insistant pour que Julian s'asseye à côté de lui avec Emma à sa droite, tandis que Ricardo et les deux jumeaux s'installeront à l'arrière.

Emma a accroché l'orchidée au revers de sa veste et informe Julian sur l'événement qui les attend, pendant que les garçons reprennent en chœur la chanson de Celia Cruz qui passe à la radio.

« Manouchka et Elie Epstein nous prêtent leur galerie de peinture pour organiser toutes sortes d'événements. Ils ont vécu à Cuba avant la Révolution. Ils sont juifs, tu sais. Toute leur famille a été gazée dans les camps. Ils n'en parlent jamais. Je l'ai su par un article dans la presse. Ces crétins de journalistes croyaient leur faire plaisir en évoquant ce passé atroce. Elie et Manou leur ont intenté un procès. Ils ont dit : "L'Holocauste est sacré. Laissez nos morts en paix." »

Les Epstein sont propriétaires à Miami d'un certain nombre de lieux, dont une galerie d'art, une bijouterie et une boutique de mode pour les jeunes.

La galerie est un vaste espace tout en longueur. Des petits poufs disposés savamment créent une circulation pour les mannequins, éclairés par quelques spots. La salle est pleine à craquer, et filles et garçons ont plus ou moins l'âge d'Emma Alvarez et de sa bande. Avec son visage sérieux, ses lunettes à monture d'écaille, son diplôme de

Harvard et ses vingt-cinq ans bien sonnés, Julian fait figure de patriarche.

Il se sent plus à l'aise quand Emma lui présente Manouchka et Elie.

Chauve, lunettes rondes et barbe poivre et sel, Elie a dépassé la soixantaine. Sa femme, une lionne rousse au visage épanoui, doit avoir à peu près le même âge. Tous les deux portent de grandes tuniques fleuries, genre hippie années 60.

« Il faut s'armer de patience », explique Manouchka à Julian déjà installé sur un pouf, le menton dans les genoux, « ça risque d'être long et laborieux. »

Finalement, au milieu de l'effervescence générale, un groupe de filles fait son entrée : des petites boulottes, courtes sur pattes et noiraudes, présentent les créations de Manouchka et de son équipe. Comme les filles, qui n'ont pas franchement le profil de mannequins professionnels, les vêtements qu'elles portent, s'ils sont drôles et excentriques, ne sont pas toujours des modèles de bon goût. Pantalons corsaire à mi-jambe, chaussettes hautes, blouses flamboyantes à imprimés salade de fruits tropicale et plumes de cacatoès, et chapeaux à large bord rabattu sont inspirés de la tenue traditionnelle du paysan cubain. Puis vient le tour des robes du soir. Extravagantes, décolletées et très moulantes, incrustées de paillettes et de strass, avec des traînes et des voiles de mousseline, en crêpe de soie, shantung et organdi, rehaussées de volants et de fleurs, toutes sont présentées par le fameux Rudi qui est sans conteste l'étoile du défilé. Une musique rock étourdissante, les cris hystériques et les applaudissements de l'assistance rythment la cérémonie.

Il fait une chaleur étouffante et Julian s'est tassé sur son siège, ruisselant, abattu. « Puis-je vous aider, professeur ? » lui demande Ricardo Alvarez en lui tendant la main pour l'aider à se lever.

Le ton est poli, le sourire affable, mais le regard noir laisse deviner une rancœur naissante qui pourrait facilement se transformer en haine. Julian avec la même politesse ironique le remercie de son attention, non, merci, il se lèvera tout seul. Il hésite entre s'enfuir à la sauvette

sans saluer personne ou rester pour voir ce que le reste
de la nuit lui réserve. Il n'a pas encore pris de décision
que le bras lourd d'Elie Epstein lui tombe sur l'épaule et
le pousse gentiment en avant.

« Venez par ici, Julian, on va laisser les gosses préparer
le salon pour le bal. »

Ils entrent dans une sorte d'atelier de couture-salon-
bureau, au milieu d'un joyeux capharnaüm. Des vêtements épinglés sur des mannequins d'osier et de bois,
matériel de confection, livres et paperasses traînent sur
des meubles d'époque victorienne qui accueillent également une tribu de chats ronronnants et repus. Elie s'ar-
range pour libérer le fond d'un fauteuil mais Julian doit
se résigner à servir de coussins à deux gros matous qui
se sont confortablement lovés entre ses genoux. Et, pour
entamer la conversation, Manouchka leur sert un grand
verre de punch et une tarte aux fruits de sa préparation.

Evoquant, comme il se doit, les souvenirs de Cuba
avant le coup d'Etat militaire de Batista, entre les années
47 et 52, le couple passe indifféremment de l'anglais à
l'espagnol, émaillant leurs phrases de mots yiddish ou
français.

« Je crois que c'est de ces années-là que rêvent tant de
Cubains de ma génération. Ils ont connu une époque de
démocratie, un peu boiteuse, certes, mais de démocratie
tout de même. La Havane était alors un centre culturel
dans cette région et rayonnait dans toute l'Amérique
latine. Nous l'appelions d'ailleurs le petit Paris des
Caraïbes. On avait du mal à suivre tous les événements
de la semaine tant il se passait de choses. Les petites salles
de théâtre poussaient comme des champignons, l'Orchestre philarmonique de La Havane présentait les plus
grands solistes... Horowitz... Claudio Arrau... Heifetz...
tous passaient un jour ou l'autre chez nous. Sans compter
Alicia Alonso et Jerome Robbins qui se produisaient
régulièrement avec l'American National Ballet...

— Les jeunes n'ont pas connu ça, et pourtant ils sont
aussi nostalgiques de Cuba que leurs aînés.

— Pas tous, la plupart ont coupé les ponts avec l'île,

ils se marient à des yankees et deviennent plus américains que les Américains. Normal, et c'est mieux ainsi...

— Mais ceux que vous voyez ici sont différents, je les protège comme une mère poule.

— Ils profitent de ce qu'il y a de meilleur aux Etats-Unis et refusent ce qu'ils n'aiment pas.

— Savez-vous qu'Emma et son groupe ont fait le serment de ne pas tomber dans les vices d'une certaine jeunesse américaine ?

— Ils refusent la drogue, la violence, et jurent de ne se marier qu'entre Cubains.

— Nous les admirons. Surtout Emma, c'est...

— ... notre Jeanne d'Arc tropicale. »

Se rendent-ils compte qu'à force d'être scotchés ensemble jour et nuit, tous les jours de leur vie, comme dit Elie, l'un termine la phrase que l'autre a commencée ? Le gâteau est succulent et le punch admirable. Encore un verre et je m'écroule comme une carpette, pour servir d'édredon à ces chats gros et gras comme leur patronne. Manouchka, mamma juive dans toute sa splendeur.

Accueillant les chats errants et la jeunesse en mal de vivre déboussolée par les tourbillons politiques du siècle. Jeanne la Pucelle, Jeanne la Sainte. Les regards clairs d'Elie et de Manouchka, si pleins de bonté et de compassion, sont plutôt transparents. A force de vivre avec leurs bêtes, ils ont acquis la prescience des félins. Ces deux gros matous m'ont adopté à peine reniflé. Et eux ? Sont-ils mes alliés ou les anges gardiens de l'héroïne tropicale de leurs rêves ? Dois-je prévenir ce couple d'hurluberlus sympathiques que je suis ici, avec cette bande d'ados immatures, par simple curiosité intellectuelle ? Car j'ai l'intention d'écrire un article sur les jeunes exilés cubains qui s'intitulera « L'exil ou la régression infantile ». N'est-ce pas une bonne idée ?

« Viens danser. »

Emma a retiré sa veste, et sa chemise de soie colle à son corps. Julian s'en veut de l'insistance de son regard : il vient de découvrir que la jeune fille appartient à la catégorie de ce qu'il appelle « les fausses maigres » et que Louis-le-Second apprécie tant. Sous sa chemise, deux petits seins fermes et ronds au galbe exquis se dressent avec arrogance. Confus, Julian dépose avec soin les boules de poils ronronnantes qu'il a sur les genoux et se lève en bégayant :

« Je danse comme un pied, tu sais.

— Tant mieux ! Je suis la seule Cubaine à n'avoir pas le sens du rythme ! »

La galerie a été complètement vidée. Deux projecteurs couverts de gélatines de couleurs ont suffi à créer une ambiance de boîte de nuit. Les Who, les Rolling Stone, Jim Morrison se mélangent à des tubes cubains et salsas endiablées.

Au moment d'ouvrir ses bras à la jeune fille, Julian n'est pas mécontent d'entendre son chanteur cubain préféré, José Antonio Mendes, entamer une chanson suave et romantique. Du feeling à revendre. La jeune fille passe spontanément ses bras autour de la nuque de son cavalier et pose sa joue contre son épaule.

« Rien de surprenant, pense Julian. C'est ainsi que l'on danse le slow dans tous les pays du monde. »

La peau et les cheveux d'Emma dégagent un léger parfum. Plus tard, il lui demandera le nom de ce parfum qu'il n'a jamais respiré avant. Il a hérité de sa grand-mère ce nez si sensible... Chez lui, les souvenirs entrent par les narines : une rue, une maison, un visage...

Garçons et filles dansent. Rudi, dans sa robe de femme, est dans les bras d'un des jumeaux. Serrés l'un contre l'autre, joue contre joue. Comme Manouchka et Elie. Personne ne risque de voir avec quelle tendresse débordante il tient le corps de l'adolescente serré contre lui.

C'est alors qu'il remarque la présence de Ricardo Alvarez sur le seuil de la porte, un verre vide à la main. Il est ivre, titube, vacille, s'appuie au chambranle, le regard allumé et sombre. Un regard plein de rancœur et de fiel.

Il n'a pas vu passer le temps. Le mois d'août est déjà

bien entamé. Assis à sa table de travail, fenêtres grandes ouvertes sur le jardin, Julian relit les pages du grand cahier qui lui sert à la fois d'agenda et de journal intime.

Lundi. *Déjeuner chez les Epstein. Emma A. aide Manouchka à la boutique. Elle confectionne des bijoux dans des matériaux bruts, des bois de mer, des coquillages et des cailloux ramassés sur la plage.*
Elie m'a longuement parlé de Sabbataï Tsevi, un mystique juif converti à l'Islam.
Mardi. *Appeler ma mère. Je suis allé avec « la bande » voir* Le Septième Sceau *d'Ingmar Bergman dans un cinéma downtown. Un désastre total. Ils n'ont pas cessé de bouffer des pop-corn, de boire du Coca et de dire des âneries. Sauf Rudi-la-Blonde et Emma. A la fin du film, le travelo a versé des larmes sincères. Emma a été bouleversée par le représentation du personnage de la Mort. « Je veux apprendre à jouer aux échecs », m'a-t-elle dit. Nous sommes convenus que je lui donnerai des leçons.*
Mercredi. *Laura, la mère d'Emma, s'est rendue à Tallahasse avec mon père, pour assister à je ne sais quelle réunion patriotique. La bande a insisté pour que je vienne dîner avec eux chez les Alvarez. McDonald, nuggets et Coca. « Je déteste faire la cuisine », a déclaré Emma. Je lui ai demandé comment elle ferait si un jour elle avait des enfants. Elle m'a répondu qu'on trouvait dans les supermarchés toute une gamme de petits pots tout prêts pour les enfants, que ça n'était plus un problème. Après les hamburgers et les sodas, nous avons eu droit, Emma A. et moi, à un spectacle organisé par Ricardo et mis en scène par Rudi. Un remake musical du* Septième Sceau, *médiocre, enfantin et ridicule à souhait. J'ai ri, j'ai applaudi et je m'en suis voulu. C'est mon côté caméléon. Je n'ai pas voulu les blesser. Emma, elle, a été plus directe et plus honnête que moi. Elle les a traités de débiles et m'a proposé une promenade à pied. Nous avons pris l'avenue Le Jeune et traversé les rues Alcazar, Minorca, Navarra, Majorca... « Ils sont gamins », a-t-elle dit, comme pour les excuser.*
J'ai commencé à déblatérer des banalités sur la diffé-

rence de maturité entre les filles et les garçons à cet âge-là, en prenant le parti de Ricardo, car je sais combien elle lui est attachée. Je n'étais pas très convaincant. Ce type me sort par les yeux. Il continue de me narguer, de m'appeler « professeur ». Pour lui renvoyer la balle, je le surnomme Ricky, à l'américaine. Je sais qu'il déteste ça. « Quand pars-tu pour Boston ? » m'a demandé Emma. J'ai répondu : « Je n'en sais rien. » C'est vrai, je n'en sais fichtrement rien.

C'est un dimanche ensoleillé et calme et Julian ressent comme un léger malaise. Il a fini par s'habituer aux réveils tempétueux, ponctués par les cris de Gisela maudissant ses enfants, son destin de femme et sa vie tout entière ; par les disputes des garçons et la radio que son père met à tue-tête pour ne plus entendre sa descendance se déchirer et répandre sa propagande patriotique dans le voisinage.

Un dimanche silencieux et béni. Il descend au rez-de-chaussée et trouve Gisela à sa place habituelle : assise à côté de la fenêtre, « pour regarder le ciel », comme elle dit, devant une montagne de légumes. Les mains posées sur les genoux, immobile, le regard dans le vague.

« Gisela... »

Elle tourne lentement la tête et lui sourit.

« Je croyais que tu dormais encore.

— Le silence m'a réveillé.

— Papa est parti à la pêche avec les gosses. »

Elle se lève avec lourdeur et pose sur la table bol et cafetière, sucre, lait, céréales et fruits, pour le petit déjeuner de son frère. Leur père, poursuit-elle, a une nouvelle lubie, il vient d'acheter une douzaine de bateaux à moteur pour développer une petite entreprise de pêche touristique.

« Il a confié l'histoire à son copain Fredo. Tu vois qui c'est ? Le mulâtre récemment débarqué de Cuba qui travaillait dans la marine marchande castriste. » Mais pour Gisela la location de bateaux n'est qu'une couverture. Il s'agit en fait de constituer une flottille capable d'embarquer des hommes armés pour mitrailler les côtes cubaines et procéder à des débarquements clandestins pour infiltrer l'île et organiser la résistance intérieure.

« Les types s'entraînent, paraît-il. »

Pour l'instant il n'y a pas beaucoup de clients, les bateaux servent aux promenades et aux parties de pêche en mer pour les membres de l'Association patriotique et leurs familles.

Ils sont assis face à face et boivent ce café que Gisela fait si bien, un café à réveiller les morts.

« Où en es-tu avec la petite Emma ? » demande sa sœur à brûle-pourpoint, plongeant les yeux au fond de sa tasse comme si elle lisait dans le marc de café.

« Nulle part.

— Vous vous voyez souvent, non ?

— Avec la bande, oui.

— A qui la faute ?

— Cette situation me convient. Nous parlons, nous apprenons à mieux nous connaître. Je m'habitue à communiquer avec les jeunes.

— Parce que tu es vieux ! Tu es con ou quoi ? Huit ans de différence, qu'est-ce que c'est ? Papa et maman ont douze ans d'écart, que je sache.

— Et regarde le résultat.

— L'âge n'a rien à voir dans cette histoire. Tu lui plais. Il faudrait être aveugle pour ne pas s'en rendre compte. Et elle te plaît. Où est le mal ? Miguel et moi, nous n'avons pas attendu que le cadran tourne pour savoir que nous nous aimions. »

Julian se retient de dire « et voilà le résultat ».

Elle lui ressert un autre bol de café. Il boit en silence, puis il se lève, sentant monter en lui une colère que rien ne justifie.

« July, que comptes-tu faire ? Par rapport à Boston, je veux dire. Vas-tu accepter la proposition du lycée de Miami ?

— J'ai un mois pour me décider, Gisela, encore un mois. »

Il s'éloigne avec un sourire forcé. La voix de sa sœur le poursuit dehors : « Dieu a mis six jours pour créer le monde, Julian, qu'est-ce que tu attends ? »

Aujourd'hui, il sourit encore en se remémorant la phrase de sa sœur, lancée à la volée de sa belle voix de contralto.

Il est assis sur un pouf, à côté d'Emma, entouré de l'inévitable petite bande. Manouchka et Elie ont programmé une soirée de cinéma amateur où sont projetés des films de « bals des débutantes ».

La bourgeoisie cubaine en exil à Miami perpétue la tradition cubaine qui veut que l'on fête par un bal et une grande réception les quinze ans d'une jeune fille de famille qui fait son entrée dans le monde.

Julian se souvient bien des quinze ans de sa sœur Gisela. La fête répondait à un rituel strict. Il fallait choisir un endroit prestigieux, le Country Club en l'occurrence ; prévoir un buffet royal ; éblouir ses invités en louant la prestation d'un orchestre à la mode ; père et fille ouvraient le bal ; on buvait, on mangeait, on dansait jusqu'à l'aube et les chroniqueurs mondains se délectaient, en commentant par le menu la soirée dans les journaux du lendemain que tous s'arrachaient.

Transférée à Miami, cette cérémonie de passage à l'âge adulte s'est quelque peu américanisée. Film après film le même scénario se répéte. Père et fille ouvrent le bal par une valse romantique qui donne en même temps le feu vert pour se ruer sans complexe sur le somptueux buffet. Champagne, langouste, petits fours et débauche d'imagination pour une décoration qui rivalise de kitsch. Les jeunes filles arborent des robes longues que des couturières ont spécialement créées pour la circonstance. Les mères sortent leurs bijoux de famille, leurs chignons et boucles postiches, leurs éventails, leurs ongles nacrés et leurs faux cils. Suit un show, sorte d'intermède spectaculaire qui constitue le moment fort de la soirée.

Décorateurs, costumiers et chorégraphes professionnels sont mis à contribution pour développer le thème choisi : « Cléopâtre », « Samson et Dalila »... qui autorise toutes les débauches de style et les interprétations les plus baroques, inspirées de Broadway et des comédies musicales en vogue. Les numéros de danse sont interprétés par la jeune fille et ses amis. Différents tableaux se succèdent pour aboutir au morceau de bravoure de la soirée : une rumba endiablée au cours de laquelle la jeune débutante se mesure aux rumberas mythiques de l'écran latino-américain : Maria Antonieta Pons, Meche Barba, Ninon Sevilla... On imite leurs coiffures, leurs maquillages et la jeune fille de la soirée, jambes en l'air et seins à moitié nus, devient la reine d'un soir, elle fait trembler hanches, ventre et fesses à la limite de l'obscénité, réveillant les commentaires des hommes surexcités.

Après cette intéressante démonstration des us et coutumes de la société cubaine de Miami, la petite bande est de retour chez la famille Alvarez.

Ce soir-là, Laura Alvarez reçoit le Comité des veuves et épouses des prisonniers anti-castristes dont elle est la présidente.

Les garçons se sont réfugiés dans la chambre de Ricardo. S'il est vrai qu'ils vouent une sainte horreur à la drogue, même les « douces », Julian observe que Ricardo ne dédaigne pas l'alcool. Il l'a surpris chez les Epstein en train de subtiliser une bouteille de Johnny Walker et il soupçonne la « jeune garde », comme il les a surnommés, de se saouler en cachette. Pour la première fois, Julian et Emma se retrouvent en tête à tête sur la terrasse. Julian est conscient que cet instant d'intimité spontané est bien précaire. Il s'attend à tout instant à voir surgir une dame du Comité sous un prétexte quelconque, ou Ricardo lui-même, ou encore un de ses émissaires. Instinct de protection, simple curiosité ou jalousie de ce que tous commencent à regarder comme une relation privilégiée entre le professeur et la jeune fille adulée de tous. Et de nouveau la phrase de Gisela le fait sourire.

« Crois-tu que nous pourrions sortir un jour tous les deux sans être accompagnés de ton escorte ? Je veux dire, aller au cinéma ou au concert, ou faire une promenade ? »

Emma s'est penchée pour attraper une luciole dans un buisson d'hibiscus, ses cheveux à la Louise Brooks lui cachent la moitié du visage. Elle répond sans lever la tête :

« A la bonne heure ! Tu en as mis du temps à te décider ! Bien sûr que oui, je n'ai besoin de personne pour me chaperonner.

— Les autres... ton frère surtout, je ne crois pas que ça va lui plaire.

— Laisse tomber Ricardo. Dans un mois, j'aurai dix-huit ans. »

Elle relève la tête et Julian découvre des yeux rieurs et un sourire sardonique qu'il ne lui connaissait pas. Elle plisse les paupières puis les ouvre à nouveau. Il prend son visage offert entre ses mains, et lentement, les yeux dans les yeux, résistant et succombant, il se penche pour l'embrasser.

Quand il rentre dans sa chambre, il trouve plusieurs messages sur son lit. Gisela a griffonné sur des bouts de papier « 20 heures, 21 heures, 23 heures... ton ami de Boston a téléphoné... le rappeler d'urgence. »

Il est plus d'une heure du matin et Julian hésite avant de composer le numéro. Il doit passer par le domestique de service avant de pouvoir parler à son ami. En pleine forme, il veut lui faire une blague :

« Esprit es-tu là ?... » demande-t-il d'une voix grasseyante.

Silence à l'autre bout.

« Louis ? Holà ! C'est moi, camarade !

— Mon père est mort ce matin, Julian. »

Boston. Août 1972

Où qu'il soit dans l'au-delà, se dit Julian, Louis Duverne-Stone doit sourire de sa bonne farce. Une sortie en beauté ! L'ami de tous, le grand mondain manipulateur aux goûts de luxe et aux coups de théâtre imprévisibles qui avait su si bien entretenir chez ses admirateurs le culte de sa personnalité avait exigé dans son testament d'être incinéré dans la plus stricte intimité. Juste la famille et les amis. « Les vrais amis », avait-il précisé, ayant pris la précaution de noter, à la plume, le nom de ceux qu'il invitait à cette ultime rencontre. Celui de Julian Sargats y figurait.

« Père se savait condamné. Il avait fait jurer à son médecin traitant et ami de longue date de garder le secret.

— Pourquoi ?

— Il ne voulait pas sentir peser sur lui la maladie, le temps qui lui restait à vivre. D'ailleurs, jusqu'au dernier instant il a mené une vie active, il fumait ses longs cigares, mangeait et buvait bien, et surtout (ce que ma mère ignore), il baisait comme un fou, s'envoyant une ou deux call-girls à la fois en plus de ses maîtresses attitrées. Le cœur a fini par lâcher. »

C'est dans une vieille église du Nord et en présence d'une petite douzaine de personnes que se déroule la cérémonie religieuse. Les cendres du vieil homme reposent dans une urne en onyx entourée de quelques bouquets d'œillets. « Pas de roses », stipulait le testament. Et surtout pas de glaïeuls. D'humbles œillets achetés dans une petite boutique de Canal Street.

« Je me prépare à affronter le Créateur dans le dépouillement et la nudité. Il m'a permis de vivre selon mes convenances et fidèle à mes principes. Je crois avoir été juste, généreux, loyal envers mes semblables. J'ai aussi été — faut-il le dire ? — glouton, jouisseur et intempérant. Dieu m'a donné la vie puis il me l'a reprise. Poussière, je redeviens poussière et je souhaite que mes adieux à ce monde se fassent dans la plus grande simplicité. »

Voilà pourquoi Louis Duverne-Stone Senior est incinéré au cimetière de Cambridge mais en dehors du fastueux mausolée de la famille. Une pierre tombale où ne figurent que son nom, l'année de sa naissance et de sa mort. Sa dernière adresse. Le défunt a aussi demandé qu'à l'issue de la cérémonie au cimetière chacun se sépare et aille vaquer à ses occupations, comme si de rien n'était, car il ne voulait pas, disait-il, du traditionnel repas de funérailles.

« Sans peine et sans larmes, sans nostalgie ni regrets. »

Sa veuve, sa sœur et son beau-frère s'en retournent ensemble à la maison familiale. Louis-le-Second et Julian Sargats regagnent le restaurant Aujourd'hui sur Boylston Street avec sa nouvelle cuisine française et sa spectaculaire vue sur le Jardin public, respectant ainsi le scénario très précis établi par le disparu. C'est là que Louis-le-Second fait lire à Julian la lettre posthume que l'avocat de son père lui a confiée après l'enterrement.

« Quelques jours avant sa mort, j'ai eu comme une sorte de prémonition. Je trouvais un peu étrange qu'il veuille me confier la direction de ses affaires. J'avais grandi dans l'idée qu'il n'était pas homme à prendre sa retraite et je me préparais à travailler sous sa direction jusqu'au moment où j'aurais envie de voler de mes propres ailes. Mais quand il y a eu cette réunion, tu te souviens, j'ai eu l'intuition que quelque chose ne tournait pas rond. Un soir, après un copieux dîner et moult libations, je lui ai parlé à cœur ouvert. Je lui ai expliqué que je ne me sentais pas capable de diriger l'Institut et ses diverses filiales. Après sa mort, je m'apprêtais à faire face de mon mieux à mes responsabilités et à mes devoirs, et voici qu'il me réservait encore une autre surprise... », dit Louis-le-Second, lui tendant la fameuse lettre :

« Mon fils, sens-toi libre d'agir comme bon te semble. Tu peux prendre la direction de l'Institut mais tu peux aussi le vendre. Ta décision sera la mienne, où que je sois je m'en réjouirai. Qui sait, peut-être serai-je au paradis ? Quoi qu'il arrive, le jour de mon enterrement, paie-toi un bon gueuleton au restaurant Aujourd'hui avec ton ami cubain. Mon intuition me dit que le destin de Julian est à Miami. Mangez, buvez, parlez de votre avenir et videz un dernier verre à ma mémoire.

Ton père, qui t'a aimé du mieux qu'il a pu. »

Les deux amis sont attablés devant un de ces repas lourds et riches dont Louis Duverne-Stone père raffolait. Ils ont commandé les meilleurs crus et honoré le festin sans faire une seule fois allusion au mort, et pourtant Dieu sait s'il était présent ! La table est dressée avec trois couverts et quand le maître d'hôtel, constatant que le troisième invité tarde à venir, propose de le retirer les deux amis s'y opposent d'un même élan.

« Laissez ce couvert en place... il peut arriver d'un moment à l'autre. »

Du haut de ce vingt et unième étage la vue est magnifique. La grande baie vitrée permet de balayer le paysage sur un large périmètre. A gauche, Charlestown, et en face le port et les reflets bleutés du fleuve Mystic. Louis-le-Second est assis dans le fauteuil victorien de son père, devant un grand bureau verni.

« Il m'a laissé son bureau vide, sans papiers ni appareils d'aucune sorte. Un terrain vierge, à construire selon mon bon vouloir. Ou à laisser tel quel, désertique, aride. »

Ils ont rapporté de Aujourd'hui une bouteille d'armagnac vieille d'un quart de siècle. Les stores actionnés électroniquement sont relevés et les rayons roses et dorés du crépuscule inondent le bureau, répandant une douce sérénité. Une atmosphère qui convient au recueillement.

Julian et Louis tournent entre leurs doigts le ballon d'armagnac en cristal de Murano. Ils se sont beaucoup parlé.

Louis sait qu'il n'aura pas de mal à revendre l'entreprise de son père et qu'il pourra en tirer de fabuleux bénéfices.

« Je vais juste garder la petite maison d'édition et quelques autres bricoles pour faire vivre ma mère et mes oncles... chacun s'y retrouvera...

— Et après ?

— Je commencerai par faire le tour du monde. Et toi ?

— Je vais accepter ce poste de professeur. Enseigner la langue et la littérature espagnoles a toujours été mon vœu le plus cher.

— Et la jeune fille dont tu m'as parlé ? »

Julian ne répond pas tout de suite, le temps de savourer une gorgée d'armagnac, de reprendre son souffle et de se laisser envahir par le calme du crépuscule qui répand ses derniers feux.

« Je n'osais pas faire le premier pas, à cause de son jeune âge... Mais en l'observant et l'écoutant parler, je me suis rendu compte que, d'une certaine manière, elle est beaucoup plus mûre que moi.

— Oui ? Et alors ? Mère, épouse et maîtresse à la fois, c'est ça ?

— Idéal... s'il n'y avait pas la politique...

— As-tu déjà fait l'amour avec elle ?

— Pas encore, non.

— Tous les espoirs sont donc permis. Faites l'amour, elle oubliera la guerre. »

Le soleil a plongé derrière l'horizon et un fin croissant de lune brillant et froid tente de s'imposer.

« J'aimerais que les choses soient aussi simples, Louis. Il y a elle et moi, et puis il y a Cuba et Miami entre nous deux. J'imagine une île lointaine où nous pourrions vivre en dehors de tout. Mais pour l'instant, elle ne rêve que de dix millions de Cubains en train de crier "Mort à Castro !"

— Si tu ne la trouves pas, cette île, tu pourras toujours faire le tour du monde avec moi. Penses-y.

— J'y songerai. »

Tous deux lèvent leur ballon d'armagnac en parfaite synchronisation.

« A nos succès, mon frère !

— Et à notre défaite aussi, Louis. »

Miami. Fin de l'été 1972

Julian Sargats pose son grand cahier carré sur la table en marbre.

Il a essayé de résumer son parcours scolaire et universitaire et les éléments les plus marquants de sa brève histoire en une page. Cette manie qu'ont les Américains de demander un curriculum vitae à la moindre occasion l'irrite. Le pays le plus démocratique du monde prend alors pour lui l'allure d'un Etat policier.

Julian Sargats avait rédigé son premier CV à l'âge de quinze ans pour solliciter une bourse d'études dans un lycée américain : six pages couvertes d'une écriture ronde et régulière où il s'agissait de ne pas trop dévoiler sa personnalité — un enseignement qu'il avait tiré d'un traité d'initiation à la graphologie où l'auteur expliquait comment se composer une belle écriture en évitant, par exemple, « les majuscules trop tarabiscotées, signe de mégalomanie, les pattes de mouche qui dénotent un caractère timoré... »

Julian sourit. A quinze ans, il lui avait fallu six pages pour rédiger sa biographie et dix ans après une seule avait suffi. Soit sa vie s'était réduite comme une peau de chagrin, soit il était devenu moins prétentieux.

Il commence par noter les étapes principales de sa vie : date et lieu de naissance, arrivée aux Etats-Unis dont il est aujourd'hui devenu citoyen à part entière, études primaires à Cuba, études secondaires à Miami et études universitaires à Harvard. Suit une note d'intention où il explique pourquoi il postule pour une place dans ce lycée privé de Miami. Quelles pouvaient être ses motivations pour vouloir enseigner la littérature et la langue espagnoles à ces petits « gringos » qui ont tendance à confondre Thérèse d'Avila avec mère Teresa de Calcutta ? Un instant, il a envie de répondre « le confort de votre établissement, les salles spacieuses, les fenêtres sur jardin, les horaires plutôt souples. Et surtout, le salaire. » Pas aussi important que ce que lui proposait Louis-le-Second, mais largement suffisant pour subvenir à ses besoins.

Il rature une phrase, la corrige, recherchant la concision et peu soucieux de la sécheresse du ton. « Ils n'ont qu'à m'accepter tel que je suis », se dit-il, avalant d'un trait un fond de Dry Martini et jetant un regard panoramique sur la cafétéria de l'hôtel Eden Rock et sa très agréable ambiance années 50 où il se trouve.

A cette heure de l'après-midi, l'endroit est presque désert. Il a pris l'habitude de donner rendez-vous à Emma dans ce coin de l'avenue Collins, véritable colonne vertébrale du quartier Art Déco de Miami qu'elle apprécie beaucoup.

« C'est un quartier intemporel, ça change un peu du ghetto de la calle Ocho, j'aime son côté décor en carton-pâte qui rappelle les années 30 et l'époque de la prohibition, dit-elle.

— Sais-tu comment on appelle ce quartier à New York, Emma ?

— Oui ! L'antichambre du purgatoire. Les mauvaises langues soutiennent que la moyenne d'âge n'est pas inférieure à soixante-dix ans. A mon avis, ça dénote plutôt la jalousie des gens du Nord vis-à-vis de ceux de Floride. Et en plus, c'est complètement faux, parce que la population de ce quartier est en train de changer. La réhabilitation des immeubles des années 20, l'ouverture de nouveaux cafés, restaurants et boutiques de luxe attirent de plus en plus de jeunes.

— C'est vrai, moi ce que j'aime dans ce quartier, c'est son côté théâtral. Une fois qu'on s'est promené dans le hall rose-violet de l'Eden Rock, une fois qu'on s'est pâmé devant la Poodle Lounge du Fontainebleau, ornée de petits caniches en stuc, une fois qu'on est passé devant l'Hôtel Delano en forme de nef spatiale, ou le Nacional qui ressemble à une montgolfière, qu'on a admiré la forme de sous-marin du Ritz Plaza, il ne reste plus qu'à courir sur la plage et remercier Dieu de ses bienfaits ! »

Chaque fois qu'il en avait l'occasion, Julian en profitait pour se moquer de ce quartier de Miami, pour la provoquer, comme s'il acceptait mal l'amour sincère qu'elle manifestait pour cette ville où elle avait vécu la moitié de sa courte existence. Une seule chose l'obsédait en effet : l'idée que peut-être un jour Cuba et la lutte politique passeraient au second plan dans l'ordre de ses préoccupations. Alors les portes s'ouvriraient enfin sur d'autres horizons, ils pourraient mener leur vie, loin du bruit et de la fureur de l'anti-castrisme, une vraie vie de couple, en Floride ou ailleurs, dans une de ces villes de la côte Nord-Est qu'il aimait tant. En attendant il continuait à faire la cour à Emma Alvarez, l'accompagnait dans des promenades le long des avenues bordées d'immeubles Art Déco, ou bien ils visitaient les différents musées de la ville : le Lowe Art Museum, le Centre d'Art Contemporain et surtout le Bass Museum of Art sur Park Avenue.

Elle passait des heures à contempler ou à copier des œuvres de la Renaissance, de la période baroque et rococo, en particulier les admirables prédelles, ces petites peintures d'autel que la jeune fille affectionnait entre toutes.

« Elles ont été peintes par des artisans anonymes, et pourtant regarde la qualité de ces travaux. A cette époque la foi remplaçait les connaissances du métier ou le génie de l'inspiration. »

Emma regardait les peintures et Julian regardait Emma, se remémorant ce que lui avait dit Manouchka Epstein.

« Elle a un vrai talent de peintre et pourrait faire une carrière artistique, mais elle ne se décide pas. Regarde ces dessins qu'elle m'a faits, ces robes, ces bijoux. Quand je pense qu'Emma veut devenir avocate, mais pour défendre quoi ? Une cause perdue d'avance ! Elle n'a pas

connu le Cuba d'avant la Révolution, moi oui. Des avocats ? Il y en avait à chaque coin de rue. Dans un pays où
la justice est tournée en dérision, les avocats prospèrent.
Chaque tricheur a son plaideur pour mieux enfoncer le
tricheur d'en face. Les avocats sont une plaie en ce bas-
monde, crois-moi, Julian, j'ai perdu plus d'un procès !
Avocate ! Cette fille qui a des doigts de fée ! »

Ils visitent le musée et Julian ne quitte pas sa jeune
amie des yeux, fasciné par ses gestes et ses attitudes alors
qu'elle s'approche d'un tableau pour étudier de près les
nuances de couleurs et de matière.

*Gracieuse et souple comme un elfe, elle s'éloigne et
s'approche, va d'un tableau à l'autre, on dirait qu'elle
danse. Le visage illuminé. La salle est presque vide. Un
couple de Japonais déambule silencieusement, appareils
photo autour du cou. Une grosse dame, sourire béat aux
lèvres, contemple deux naïades de Rubens aussi roses et
grasses qu'elle. Et moi, en train d'admirer Emma, ma
huitième merveille du monde. Aveuglé, fou d'amour. Moi
qui ne cesse de répéter que ce musée n'est rien en compa-
raison de celui de Chicago, Boston, et, bien sûr, du
MOMA de New York. Moi qui dépense des petites for-
tunes en livres d'art... je n'attends qu'une seule chose en
cet instant précis, qu'elle me dise « fini la nostalgie de ce
Cuba que je n'ai jamais connu »... ce à quoi je lui répondrai « quittons ce foutoir de Miami, allons-nous-en faire
notre vie ailleurs. A Rome, à Paris... n'importe où ! Car
moi, Julian Sargats, je suis fou d'amour pour toi ! »*

Ils sortent du musée. La lumière crue les fait chanceler.
Ils traversent Park Avenue et la Collins, trouvent refuge
dans une buvette anonyme le long de la plage, dans cette
partie haute que Julian connaît si bien. Ils sont assis
devant un paysage qui lui paraît tout aussi anonyme :
les palmiers, la mer bleue et le ciel noyé dans les rayons
multicolores du soleil couchant pourraient se retrouver
n'importe où.

« Raconte-moi, Julian, tu n'as qu'à me raconter le
Cuba que tu as connu... »

Et comme il l'aime, qu'il veut retenir son attention, qu'il ferait n'importe quoi pour la rendre heureuse et la voir sourire, il lui fait une description de rêve : sa découverte avec Rita Alfaro des vieux quartiers de La Havane, ce Malecon à nul autre pareil, le parcours du lycée du Vedado au pont d'Almendares, le chauffeur noir de son père et l'immense Cadillac continentale. Les rues de Regla et les séances de santeria, les odeurs de fruits mûrs, la nourriture fermentée, le parfum des rues de Miramar, les jardins secrets croulant sous les jasmins, fleurs d'oranger, roses et mariposas. Et quand ses propres souvenirs ne parviennent plus à épuiser la soif d'images et de mots d'Emma Alvarez, Julian puise dans les souvenirs des autres, ceux de son père, de sa sœur et de ses amis plus âgés. Comme un leitmotiv, il reprend les propos du barman du faux Floridita de Miami : « Notre île est magique, incomparable, la mer, le soleil et le vent, tout y a une autre saveur, une couleur différente. »

La cafétéria de l'Eden Rock commence à se remplir de mères avec leur marmaille qui dévore de gros gâteaux crémeux.

Emma est arrivée en retard, sa sacoche bourrée de livres, de cahiers, de tracts politiques et d'un de ces bulletins d'information sur les horreurs commises par les castristes à Cuba avec des articles écrits dans ce style larmoyant ou coléreux que Julian abhorre.

Emma parle au téléphone et lui envoie un baiser discret de l'autre bout de la salle. Elle vient de lui annoncer que le soir même doit se tenir une réunion importante avec un groupe de balseros récemment repêchés par les gardes-côtes américains. Elle aimerait qu'il vienne. Il a accepté, le cœur lourd, car il avait prévu de l'inviter au Mayfair Grill, un restaurant de luxe de Coconut Grove. Le matin même il avait encaissé un de ces chèques exagérément généreux que lui avait envoyé Louis-le-Second en paiement d'un petit texte vantant les qualités d'un nouveau parfum pour homme, « discret et sensuel, viril, et cependant insidieux ». Il avait de quoi lui offrir un repas sompteux accompagné du meilleur vin. Au lieu de cela, il faudrait se résigner à boire des bières et à manger ces horribles *fritas*, le hamburger à la cubaine, avec de la viande cuite dans le saindoux, des pommes frites ramollies et des oignons coupés au rasoir. Un tas d'oignons que Julian détestait depuis sa plus tendre enfance. A la réunion, quelqu'un répétera ce que tout le monde sait : qu'à Cuba les trois quarts de la population ne rêvent que de s'évader, de venir à Miami. On parlera de tous les malheurs qui affligent l'île. Quelques dames comme Laura Alvarez auront peut-être une crise de larmes. D'autres s'indigneront, hurlant pour eux-mêmes « Mort à Fidel ! »

Et lui, Julian Sargats, se comportera comme s'il était au musée, à la plage, ou n'importe où en sa présence. Il s'isolera dans la pénombre pour l'observer. Il la dévorera des yeux, n'écoutera qu'elle, et en sera malheureux et honteux. Il ne se lèvera pas pour crier « Mort à Fidel ! » ni ne s'unira au chœur qui chante l'hymne national cubain, celui d'avant la Révolution. Il se contentera de répéter à voix basse, pour exorciser ses démons, un texte de Rainer Maria Rilke qui lui revient sans cesse, sans qu'il sache pourquoi.

« Et l'on n'a rien ni personne, et l'on voyage à travers le monde avec sa malle et une caisse de livres, et en somme sans curiosité. Quelle vie est-ce donc ? Sans maison, sans objets hérités, sans chien. Si du moins l'on avait des souvenirs ! Mais qui en a ? Si l'enfance était là : elle est comme ensevelie. Peut-être faut-il être vieux pour pouvoir tout atteindre. Je pense qu'il est bon d'être vieux. »

« Où en sommes-nous, Emma ? » murmure Julian pour répondre au sourire que la jeune fille lui a adressé de loin.

Depuis son retour de Boston, l'attitude de son entourage avait beaucoup changé. Ricardo ne le traitait plus de « professeur » et les cousins et Rudi se faisaient plus discrets. Maintenant c'est lui qui devait insister pour que la petite tribu les accompagne dans leurs sorties. Julian s'amuse de voir qu'avant d'accepter une invitation, ils attendent un signe d'approbation d'Emma. Tout comme l'amusent les clins d'œil cocasses de la mère d'Emma à ses amies, quand l'une d'elles se permet d'interrompre leur doux tête-à-tête.

On entend de plus en plus souvent Edelmiro Sargats, aussi peu diplomate que possible, raconter qu'il va construire un pavillon pour « couple et enfants » sur le terre-plein qui se trouve derrière la maison et dont il est propriétaire.

Et un jour, Gisela se jette à l'eau, elle se fait le porte-parole de la communauté devant son frère.

« Ton histoire avec Emma a l'air sérieuse. Laura Alvarez s'inquiète, quoi de plus naturel pour une mère ? Quand vas-tu te décider enfin à demander la main de la petite ? Notre père, ses amis et moi-même, nous tremblons d'impatience !

— Demander la main ? Ces choses-là se font encore ? En 1972, aux Etats-Unis ?

— On n'est pas aux Etats-Unis, July, on est à Miami. Et pas tout à fait à Miami non plus puisqu'on vit dans ce territoire à forte densité cubaine qui s'appelle la Petite Havane. Certaines de nos habitudes sont peut-être ridicules, mais je crois qu'il y a des traditions qu'il convient de respecter.

— Faire une demande en mariage, en bonne et due forme ?

— Demander la main d'Emma Alvarez. »

La voix de Gisela était ferme et autoritaire. Elle ne plaisantait pas. Celle qui avait pris la fuite avec son amant argentin était venue grossir les rangs des dames cubaines très attachées aux traditions.

Emma l'a rejoint à table. Il la regarde avec attendrissement boire son café.

« Ce soir nous devons dîner avec ta mère et ses amies... Veux-tu que je leur demande officiellement ta main ?

— Pardon ?

— Ils sont tous si inquiets de nous voir sortir seuls, tu sais bien.

— Je sais. J'ai averti ma mère, les garçons et tous ceux qui veulent des explications que nous sortions en amis, pour apprendre à mieux nous connaître. Nous sommes tous les deux dans une période de transition, Julian. Je commence l'université, et toi, tu démarres une carrière de professeur. Mon père, le seul qui pourrait me demander des comptes, n'est pas là. J'aime bien ta compagnie et tu sembles apprécier la mienne. Que demander de plus pour l'instant ? »

Comme chaque fois qu'elle est nerveuse ou qu'elle se laisse emporter dans le feu de la discussion, Emma se tripote les cheveux et remet en place machinalement les boucles qui lui tombent sur le front.

Julian lève la main pour lui signaler qu'il est d'accord avec elle et qu'il vaut mieux balayer d'un coup net tout ce qui viendrait déranger l'équilibre harmonieux de leurs relations. Et tandis qu'Emma embraye sur l'importance de la réunion à laquelle ils doivent assister le soir, Julian ne cesse de se répéter la question qui l'a hanté tout l'après-midi... « Où en sommes-nous, Emma ? »

Souvent, dans la pénombre d'une salle obscure ou dans la solitude protectrice de la plage, ils restaient de longs moments à s'embrasser et leurs mains exploraient leur corps à travers les vêtements. Mais lorsqu'un jour il avait voulu passer à l'acte, elle s'était raidie dans ses bras et avait murmuré sans le regarder « si tu veux ».

Ce consentement réticent avait été pour lui pire qu'un refus.

« L'amour se fait à deux, Emma, avait-il dit. J'attendrai le temps qu'il faut. »

A la suite de quoi il s'était senti noble et mûr, chevaleresque et sage. Et leurs étreintes passionnées avaient continué d'un commun accord, sans jamais aller plus loin.

Elle parle et il l'observe : l'ovale de son visage, la mobilité de son regard, ses doigts fins qui prennent vie quand ses paroles s'envolent... « Où en sommes-nous, ma bien-aimée ? »

J'ai eu enfin le courage de revoir ma mère, écrit Julian sur le grand cahier à feuilles jaunes et couverture noire qui lui sert à noter ses cours et, à l'occasion, quelques pensées intimes et journalières.

Conversations courtes au téléphone, meublées de silences. Ma mère me répète d'une petite voix timide : « *J'ai changé.* »

Je sais que tous les jours Gisela et elle se parlent. De longs échanges... mais que peuvent-elles bien se dire ?

La seule information que ma sœur me transmet est invariable : va voir maman, elle a beaucoup changé.

Mon père est allé passer le dernier week-end à l'hôtel Paradis'Home dans la section réservée aux familles des clients en cure de repos. Nous nous sommes croisés, père et moi, à son retour de Key Biscayne. Nous avons parlé du temps, des dernières rumeurs sur Cuba qui courent calle Ocho. En passant du coq à l'âne, il m'a dit : « *Va voir Magdalena, elle a beaucoup changé.* »

J'ai donc fini par emprunter à Gisela sa voiture et à mettre le cap sur Key Biscayne. Et voici ce que j'ai constaté.

Madeleine a quitté son bungalow de luxe pour une petite pièce avec salle de bains à l'austérité monacale. Sa garde-robe aux griffes de rêve a été reléguée au fond d'une malle. Elle est désormais vêtue de longues robes aux couleurs sombres dans des tissus de qualité, certes, mais qui dissimulent les formes de son corps. Elle a rangé ses bijoux et ne porte plus au doigt que son alliance. Ses cheveux sont tirés en arrière et réunis dans un chignon compact, fonctionnel. Comme elle a renoncé aux teintures et autres artifices, ses cheveux ont retrouvé leur couleur d'antan et sont parsemés de fils d'argent de plus en plus nombreux. Sans une once de maquillage, elle a désormais la tête de son âge, ce visage qu'elle masquait sous d'épaisses couches de fond de teint et de poudre a retrouvé son naturel. Les marques de ses interventions chirurgicales n'en sont que plus visibles : la peau un peu trop tirée vers les tempes finira par retrouver sa souplesse initiale, les rides reviendront à leur place et ce sera mieux ainsi, plus humain.

Elle n'a plus sa Mercedes et son jeune Viking a disparu dans la nature.

Ma mère est contente d'apprendre que je suis venu en voiture en traversant le Rickenbacker Causeway plutôt que de prendre le ferry.

« Allons pique-niquer, je voudrais te montrer un endroit magique. »

Sur ses conseils, j'emprunte le boulevard South Crandon jusqu'au Bill Bagg Cape.

« Où allons-nous ?

— Jusqu'au bout. A l'extrême pointe du Key. Nous descendrons de voiture et nous marcherons. Tu n'as pas peur de grimper des marches, dis ? »

Je réponds « je n'ai pas peur » sans savoir ce qui m'attend. Comme tous les sémaphores, celui de Cape Floride est très haut, avec un escalier en colimaçon raide à vous donner le vertige. J'apprends que Madeleine vient ici presque tous les jours. Ses mollets doivent être bien solides. Je manque d'entraînement, et j'arrive sur la plateforme du haut bien après elle, essoufflé et déjà courbatu. Après la longue ascension dans la pénombre de la tour, le soleil m'éblouit et je cherche appui sur la balustrade, fermant les yeux pour mieux me remettre de mes efforts. « Voilà où je me réfugie quand mes pensées deviennent angoissantes et que je me sens glisser dans la déprime. J'aurais voulu que ton père m'accompagne ici, comme toi. Mais il a refusé. "Trop haut", a-t-il dit. "En plus, il n'y a rien à voir." Comment lui expliquer qu'il ne s'agit pas de voir mais de sentir ? Tu le sens, toi, pas vrai Julian ? Tu le sens l'océan ? L'Atlantique à nos pieds. L'infini de la mer. Notre mère. Le point zéro d'où tout a commencé. Edelmiro est trop enraciné dans le passé. Il ne se donne pas la possibilité de se renouveler. Je lui parle de renaissance, et il me répond "Jaca... Cuba...", il ne sait pas qu'on peut mourir et renaître, qu'on peut avoir été quelqu'un un jour et devenir un autre le lendemain, qu'il suffit de retrouver l'humilité et la vérité intérieure... »

Elle parle lentement comme on raconte une histoire à

un enfant, pour faire en sorte qu'il comprenne bien, en détachant les mots, les syllabes, re-naître, re-trouver...

Elle se tient, hiératique, face au soleil mourant qui semble retarder pour notre bénéfice sa plongée quotidienne au-delà de l'horizon. Lorsque nous quittons le phare, la lune répand sur la mer une caresse argentée.

Avant de rentrer à Paradis'Home, nous faisons une halte dans un restaurant de fruits de mer où Madeleine ne mange presque rien et ne boit que de l'eau. Elle me regarde manger tranquillement, poursuivant une conversation sans relief : Gisela, qui devrait suivre un régime comme le sien ; les enfants, toujours aussi turbulents et mal élevés qui grandissent mais ne sont pas aussi bêtes que Gisela veut bien le dire ; la satisfaction qu'elle éprouve à savoir que je vais être professeur dans une école privée de Miami. Elle me parle aussi de Laura Alvarez qui lui a rendu visite, et je fais mine de ne pas trop m'y intéresser.

C'est à l'heure de la tisane et du café que soudainement ma mère me dit :

« J'ai trouvé un Maître, Julian. »

Je m'attendais à quelque chose de ce genre : on ne change pas aussi vite et aussi radicalement sans un choc profond ou sans l'influence de quelqu'un.

Madeleine me raconte d'une voix pleine d'émotion l'histoire de ce jeune homme de bonne famille dont les parents possédaient une des plus grosses propriétés de Key Biscayne et qui avait abandonné ses études à Berkeley pour sombrer dans la débauche, la drogue et l'alcool. Il était en train de perdre pied et de voir, l'un après l'autre, ses meilleurs amis périr lorsqu'il s'était réveillé un matin, une aiguille enfoncée dans une veine et s'était dit : « Je suis perdu, je dois retrouver la lumière. » Alors, il était parti en Asie. Un voyage initiatique l'avait emmené de l'Inde au Tibet. Une rencontre avec un saint homme lui avait fait comprendre que son destin et son rayonnement spirituel ne se trouvaient pas sur les flancs de l'Himalaya ni dans les rues de Calcutta mais bien chez lui à Miami, où l'argent et le matérialisme transformaient les êtres humains en zombies et corrompaient tout. Il ren-

tra donc chez lui et entraîna dans son aventure spirituelle
sa mère et ses sœurs, les initiant à la Sainte Doctrine.
C'est ainsi qu'une des demeures les plus luxueuses de Key
Biscayne était devenu un centre d'accueil pour les âmes
égarées.

« J'avais entendu parler du Maître et je me moquais de
lui, de ses disciples, de la vie austère qu'ils menaient.
Vois-tu, Julian, c'est toi qui m'as conduit vers lui. Ce
que tu m'as dit un soir, dans ce cabaret où régnaient la
dépravation, le fric et la luxure m'a ouvert les yeux. Tu
m'as fait faire le premier pas vers l'illumination, mon
fils. »

Je la regardais sans savoir quoi lui dire. Je n'ai pas eu
envie de sourire. Peu importe que le Maître en question
fût un sage, un fou ou un escroc, car je n'avais jamais
vu, depuis le temps lointain de mon enfance, une lueur
aussi douce et sereine dans les yeux de ma mère. J'avais
l'intuition que cette étape de sa vie lui était nécessaire.
Cette nouvelle existence vouée à la réflexion, à la charité
et à l'écoute des autres l'apaisait et ne pouvait que lui
être profitable.

Je le savais et pourtant je ne pouvais réprimer une certaine nostalgie pour la Madeleine que j'avais retrouvée à
mon retour de Boston : drapée dans sa magnifique robe
de Pierre Balmain, arrosée de Narcisse Noir, couverte de
bijoux, traversant comme une reine la piste de danse du
Sky Room, provocante, étincelante de vitalité.

A mon retour de Key Biscayne, je trouve mon père
assis sur le rocking-chair de la terrasse. Il se balance doucement dans la pénombre en grillant un long havane,
pour la digestion.

« Je prends le frais, je réfléchis », me dit-il de sa voix
profonde. Puis, comme s'il se parlait à lui-même, il
évoque devant moi un soi-disant plan secret de Moscou
qui viserait à transformer Cuba en base de frappe contre
les Etats-Unis. Il énumère les sous-marins atomiques
légers, indétectables aux radars, les armes bactériolo-

giques, la cinquième colonne d'espions cubains à Miami... Croit-il vraiment à toutes ces histoires qui font plutôt penser à des scénarios de bandes dessinées ? Je n'en sais rien. La seule chose que je sais... c'est que lorsque j'avais appelé Gisela d'une cabine, sur la route en quittant Key Biscayne, elle m'avait dit : « Papa t'attend de pied ferme. Il espère sans doute que tu vas lui parler de notre mère. »

Mon père tire sur son cigare, il tousse, agite les pieds et me jette des coups d'œil en biais. Je le sens sur des charbons ardents, et j'arrête net son délire verbal en lui racontant ma visite à Magdalena, l'ascension du phare, les réflexions sur la vie et la mort que lui ont inspirées le soleil couchant et l'Atlantique s'étalant à perte de vue. Puis je lui parle de notre dîner au restaurant sans faire allusion une seule fois à son gourou. J'observe que mon père commence à se détendre. Il oublie de tirer sur son cigare. Dans la demi-pénombre, ses yeux se mettent à briller et son sourire paraît si innocent qu'une sorte de pitié absurde m'envahit.

« Je l'ai trouvée tellement en forme à ma dernière visite ! » confie-t-il.

Puis il me décrit ses yeux, son teint beaucoup plus frais, la magie de son sourire, il me fait le portrait d'une madone dont il viendrait de découvrir la beauté.

« Je me souviens comme si c'était hier de ma première visite chez le Dr Moreno. Je ne pouvais détacher mes yeux d'elle. »

A propos de Rita Alfaro, il commence à fabuler sur la qualité de leurs relations si particulières, « courtoises et drôles », comme il aime à dire. Il enjolive le passé par amour pour sa femme, le mythifie. Sans doute a-t-il oublié le mépris de sa belle-mère, ses remarques perfides et sa haine à peine dissimulée.

« Je l'admirais tellement, la belle Andalouse ! » s'exclame-t-il en levant les mains comme pour un lever de rideau. « Sais-tu, Julian, que je pense souvent à eux ? Au Dr Moreno, à Rita Alfaro... J'imagine leurs tombes au cimetière de La Havane. C'est en grande partie en hommage à leur mémoire que je me bats pour libérer Cuba du

joug communiste. Un jour, nous irons sur leurs tombes et nous pourrons leur dire avec fierté "nous voilà, nous ne vous avons pas oubliés". »

Père évoque ensuite d'autres moments de notre vie à Cuba.

Etrange renversement des sentiments ! L'exil l'avait éloigné de sa Jaca natale et semblait avoir renforcé ses liens avec son pays d'adoption où il n'avait pourtant été qu'un immigré.

Et pour couper court à la conversation je lui demande : « Vous entraînez-vous toujours aux Everglades ? J'aimerais y participer. Enfin... voir de quoi il retourne, au moins une fois. »

A peine ai-je prononcé cette phrase fatale que déjà je le regrette. Trop tard.

Mon père, une fois encore, me fait l'éloge de cette équipe de patriotes qui, chaque dimanche avec leurs familles, sacrifient un repos bien mérité pour travailler à la libération future de notre pays.

Impossible de faire marche arrière. Je prie secrètement... que les dieux des Indiens Séminoles me donnent la force physique et spirituelle nécessaire pour affronter l'Aragonais et ses acolytes, jouant à la guerre au milieu des champs de manguiers et des moustiques des Everglades.

Pour Julian Sargats, revoir les Everglades est un retour au monde de son adolescence. Tous les ans, son lycée faisait un tour dans les Everglades en hommage à la mémoire de Marjorie Stoneman Douglas qui, dans un livre publié en 1947, avait alerté l'opinion publique américaine sur les dangers qui menaçaient les habitants, la faune et la flore de cette région marécageuse. Elle y expliquait comment l'arrivée de l'homme blanc avait provoqué l'extinction ou la migration des Indiens Calusas, Tequestas et Mayaimis. La nature s'était chargée du reste. Plusieurs ouragans meurtriers avaient ravagé la région, entraînant un cycle infernal de morts et de maladies. Le livre eut un tel succès que le président Truman créa le Parc National des Everglades. Et chaque année, les professeurs de son lycée emmenaient leur classe visiter le site protégé. Plus tard, lors de ses retours à Miami, quand l'ambiance survoltée de la Petite Havane ou de sa famille devenait trop pesante, il y faisait un pèlerinage en solitaire, se promenait au milieu des hérons et des flamants roses, des pélicans et des mille espèces de perroquets.

Hélas, le camp d'entraînement de l'Association patriotique pour la liberté de Cuba se trouve dans la zone défavorisée des Everglades, cette partie plate et monotone où s'étalent à perte de vue champs de blé et de maïs et une végétation d'arbustes ras qui rappellent à certains endroits les prairies désolées de l'Ouest américain.

Les pluies torrentielles qui sont tombées pendant la semaine ont transformé une grande partie du territoire en marécage. Les pieds glissent et s'enfoncent dans la boue jusqu'aux chevilles, une vase pestilentielle attire toutes sortes d'insectes, sangsues et moustiques qui attaquent quiconque ose se promener dans les parages. Malgré son chapeau, son col de blouson relevé, les poings enfouis dans ses poches et l'huile de citronnelle qui fait reluire son visage, Julian sent les mille morsures féroces qui ont fait de lui la proie de la journée le démanger horriblement.

Le rituel dominical commence par une messe en plein air dite par un prêtre espagnol expulsé de Cuba au début de la Révolution. Après la messe, Edelmiro Sargats prononce des paroles de bienvenue à ses coéquipiers et à leurs familles et passe le commandement à l'ex-colonel de l'armée de Batista qui est chargé d'entraîner le groupe.

Ce matin-là, Sargats n'a pu s'empêcher d'annoncer publiquement que son fils va participer à l'entraînement. Julian doit donc s'incliner devant les applaudissements. Il remarque la présence de nombreuses femmes dans l'assistance. Elles sont là pour préparer le copieux repas qui suivra l'entraînement de leurs hommes. On voit aussi bon nombre de jeunes garçons venus encourager les efforts militaires de leurs aînés, pères, oncles et frères.

Les membres de l'Association patriotique se distinguent des autres par leur accoutrement militaire : uniforme de camouflage de la Seconde Guerre mondiale, tenues de combat des boys dans les jungles sud-asiatiques achetées dans des surplus, bottes, képis... toute la panoplie, les armes en moins.

Sur le chemin de l'aller, Edelmiro Sargats avait expliqué à son fils :

« Il ne faut jamais faire confiance aux Américains. A la fin du siècle dernier, ils sont intervenus dans la guerre contre l'Espagne pour mieux ligoter la jeune indépendance cubaine. Par l'amendement Platt, rien ne pouvait bouger à Cuba sans l'aval des Etats-Unis. Ils ont soutenu Machado et l'ont abandonné quand ça leur convenait. Ils ont agi de la même façon avec Batista. Si nous avons Castro aujourd'hui, c'est parce que les Américains n'ont pas soutenu le Général. La Baie des Cochons ? Un vrai paso doble : d'accord pour qu'une brigade de patriotes cubains débarquent à Playa Giron, mais pas d'accord pour que les forces américaines interviennent si nécessaire. Cela a donné la honteuse débâcle que l'on sait. Et aujourd'hui ? Comment qualifier ces négociations louches entre Washington et La Havane ? Pourquoi le FBI nous interdit-il de nous entraîner comme nous avions l'habitude de le faire dans les années 60 ? Mystère ! Je ne serais pas surpris si un jour on nous interdisait même de nous réunir. »

Sous les arbres, une planche de bois posée sur des chaises sert de table de commandement. L'ex-colonel de l'armée de Batista explique, à l'aide d'un plan dessiné pour l'occasion, l'ordre de bataille. L'équipe est séparée en deux groupes. Des brassards bleus pour les patriotes, des rouges pour les communistes. Le colonel détaille la procédure.

« Ici les bons... là les méchants... » dit-il sans le moindre humour, en séparant les hommes. « Objectif premier, encercler les Rouges. Secundo, attaquer. Vaincre. La stratégie des Rouges : se défendre. Préparer la contre-attaque. Pour tous, un seul mot d'ordre : triom-

pher ou mourir. A vos postes ! Luttez comme des braves !
Et que le meilleur gagne ! »

Ce matin-là, Edelmiro Sargats, en tête du peloton des
« bons », demande à son fils de l'accompagner. Ce sera
pour Julian le début d'une matinée atroce. Les exercices
consistent à courir, ramper et se cacher dans des broussailles épineuses, à repérer les mouvements de l'ennemi
et se traîner sur les genoux dans la vase et la boue fétide.
Il est en train d'offrir un délicieux banquet à tous les
insectes carnivores des Everglades. Il en oublie leurs morsures et piqûres, terrorisé qu'il est par l'idée que des nids
de serpents, des lézards géants, scorpions et autres animaux rampants se cachent dans ce cloaque. Il est tenté
de tout abandonner, de faire marche arrière, songeant un
instant à rejoindre sans complexe les femmes et les
enfants restés au campement, mais comment faire ? Il ne
sait plus où il est. Ne risque-t-il pas de se perdre dans ce
paysage uniforme, sans aucun repère ? Dans cette zone
vraiment dangereuse des Everglades ce ne sont plus seulement les lézards et les serpents qui pullulent mais le sournois caïman des marais et les féroces crocodiles. Alors, il
se dégonfle et court rejoindre son père qui a pris de
l'avance et l'attend un peu plus haut sous les manguiers.
Edelmiro Sargats court à petites foulées, s'agenouille,
marche à quatre pattes, se relève, court à nouveau à
petites foulées et parle dans le talkie-walkie qui le relie à
son chef de bataillon.

Julian s'étonne de la vigueur et de l'endurance de cet
homme qui vient d'avoir soixante-deux ans. Le taureau
aragonais a encore grossi au cours de ces dernières
semaines. Gisela a cousu deux larges morceaux de gaine
élastique pour faire tenir le ceinturon militaire réglemen-
taire autour des hanches et de l'abdomen énorme de son
père. A chacun de ses petits sauts de kangourou, ses
bajoues remontent comme une masse molle et sa respira-
tion saccadée fait un bruit de cheminée asthmatique.

Mon Dieu, pense Julian, voyant Edelmiro Sargats s'enfoncer jusqu'aux genoux dans une flaque d'eau noirâtre,
il va crever s'il continue ses conneries, à tous les coups,
il va crever !

Plusieurs fois il a essayé de convaincre son père à bout de souffle de ralentir le rythme. Et il n'a eu droit qu'au sourire de commisération de l'Aragonais.

« Hé quoi ? C'est le père qui doit montrer l'exemple à son fils ? On ne change pas l'histoire avec des palabres ou des discours intellectuels, il faut des couilles, mon fils, des couilles, nom de Dieu ! »

Cette remontrance sert à Julian de leçon. Désormais il n'ouvrira plus le bec jusqu'à s'être assuré du triomphe des bons sur les méchants et de la totale reddition de ceux-ci.

En rentrant du camp en fin d'après-midi, Julian s'enferme dans sa chambre, fou de rage de s'être laissé piéger dans une aussi stupide aventure dominicale.

Il a agi mû par la pitié. L'émotion de l'Aragonais lorsqu'il évoquait son amour infaillible pour sa femme absente lui avait fait de la peine et il avait voulu se rapprocher de lui. Mais il était aussi poussé par une curiosité malsaine. Il voulait en savoir davantage sur le campement, voir à quoi son père dépensait son argent. Car il était convaincu d'avance que ce groupe de vieux patriotes nostalgiques ne pourraient rien faire de déterminant contre Cuba.

Julian a refusé de suivre les conseils de Gisela et s'est étendu tout habillé et tout crotté sur son lit, avec ses bottes et son parka couvert de boue.

« Il faut te soigner, Julian, ces putains de moustiques t'ont complètement défiguré ! »

Il le savait et il ne voulait rien faire, il avait bien mérité ce qui lui arrivait.

Il s'était finalement endormi lorsque la voix d'Emma derrière la porte l'avait réveillé.

« J'ai un produit miracle pour les piqûres de moustiques, ouvre-moi ! »

Le temps de prendre une douche et de se changer et Emma l'avait badigeonné d'un onguent mauve et épais qui lui avait fait l'effet d'un baume. Elle n'avait pas menti : la douleur et les démangeaisons s'étaient calmées, seule l'odeur de pourriture persistait.

Julian est assis sur la balançoire, les coudes appuyés sur les cuisses, les mains en l'air. Elle vient de lui étaler sur la figure et le dos des mains une nouvelle couche de ce produit épais et collant à l'odeur goudronnée — une invention des Indiens Séminoles — pendant qu'il lui fait le récit de cette pénible journée.

« Je les suivais et je ne voulais pas croire ce que mes yeux voyaient : comment ces hommes mûrs — plusieurs avaient l'âge de mon père — pouvaient-ils jouer de la sorte à la guerre, comme des gamins ? "Bang ! Bang !" hurlaient-ils en appuyant sur la détente imaginaire de fusils qu'ils s'étaient taillés dans des branches d'arbre. Je m'attendais à tout, indiscipline, rigolade, manque d'efficacité, tout sauf ça... Le pire, ç'a été d'assister à une prise de bec entre mon père et un de ses potes. "Tombe ! lui disait-il. Je t'ai touché en pleine tête ! Bang ! Bang ! — Non, Edelmiro, non, tu as visé trop haut, rétorquait l'autre, la balle est passée au-dessus ! — Tombe, connard ! répétait mon père, je te dis que tu es un homme mort !" Et je vois le type, la cinquantaine bien sonnée, gras et essoufflé, plier les genoux et s'étendre dans la vase. Il avait raison, mon père n'avait pas bien visé, j'en étais témoin. Mais Edelmiro Sargats qui subventionne de sa poche ces rituels hebdomadaires n'aime pas être contrarié. Edelmiro Sargats est le chef. C'est pourquoi le pauvre type a accepté de s'humilier et de faire le mort. »

Julian reprend son souffle, les mains en l'air, les yeux grands ouverts fixés dans le vide. Il finit par retenir la main d'Emma dans la sienne.

« J'ai honte pour lui. Pour moi. Pour nous. Quel miracle attendons-nous et que pouvons-nous attendre de l'exil ? Cet onguent des Indiens Séminoles peut-il soigner la nostalgie ? Il faudrait un vrai miracle pour assister à la chute de Castro. Treize ans et demi déjà ! Treize ans, et ils rêvent encore qu'ils pourront y changer quelque chose ! »

Il retourne la main d'Emma, embrasse la pointe de ses doigts avec délicatesse, les frôlant à peine de ses lèvres qui sont mauves comme le reste de son visage.

C'est le tour d'Emma de lui faire des confidences. Elle lui donne la clé de ses disparitions, en fin de semaine, avec son frère, ses cousins, Rudi et toute la petite bande : il faut qu'il sache qu'eux aussi s'entraînent dans un camp militaire sur l'île de Key Largo.

« La génération de nos parents parle trop haut et fort. Ils sont la caricature des Cubains d'hier : les libéraux palabraient sans fin, ils promettaient des réformes, des constitutions nouvelles pendant que dans l'ombre les militaires, Machado, Batista, organisaient en silence leur stratégie de prise de pouvoir. Disons que Fidel Castro a bien enregistré la leçon. C'est pourquoi nous, les jeunes, nous essayons de ne pas parler mais d'être efficaces le moment venu.

— Pour quoi faire, Emma ? Tu m'as assuré que vous partiez les week-ends à la mer pour vous désintoxiquer de la Petite Havane, et voici qu'à votre tour vous jouez à la guerre ! »

Il enfonce ses poings dans les poches de son pantalon pour ne pas montrer son désarroi et sa colère.

« On ne joue pas, Julian, justement on ne joue pas, c'est toute la différence. Accompagne-nous à Key Largo vendredi prochain et tu jugeras par toi-même. Nous faisons un stage d'une semaine pour faire le point, avant que l'année scolaire ne démarre. Tu peux te joindre à nous, si tu veux ! »

Le jour tombe, ils se balancent doucement sur le sofa, elle a les bras croisés sur la poitrine, lui, les poings serrés dans ses poches. Il aurait voulu la prendre dans ses bras, la serrer très fort contre lui, mais il lutte et se retient.

« Je ne sais pas. On verra. Il faut que je prépare mes cours. »

Paroles de fier, se dit-il, mais je tiendrai jusqu'à demain... car comment pourrait-il se passer de la voir pendant toute une semaine ?

Huit heures du matin. Ils sont sur le point de partir

pour Key Largo avec Emma et son groupe lorsque le téléphone sonne. Gisela décroche.

« Numéro Deux ! » dit-elle en lui tendant le combiné.

« A mon avis, il n'a pas dû se coucher ! Recommande-lui Paradis'Home et le gourou de notre mère, ça pourrait le calmer. »

Louis-le-Second a l'air d'humeur joyeuse et passablement ivre. Il claironne dans l'appareil et déclare qu'il vient de fêter la signature des accords qui le libèrent une fois pour toutes de la direction de l'Institut de Communication.

« Je n'ai plus aucune responsabilité, mais je garde des parts dans la boîte, idéal, non ? Sais-tu la meilleure, mon frère ? J'ai tout vendu à un financier nippon. Les bridés laissent tous les postes de direction à l'ancienne équipe, mais personne n'est dupe. Ils achètent, débarquent, font le dos rond pour mieux apprendre les ficelles du métier. Et le jour venu, ils virent tout le monde... C'est leur tactique. Mais peut-être pas ? Qui sait ? Mystérieuse et fabuleuse Asie !

— Et toi ?

— Je me mets en vacance, au vrai sens du terme. Mes très honorables acheteurs m'ont invité à Tokyo, Kyoto... Thé, chrysanthèmes, geishas... Tu te souviens, à Harvard, quand tu séchais les cours pour aller voir les films d'un certain Misha... je ne sais plus quoi ?

— Misogushi.

— Cela te plairait-il de visiter l'Empire du Soleil levant, de voir tous ces gens pour de vrai ? Je pars demain.

— Moi, je pars dans cinq minutes. A Key Largo. C'est beaucoup moins exotique que Kyoto, évidemment...

— Avec la jeune créature dont tu m'as parlé ?

— En quelque sorte.

— Bonne chance, vieux. N'oublie pas de m'inviter à tes noces, je me déplace très facilement. En attendant, je t'enverrai des photos de moi avec mes geishas, histoire de te donner des idées. »

Rodolfo est au volant de la voiture où s'entassent Ciro,

Lino, Ricardo et sa nouvelle conquête, une jeune Amérindienne, championne locale de tir à l'arc et d'armes à feu. Comme avait dit Rudi à Julian :

« Nous voulons libérer Cuba de Castro et elle ne rêve que de rendre la Floride à ses ancêtres Séminoles. Elle est encore plus allumée que Ricardo. A eux deux, ils font la paire ! »

Julian conduit la Land Rover qu'il vient juste d'acheter et suit la voiture de Ricardo. Emma est à ses côtés. Par terre et sur le siège arrière s'entassent valises, sacs et tout un attirail de palmes en caoutchouc, fusils et bouteilles d'oxygène pour la plongée sous-marine.

Ils dépassent le miles-marker [1] MM 126. Pour ceux qui se dirigent vers Key West, les numéros vont en décroissant jusqu'à zéro. Julian connaît par cœur cette interminable autoroute construite sur le front de mer qui relie toutes les îles entre elles. Rien de plus monotone pour le conducteur un peu fatigué. Heureusement, ils s'arrêteront entre le 100 MM de Key Largo et le 82.5 d'Islamorada, sur une langue de terre et de plage perdue entre ciel et mer.

Emma, roulée en boule sur le siège, repose sa tête sur la cuisse de Julian et dort, bercée par le doux ronronnement d'une cassette de Billy Holiday. Elle dort et il parle à mi-voix, fondant ses paroles dans le rythme lent de la chanteuse.

« Je te séquestre, Emm... Les autres vont prendre la direction du camp, et moi je continuerai sur Key West. De là, nous embarquerons pour les Bahamas, Trinidad, ou la Jamaïque... Nous trouverons un bout d'île déserte, vivrons d'amour et d'eau fraîche, de bananes et de lait de coco. Nous aurons des enfants et parlerons une langue de notre invention, une langue où les mots de calle Ocho, de La Havane, grande ou petite, de Castro et de communisme seront proscrits. Nous créerons une nouvelle race, inconnue de tous, pacifique, aimable et industrieuse. On nous appellera "les enfants du palmier", tu m'entends Emm ? »

---

1. Borne kilométrique.

La voiture dévore les kilomètres. Emma dort et Billy Holiday déverse ses sanglots amoureux, ses plaintes de chatte blessée.

Emma avait fini par donner quelques explications à Julian sur la nature particulière de leur camp d'entraînement.

« C'est une sorte de club privé pour jeunes gens de bonne famille, les familles les plus riches de Palm Beach, Sarasota, Miami qui vivent dans la terreur de la drogue et de la liberté sexuelle... Le club a été créé par un groupe d'ex-militaires qui ont trouvé le bon filon : leur but est de distraire et d'occuper les jeunes héritiers par des loisirs sportifs intensifs qui forgent le caractère et donnent de l'endurance. Stages de plongée sous-marine, surf, entraînement de survie sur une île déserte, maniement d'armes, arts martiaux... L'idée géniale de Mister Millions, qui sponsorise notre stage à nous, c'est de nous avoir intégrés aux activités générales du camp. Il paie à part les professeurs qui se chargent de notre entraînement, car nous avons des cours pratiques plus poussés que les autres... Ici, on peut se procurer toutes les armes que l'on veut. Le club est privé, et sous la haute protection de l'armée.

— Je me demande ce que je viens faire là-dedans, comment vas-tu justifier ma présence ?

— Tu es un observateur, un écrivain qui prend des notes pour un livre sur la jeunesse anti-castriste de Miami. Et puis... J'ai laissé entendre que tu étais mon fiancé, que tu étais très jaloux et que tu venais pour me surveiller... Cela te laisse de la marge... participer ou non à nos exercices, regarder de loin, te joindre à nous pendant les pauses, c'est comme tu voudras ! »

Mister Millions est un ex-soldat de la brigade qui a combattu à Playa Giron en 1961 contre l'armée de Fidel Castro. Cet homme d'affaires avisé a aussi des ambitions politiques et tient beaucoup à son rôle de mécène discret.

Les cinq professeurs du groupe d'Emma ont tous dépassé la trentaine et un coup d'œil rapide suffit pour se rendre compte que ce sont de vrais professionnels. Le chef de l'équipe, Jerry Brown, un Texan taillé en Hercule, nez busqué d'ancien boxeur, est le seul à adresser la parole à Julian. Il se tient à sa disposition, dit-il, pour toute information. Les autres instructeurs répondent aimablement à ses questions mais gardent une distance polie et une discipline militaire décourageante.

Au début Julian met un point d'honneur à suivre le rythme des stagiaires : réveil à cinq heures du matin, douche et petit déjeuner éclair, entraînement physique, cours pratiques divers... Garçons et filles sont séparés et dorment dans des dortoirs à part. Julian, lui, bénéficie d'un bungalow à lui tout seul avec kitchenette et air climatisé.

Après deux jours d'efforts, il comprend que sa maladresse, son manque d'endurance physique et de conviction créent une certaine gêne. Il se résignera donc à jouer à fond son rôle d'observateur et de scribe. Quant à Emma, toujours entourée de ses frères, de ses cousins et des membres du groupe, il ne la voit quasiment pas. Il traîne entre son bungalow et sous les palmiers de la cafétéria, et, son grand cahier sous le bras, prend des notes.

Tombée du jour.

Jerry est inquiet. Il pense sans doute que je prépare une série d'articles pour le Miami Herald, *visant à dénoncer les agissements de ce Mister Millions qui subventionne secrètement l'entraînement militaire d'un groupe de jeunes Cubains. Après tout, je pourrais bien écrire de tels articles, mais pour dire quoi ? Que cherche ce Mister Millions ? A envoyer des commandos-suicide pour infiltrer Cuba ? Je suis convaincu qu'Emma ne m'a donné qu'une partie de la vérité. Aurait-elle le projet insensé d'aller libérer son père avec un groupe de kamikazes ? Emma parle souvent avec rage mais aussi avec admiration de ces femmes qui ont lutté dans la Sierra à côté des « barbus » : Celia Sanchez, Haydée Santamaria, Vilma Espin... Je l'ai surprise un jour en train d'écouter des enregistrements datant de la lutte contre Batista. Les accents de Médée et la voix grave de l'actrice Violeta Casal, guerillera-speakerine, proclamait « Ici Radio*

Rebelle, émettant du cœur de la Sierra Maestra. »
— « Tu écoutes tes ennemis idéologiques ? » lui avais-je
demandé pour rire. Imperturbable, elle avait répondu :
« Un jour, j'aimerais faire comme elle. Annoncer aux
Cubains, du haut d'une montagne, que nous sommes
venus sur l'île apporter la liberté. »

Hier soir, j'étais à la cafétéria en train d'écrire. Jerry
ne cessait de tourner autour de moi, sous des prétextes
divers, et j'ai fini par lui lire mes notes. J'ai choisi les plus
personnelles, exprès, celles où je ne parlais que d'Emma.
Celles où j'exprimais ma joie de la voir garder, en toutes
circonstances, sa féminité. Alors que l'Indienne prend des
attitudes viriles pour mieux montrer ses capacités, Emma
arme et désarme son fusil avec grâce et désinvolture, et
tire au pistolet sans se départir d'un air candide.

C'est le soir, tous les stagiaires dorment, et les instructeurs prennent un dernier verre avant d'aller se coucher
à leur tour. Jerry, qui a bien bu, me parle de son admiration pour Emma et le groupe. « Même la pédale pourrait
faire un soldat d'élite », dit-il en évoquant Rudi. Car
Jerry a l'ivresse sentimentale. Je lui paie encore quelques
tournées de rhum, histoire de voir ce qu'il a dans le
ventre.

C'est un vétéran du Vietnam. Le bout de métal qu'il a
dans la hanche gauche lui a permis de quitter l'armée
avec les honneurs pour se vouer entièrement à l'exercice
de la survie. A présent il me tutoie, pose sa main sur mon
épaule.

« Le Vietnam ! Le pire ça n'était pas le bruit des
bombes et de la mitraille, ni les marches sous une chaleur
d'enfer ou une pluie torrentielle, ni la présence de la mort
partout et la peur qui vous ronge les entrailles. Non, le
pire c'était l'attente. Attendre une attaque ennemie qui
surviendrait ou pas. Depuis que tu es là, Julian, tu nous
suis partout, tu nous observes et tu prends des notes sur
un cahier. C'est ce que j'aurais dû faire. Mon fusil à
l'épaule et un carnet de notes sous le bras. Une lettre, une
pensée, un poème... il m'en serait resté au moins quelque
chose. »

Ce disant, Jerry se met à rire à gorge déployée.

« *Un poème, au beau milieu de l'enfer vietnamien.
Voilà qui aurait eu de la gueule. Les bridés qui se répan-
dent en files indiennes comme des fourmis rouges, et moi
leur disant : pardon, messieurs, permettez-moi de finir
ces quelques vers. Pour la guerre, nous verrons plus
tard.* »

Quatrième jour.
*Je m'ennuie ferme. J'ai eu le temps de préparer le plan
de mes cours de l'année prochaine. Comment ai-je
commis l'erreur de croire que je pourrais participer
sérieusement à cet entraînement ?*

*Je n'ai pas grand-chose à lire, rien qu'un traité de lin-
guistique prétentieux et dense, et un roman policier qui
fera l'affaire de quelques heures. Rien d'autre à se mettre
sous la dent dans ce maudit bled, pas un livre, juste des
revues décrivant les derniers modèles d'armes à feu, la
panoplie du bon soldat ou les merveilles des fonds sous-
marins.*

*Je supporte mal de voir ces jeunes, surtout Emma,
couchés sur le ventre, un fusil à la main, en train de viser
des silhouettes en bois. Ils ont tous le même rictus fermé,
concentré sur leur cible. Je ne supporte plus non plus
les vociférations de l'instructeur :* « *La tête ! Le ventre !
N'oubliez pas, vous tirez sur des castristes ! Le cœur,
visez au cœur !* » *Jerry est de plus en plus amical avec
moi. Aujourd'hui j'ai eu droit à un grand morceau de sa
vie.*

*Famille modeste. Père garagiste à El Paso. Adolescence
difficile, frisant la délinquance. Passionné de sport, de
bagnoles de luxe, de filles faciles, il était en train de préparer un braquage lorsque l'armée l'a incorporé.* « *L'armée a fait de moi un homme* », *dit-il sérieusement.*

*Vu qu'Emma et les autres tombent de sommeil à huit
heures du soir, je n'ai guère le choix : regarder la télé ou
écouter Jerry. Je lui paie des coups pour en savoir plus
sur Mister Millions. Il me parle de ses véritables inten-
tions concernant le groupe de mes jeunes amis.*

« *Après l'échec de la zafra, la récolte des dix millions
de tonnes de sucre, les choses à Cuba sont allées de mal*

en pis. Un jour ou l'autre, le peuple cubain en aura marre, quand tout se sera complètement dégradé, il va rejeter le communisme, se révolter. Cela finira bien par arriver. Ou qui sait ? Peut-être Castro mourra-t-il en laissant le chaos derrière lui. Mister Millions se prépare à cette éventualité. Cuba aura besoin de jeunes cadres formés, dans tous les domaines. Cette jeune génération retournera dans l'île et réapprendra aux Cubains les valeurs de la démocratie. Cela peut arriver dans un an, cinq ans, nul ne sait. Mister Millions investit sur l'avenir, il met tout son argent dans la formation des jeunes cadres politiques du Cuba de demain. »

Ces paroles m'ont réconforté. Si M. Millions mise sur le futur, c'est tout à son honneur. Quant à moi, seul le présent m'intéresse. Je suis soulagé de lire entre les lignes qu'Emma et les siens ne risquent pas de s'embarquer dans une aventure foireuse qui pourrait mettre leur vie en danger.

Encouragé par l'intérêt que je lui porte, Jerry pousse ses confidences plus loin, et voici qu'il se met à parler de mon père !

« À mon avis, don Edelmiro n'a pas su bien s'entourer. Les membres de son association sont pour la plupart irresponsables. Le FBI leur a même interdit de s'entraîner avec de vraies armes ! Non seulement ils ont l'intention d'envoyer des groupes armés à Cuba, mais ils ont dynamité les locaux d'une organisation considérée comme pro-castriste. Ton père ne se cache pas pour dire que les troupes américaines sont responsables de la perte de Cuba par l'Espagne au siècle dernier. Cette fois-ci, dit-il, ce ne sont pas les Américains qui l'empêcheront de lutter contre le communisme. Il mène sa guerre personnelle, et ici on n'aime pas ça. Si tu peux avoir un peu d'influence sur ton père, conseille-lui d'arrêter ses conneries. Je me permets de te dire ça parce que je te connais mieux, Julian. Tu penses et tu écris en anglais. Sans doute rêves-tu aussi dans notre langue. Ta tête appartient à ce pays, ton cœur est américain. Ne te trompe pas là-dessus, mon frère. »

Cette conversation m'a beaucoup troublé. Quelle sera

la prochaine étape pour Jerry ? Me proposera-t-il d'entrer dans les services secrets de son pays ? Il me faut à tout prix éviter l'ambiance de copinage et les tête-à-tête qui se sont installés entre nous.

Demain c'est le dernier jour de stage à Key Largo. Un dîner et un bal d'adieu sont prévus.

Jerry vient de me quitter. Il était complètement saoul. Il a insisté pour me lire un carnet de poèmes qu'il avait écrits au Vietnam. Une espèce d'agenda avec une couverture de cuir en piteux état, qui a dû connaître des jours meilleurs. Des pages jaunies, tachées de café, de vin, de graisse. J'aurais voulu être à des milliers de kilomètres, me défiler... C'étaient des textes courts, très courts. Plutôt des pensées jetées en vrac. La syntaxe et l'orthographe laissaient à désirer mais l'impression qu'ils dégageaient était si forte, si authentique que je n'ai pas eu envie de me moquer. Cet homme possède une créativité, une puissance d'émotion, un lyrisme... il sait parler de la mort, de la douleur et de la peur avec des mots simples et crus. Maladroitement, mais il sait en parler.

La fête se déroule dans l'hôtel où a été tourné *Key Largo*, le film de John Huston. L'endroit est exactement tel qu'il était. Une salle au plafond haut où tournoient de gros ventilateurs. Les fenêtres et les portes-fenêtres ressemblent à celles qu'Humphrey Bogart et Lauren Bacall fermaient précipitamment dans la séquence du cyclone. Au fond il y a un bar, comme dans le film, avec des étagères un peu bancales supportant verres et bouteilles. Le propriétaire des lieux soutient que les chaises, tables et tabourets sont les mêmes qu'à l'époque, tout comme le téléphone à pied, le gramophone et la pile de 78-tours précieusement conservés avec des airs des années 45.

Julian pénètre dans le grand salon en rasant les murs. Il a trouvé moyen de fuir le soleil mais les insomnies dont il souffre ne le mettent pas dans les meilleures dispositions.

« Visage pâle chez les Indiens Séminoles », murmure-t-il en se regardant dans la glace.

Les stagiaires et instructeurs sont presque tous en short et minijupes. Manifeste vivant de la vie saine, ils ont des peaux bronzées, des sourires étincelants, des gestes souples.

Quelqu'un vient de mettre la chanson interprétée par Claire Trevor dans le film et un groupe de garçons et filles reprend en chœur les paroles et les dialogues entre Edward G. Robinson, Lauren Bacall et Humphrey Bogart. Grâce à la télévision, les succès cinématographiques de ces années-là sont redevenus à la mode. Certains entrepreneurs aux idées loufoques ne se gênent pas pour exploiter la situation. Ainsi, en quittant Miami, le groupe s'est arrêté sur la route pour visiter le bateau que John Huston avait loué pour tourner *African Queen* avec Bogart et Katherine Hepburn.

Planté à la proue du bateau, Rudi avait déclaré d'un air emphatique :

« Je donnerais ma vie pour mourir dans tes bras, Bogey ! »

C'est aussi Rudi qui avait organisé cette soirée au Caribbean Club où, le soir, Bogey errait tel un fantôme assoiffé à la recherche d'un double scotch.

Jerry, en pleine forme et un peu éméché, les avait gratifiés d'un discours lyrique sur cette belle jeunesse cubaine en train de s'entraîner plutôt que de sombrer dans le vice, l'alcool ou la drogue qui menaçaient tant les générations nouvelles.

« Tous, vous mériteriez le grade de lieutenant dans l'armée régulière de notre pays, soyez-en conscients ! »

Il y a des vivats, des toasts. Quand il aperçoit Julian Sargats au fond, Jerry délaisse le groupe et s'approche du Cubain.

« C'est vrai, ces gosses sont formidables. Mais c'est ton Emma qui mérite la palme. Je lui donnerais sans hésiter le grade de commandant. Cette fille, c'est de la graine de Jeanne d'Arc ! »

Il lui assène une grande tape dans le dos, tourne les

talons pour s'éloigner, revient sur ses pas et lui donne une accolade bourrue.

« Merci Julian, j'ai lu la lettre que tu as glissée entre mes petits poèmes de merde. Je sais que tu es sincère. J'aimerais suivre tes conseils et tout quitter pour écrire. Trop tard. Je suis soldat dans l'âme. Merci quand même, vieux frère ! »

Emma est au fond de la salle. L'entraînement lui a fait perdre du poids. Elle a l'air plus menue dans sa robe bleu ciel, piquée sur des talons aiguilles, le teint plus bronzé que d'habitude, sereine et rayonnante.

Julian se tient à distance et l'observe sans oser l'approcher car elle est le centre de gravitation de la soirée. La fille la plus admirée, la plus courtisée aussi. Il la voit sourire, parler aux garçons qui l'entourent et il se console en enregistrant ses gestes et attitudes, énumérant mentalement tout ce qu'elle est et tout ce qu'elle n'est pas :

Emma est aimable et elle n'est pas coquette. Elle regarde les garçons dans les yeux comme pour mieux les tenir à distance. Emma ne boit que des boissons non alcoolisées quand la moitié des filles sont déjà ivres...

Les couples dansent. Quelqu'un a pris l'initiative de pousser les tables et les chaises pour faire de la place. On éteint la lumière et on allume bougies et lampes à huile, comme dans le film au moment du cyclone.

La pénombre favorise les apartés romantiques, tout comme les rythmes doux et langoureux de l'orchestre de Glenn Miller.

Un moment, Julian est attiré par la conversation entre Rudi et la fiancée de Ricardo. L'Indienne farouche, la descendante de la tribu des Séminoles est en larmes et Rudi n'arrive pas à la consoler.

« Il est comme ça, je t'avais prévenue, ma fleur de cactus. Ricardo a toujours été comme ça. Charmant, volage, crâneur, et en même temps si peu sûr de lui. »

Ricardo Alvarez a disparu le matin en compagnie d'une stagiaire, une Anglo-Saxonne rousse d'origine irlandaise.

« Un boudin blanc avec des taches de rousseur,

comment peut-il baiser ça ? » suffoque l'Indienne entre deux sanglots rageurs.

« Ricardo est capable de baiser n'importe qui sauf moi, et pourtant ce n'est pas faute d'avoir essayé ! » renchérit Rudi en s'esclaffant pendant que les pleurs de l'Indienne redoublent.

Julian est assis sur un tabouret, à cet endroit même du comptoir où Humphrey Bogart était accoudé pour tourner une scène de *Key Largo*. Il boit son cinquième Cuba Libre et n'a pas l'intention de s'arrêter jusqu'à rouler par terre. Il a écouté avec sympathie les lamentations de la Séminole et se dit avec amertume que les Alvarez, le frère et la sœur, sont des créatures redoutables.

« Laura, la mère, a le côté sorcière de Médée », lui avait dit un jour Gisela.

« Voudriez-vous, monsieur, danser ce slow avec moi ? »

Il se lève lentement, avec dignité. Emma semble encore plus radieuse de près ! Elle se colle à lui, pose sa joue contre son épaule et ils dansent sur place, sans tourner, bougeant à peine, serrés l'un contre l'autre.

« Nous pourrions rester trois ou quatre jours si tu veux », avait-elle suggéré.

Ils avaient quitté le club sans saluer personne, ils avaient pris la Land Rover et roulé en direction de Miami avec l'intention de se réfugier dans un hôtel anonyme.

Mais l'attente leur avait semblé trop longue. Sur l'autoroute, à mi-chemin, poussés par l'urgence de leur désir, ils s'étaient arrêtés au miles-marker 98 pour louer une cabane au Rock Reef Resort.

Trois jours durant, des pluies diluviennes comme on n'en avait pas vu depuis longtemps étaient tombées sur la région. Ils n'avaient rien vu, rien entendu. Toutes fenêtres closes, tous stores baissés, avec le seul ronronnement de l'air climatisé, ils avaient fait l'amour sans discontinuer.

En entrant dans la cabane, toute droite sur ses hauts talons, en plein milieu de la chambre, elle lui avait dit :

« Je ne te demande qu'une seule chose, Julian, je ne veux pas d'enfants. Pas avant la chute ou le départ de

Castro. C'est une question de principe à laquelle je tiens. De toutes manières, je vais être trop absorbée par mes études dans les années qui viennent pour penser à ça. Je veux que cela soit clair entre nous.

— C'est entendu.

— En es-tu sûr ? Je vois comme ton visage change quand tu es avec des enfants, comme tu aimes les pouponner. Je veux t'entendre le dire encore une fois. »

Il l'avait regardée un long moment avant de répondre. Il admirait ce sens de l'intégrité chez elle, proche du fanatisme : elle n'admettrait jamais la trahison, elle ne trahirait jamais non plus.

Il la regardait et plus il la regardait, plus l'idée de la perdre lui devenait insupportable.

« D'accord... d'accord... d'accord », avait-il répété en la couvrant de baisers, la serrant dans ses bras comme un fou et déchirant sa robe fiévreusement.

Julian regarde Emma dormir. Ses longs cheveux dissimulent une partie de son visage. On ne voit que le menton volontaire et la bouche aux lèvres sensibles et gonflées. Une bouche qui garde quelque chose d'enfantin et de boudeur.

Julian caresse avec ravissement les cheveux de la jeune femme. Son serment du premier jour lui revient à l'esprit.

« Pas d'enfant pour longtemps, pas d'enfant... »

Il se penche et embrasse ses cheveux, murmurant dans un souffle :

« La vie sera la plus forte, Emm... je fais confiance à la vie, et la vie sera plus forte. »

La météo prévoyait une tempête qui s'est transformée en ouragan dévastateur. Trois jours de pluie et de vent. Nous étions dans l'œil du cyclone. Les arbres, les toits, les bateaux et les voitures, tout valsait dans une invraisemblable confusion, aspiré par les nuages dans une sorte d'entonnoir. On aurait dit la chambre de Judy Garland dans Le Magicien d'Oz.

Quant à moi, j'avais décidé de consacrer ces trois jours à l'amour.

La jeune fille qui jusqu'alors avait fait preuve de retenue et de contrôle, la jeune fille réservée et fière, hantée par son père détenu, découvrait enfin la part secrète de son tempérament, de ce corps qu'elle avait mis en veilleuse.

Personne, à commencer par moi-même, n'aurait jamais soupçonné la soif de tendresse qui sommeillait en toi, Emma.

Debout près de la fenêtre, les épaules et la poitrine meurtries par tes morsures et les traces de tes ongles, je vois l'aube se lever, et avec elle s'apaiser les rafales de vent et les vagues.

Nous voici tous les deux, au bout de ces trois longs jours vécus sous le signe de la passion à l'état pur. J'essaie de comprendre nos deux parcours, nos chemins séparés et ce qui a bien pu nous réunir. J'ai quitté Cuba contre ma volonté. L'adolescent rebelle que j'étais regardait d'un œil ébloui la Révolution qui forgeait ses premières armes, pleine d'élan et de générosité. Je laissais derrière moi la tombe de ma grand-mère qui avait été mon seul port d'attache, mon appui dans le monde. Toi aussi, tu as quitté Cuba contre ton gré, et malgré ton jeune âge tu as fait tout ce qui était en ton pouvoir pour rester dans ce pays. Voilà ce que nous avons en commun, la seule chose que nous partagions vraiment. En Floride, tu ne rêvais que de retour à Cuba — tu en rêves encore. Je caressais, quant à moi, l'idée de m'intégrer complètement à mon pays d'accueil. Devenir un Américain de plus dont les origines étaient ailleurs. Je voulais que l'histoire de Cuba et son destin me deviennent aussi indifférents et neutres que ceux de la Corse, de la Crète ou de l'île de Malte. Mais ici à Miami, je me sens doublement exilé. Toi, tu as choisi le combat militant. Enfant, tu as vu ta mère, fausse veuve vêtue de noir, pleurer du soir au matin et tu as appris à retenir tes larmes. Pour donner l'exemple à ton frère, m'as-tu confié. A défaut d'homme dans la famille, tu es devenue l'élément masculin, offensif, responsable et courageux, entrant ainsi dans la légende de la Petite Havane. Le milieu de l'exil avait trouvé son héroïne et la famille Alvarez Sierra, sa raison d'exister.

On t'a volé ton enfance et ton adolescence, Emma, sans même que tu t'en sois aperçue. Comme une actrice qui s'identifie corps et âme à son rôle, tu es devenue ce que les autres attendaient de toi.

Je me souviens de ma fascination, la première fois que je t'ai vue sur ce podium, devant la foule. J'entendais les commentaires des uns et des autres : « Cette fille a une trempe d'acier... elle a des couilles, cette gosse... un Fidel en jupons... »

On t'avait mis sur un piédestal, Emma. Tu représentais la pureté et la dignité dont un peuple en exil a toujours besoin. Pour eux qui ne possédaient que des repères fragiles et mouvants, tu incarnais une image romantique capable de les rassembler.

Mais moi je te voyais autrement. Par une intuition étrange, je ressentais le tremblement de ton corps, la peur qui t'habitait, cet appel au secours d'un cœur ardent et isolé.

« Emma Alvarez joue un rôle au-dessus de ses forces », me suis-je dit ce soir-là.

Et dès cet instant, j'ai senti que je t'aimais.

Hier soir, quand tu t'es endormie dans mes bras, tu m'as dit : « Je ne suis plus seule à présent. Tu partages mes doutes et mes angoisses, tout ce que je ne peux pas montrer à mon frère, ma mère et mes amis. C'est un merveilleux soulagement parce que maintenant nous sommes deux pour soutenir tout ce qui pèse sur moi depuis si longtemps... » et tu as sombré dans le sommeil en murmurant « je t'aime... je t'aime... »

Tu me prends la main et tu me fais traverser le miroir, tu me conduis dans ce monde où je me sentirai toujours étranger. Mon sentiment de l'exil n'a rien à voir avec un pays ou une zone géographique. Je ne sais pas en quoi ni comment je pourrai t'aider dans ton combat, mais je pourrai au moins t'écouter, te regarder, te serrer dans mes bras et t'aimer à mon tour. T'aimer, Emma...

Miami. Juin 1978

Julian Sargats dépose son porte-documents sur une chaise et se dirige vers la baie vitrée qui donne directement sur le terrain de sport. Il actionne le bouton qui déclenche l'ouverture automatique du rideau métallique.

A mesure que le rideau monte, la lumière brutale d'un jour d'été suffocant envahit la pièce spacieuse qui lui a servi de bureau durant toutes ces années.

« Six ans déjà ! Où sont passées ces six années de ma vie ?... »

Lorsqu'il était entré pour la première fois dans ce lieu, ce monde brillant, poli, lisse et froid l'avait frappé comme une hallucination.

Armoires d'archives, étagères, tables, fauteuils, cendriers... tout était en métal, jusqu'au vase pour les fleurs. Le royaume du chrome et du nickel. Des formes simples et graphiques, déroutantes.

Edna-May, la secrétaire des études, une petite boulotte à la tignasse rousse du genre qui s'enflamme avec une allumette et des yeux clairs, faisait désordre dans cet univers. Lèvres porcines peintes en rouge passion, fagotée d'une robe violette et vermillon sans forme, Edna-May observait le nouveau professeur d'un œil pétillant de malice. D'une voix nasillarde, avec l'accent mou et traînant du Sud, elle avait dit... Qu'avait-elle dit au juste ? Il ne s'en souvient plus... Six ans déjà qu'il enseigne dans cette école... Elle avait dit... elle avait dit... « Je vous comprends, monsieur Sargats. Quand j'ai pris mes fonctions dans cet établissement, j'ai été moi aussi impressionnée par la modernité du bâtiment. Pour mieux s'imposer sur le marché privé de l'enseignement, le comité de direction n'a pas lésiné sur la dépense. C'est un architecte scandinave très réputé qui a remporté l'appel d'offres... Van... Fran... Comment s'appelle-t-il déjà ?... Toujours est-il qu'ils n'ont pas hésité à payer une fortune pour construire cette prison de verre et d'acier. »

A l'époque, il s'en souvient, il avait déclaré d'un air prétentieux, embrassant d'un geste la grande pièce qui ressemblait pour lui à un décor de science-fiction : « Je ne veux pas de ça !... Je veux des lampes en bois, remplacez-moi ces tuyaux de néon par des lampes normales ! Le rideau métallique restera fermé car la vue de ce terrain de sport m'insupporte. Mettez-y des rideaux de velours rouge foncé, comme dans un théâtre. Quant à ça ! ça ! et ça !... je les fous en l'air ! » avait-il dit en attrapant le cendrier, le vase chromé et en les jetant dans la poubelle en inox.

A l'époque, la secrétaire avait tenté de lui expliquer : « Mais monsieur Sargats...

— Appelez-moi Julian ! Que vouliez-vous dire, madame ?

— Mademoiselle... Edna-May suffira. Avez-vous bien lu votre contrat... Julian ?

— J'ai lu avec attention la partie concernant mon salaire. Pourquoi ?

— Tout simplement parce que vous avez signé, comme moi et comme nous tous ici, une clause à laquelle la direction est particulièrement attachée, une clause concernant le règlement intérieur et la discipline.

— Et alors ?

— Alors ? Vous auriez dû comprendre que le verre, l'acier et le métal sont indissociables de l'esprit de notre établissement. Voyez-vous, Julian, les familles payent une fortune pour inscrire leurs enfants ici. C'est une école d'avant-garde. Et de ce côté-ci de l'Amérique l'avant-garde c'est la rigueur du design scandinave, avait-elle expliqué en déployant ses bras charnus pour désigner l'espace et les meubles... Bien sûr, vous n'avez peut-être pas les mêmes critères sur la côte Est.

— A Boston, la mode est au bon vieux style colonial anglais. Confort, cuir et bois foncé. Du bois surtout, Edna-May. »

Avais-je dit *à Boston* ou *chez nous à Boston* ? se demande Julian, essayant de se remémorer les premiers instants de cette rencontre.

Je suis là, les yeux écarquillés. Le soleil qui se réfléchit dans les meubles en métal projette des rayons aveuglants. Cette petite bonne femme est une boule de feu, de la dynamite. Pourquoi me met-elle ainsi en garde contre un comportement qui risquerait de me porter préjudice auprès de la direction ?

On signe un contrat. On en accepte les clauses. On prend le salaire et on se tait. C'est ce qu'elle avait voulu dire.

Offensé, je dépose le jour même sur le bureau du directeur ma lettre de démission, tapée par Edna-May. Elle admire mon esprit de rébellion et mon courage. « Je suis née, me dit-elle, au pays de Scarlett O'Hara. » Et elle ajoute : « Je vous admire pour votre geste, Julian, parce que vous avez le courage de vos opinions. »

Ma lettre de démission reste une semaine sur le bureau du directeur. Les cours doivent commencer dans quelques jours. Je ne bouge pas. Edna-May me tient au courant de tout. « Ils se réunissent, discutent. Il y a les pour et les contre. D'un côté, ton diplôme de Harvard et tes prix d'excellence sont des atouts majeurs, de l'autre, ils ont peur de créer un précédent. »

Depuis peu, Edna-May et moi nous nous tutoyons. Elle admire aussi beaucoup Emma qu'elle qualifie d'« héroïne à la Scarlett, si jeune et prête à tout sacrifier pour Cuba » !

Le septième jour, la direction baisse les bras. On m'autorise à arranger mon bureau comme je veux. Emma et moi invitons Edna-May à dîner. Nous buvons beaucoup de champagne. C'est alors que la secrétaire me dit :

« Mon pauvre Julian, ils t'ont bien eu, ces salopards !

J'ai comparé ton salaire à celui des autres professeurs...
ils t'ont engagé au rabais. Tu ignorais sans doute que
pour signer un contrat dans ce genre d'établissement
privé, il faut consulter un avocat. Emma, toi qui es étu-
diante en droit, tu aurais pu le prévenir ! »
En entendant ça, Emma se met à rire nerveusement.
« *Nous sommes des sous-développés, diplôme de Har-*
vard ou pas, études de droit ou pas. La preuve. Les yan-
kees nous auront toujours, Edna-May, parce que nous
n'avons pas les mêmes codes. Comme ils ont eu les
Sudistes... rappelle-toi, l'incendie d'Atlanta et les terres
brûlées de Tara... »
Edna-May, elle, n'a pas envie de rire.
« *J'ai oublié de te dire... Bien sûr, tu peux changer tout*
ce que tu veux, mettre de l'acajou ou du cœur de baobab,
mais les frais seront à ta charge, je crois qu'ils ne t'ont
pas prévenu non plus.
— *Je m'en fiche. Même s'il faut me ruiner pour*
cela... »

A la suite de quoi Julian, aidé d'Emma, Edna-May, Manouchka et Elie Epstein s'était lancé à la chasse aux meubles et objets de l'époque coloniale anglaise. Les Epstein, grâce à leur activité, s'étaient constitué un véritable réseau d'antiquaires et de brocanteurs. Edna-May de son côté avait une famille nombreuse : cousins, cousines, oncles et tantes qui habitaient ce qu'elle appelait « la Floride profonde », Dade City, Wildwood, Madison, Quincy... tous avaient des greniers remplis de tables, chaises et de ces étagères de bois solides « comme on n'en fait plus. » Cette pêche aux trésors donna lieu à de véritables expéditions en camionnette et en voiture. Ils sillonnèrent toute la région et rencontrèrent de bien aimables personnes.

Après quoi le jeune professeur repeignit les murs de son bureau, installa les nouveaux meubles, remplaça les tubes de néon par des lampes et des abat-jour des années 20 et 30. Il suspendit les lourdes tentures de velours dont il avait rêvé et poussa la perversité jusqu'à demander aux autorités la permission de débrancher l'air climatisé pour installer à la place de gros ventilateurs qui ronronnaient agréablement.

Edna-May, folle de joie, s'épanouit de jour en jour et, avec le temps, les collègues de Julian prirent l'habitude de venir prendre un « café cubain » et se détendre dans le seul endroit de l'école où régnait un zeste de fantaisie et d'humanité.

Debout, face à la fenêtre dont il vient de relever le rideau métallique, Julian Sargats contemple le terrain de sport. En six ans d'activité dans cette école, il a appris que les salles de travail étaient souvent vides, que la bibliothèque avec ses deux mille volumes était peu fréquentée, mais jamais, non jamais il n'avait vu le terrain de sport déserté. Les élèves s'y entraînaient à toute heure du jour et de la nuit. Les futurs champions d'athlétisme couraient, sautaient, les équipes de chaque classe se disputaient des matchs de base-ball et de basket-ball qui déchaînaient les passions. « C'est une guerre perdue d'avance », se dit Julian.

Il avait essayé de faire revivre l'esprit qui régnait au bahut de La Havane quand le groupe d'élèves dont il faisait partie délaissait jeux et promenades pour se réunir autour d'un professeur qui leur communiquait son enthousiasme.

« Par amour de la littérature », murmure-t-il.

Grâce au charisme de ce professeur, ils prenaient les chemins buissonniers, ils anticipaient sur le programme des années à venir en étudiant des auteurs et des textes qui n'étaient prévus que bien plus tard.

« Nous avions la flamme... »

Cette flamme-là, Julian Sargats n'avait pas su ou pu la communiquer à ses élèves. Les étudiants, d'un niveau honorable, appréciaient le sens pédagogique et la générosité de leur professeur, mais, la plupart du temps, ils se bornaient à suivre les cours juste ce qu'il fallait pour réussir leur examen et obtenir leur diplôme. Julian avait l'impression qu'ils ne s'intéressaient qu'à la réussite financière et sociale.

« Ils ne se donnent pas le temps de rêver. »

Tous les ans, au début de l'année, le professeur Sargats écrivait sur le tableau noir, en lettres majuscules, comme entrée en matière de son cours :

DONNONS-NOUS LE TEMPS DE RÊVER

Il avait aussi créé un cercle d'études en dehors des horaires de classe où il invitait ses meilleurs élèves à de longues déambulations dans les jardins du musée Vizcaya, ce qui donna lieu à un double malentendu. Ces heures supplémentaires étaient accueillies avec plaisir par les élèves, mais ils voulaient mettre à profit ce temps pour étudier les matières inscrites au programme. Et dès que le professeur s'éloignait un peu du cadre de leurs études, ses élèves le rappelaient à l'ordre.

Un beau matin — il était professeur depuis trois ans déjà — Edna-May vint le voir dans son bureau.

Elle avait maigri, la robe-sac qu'elle ne quittait pas flottait autour de son corps, comme désertée. Ses joues avaient pris un teint de cire et ses cheveux avaient perdu leur éclat flamboyant. On la disait rongée par un mal incurable.

« Je mourrai debout, disait-elle, comme le général Custer. Car j'ai la trempe des guerriers sudistes. »

Emma qui était devenue sa meilleure amie avait eu droit à ses confidences. Elle lui avait parlé de ses douleurs physiques et de la façon dont elle sentait la vie se retirer peu à peu.

Quand il la vit entrer dans son bureau, il frissonna en constatant son air fantomatique. Il savait par Emma que certains jours elle se piquait à la morphine pour pouvoir supporter la douleur. Elle, autrefois si vive et si agitée, si désordonnée dans ses propos, alla droit au but, comme si son temps était compté.

« Julian, lui dit-elle, tu es dans le collimateur de la direction.

— Ah bon ? Et pourquoi ?

— Ils ont appris que tu invitais des jeunes gens et des

jeunes filles à prendre le thé dans des cafés downtown ou dans les cafétérias des hôtels de Miami Beach.

— Oui, et alors ? Ce sont mes élèves.

— Je sais, moi, que tu es protecteur et attentif comme une vieille nourrice indienne. Mais les autres, le directeur et sa bande, ils ricanent derrière ton dos, disent que tu te prends pour Socrate. Tout ça n'est pas très grave, ce qui est inquiétant c'est qu'ils font aussi d'autre allusions, ils te soupçonnent d'avoir des visées d'un autre ordre...

— Sexuel, je suppose ?

— Exactement. Et c'est grave, ça peut aller très loin. »

Un silence plana entre eux. Il n'avait pas le courage de la regarder en face. La pauvre Edna-May ressemblait à une momie. Et lorsque leurs yeux se croisèrent, il retrouva dans son regard ce quelque chose d'indéfini qui rappelle l'innocence de l'enfant.

« Que me conseilles-tu, Edna-May ?

— De t'en tenir au règlement, au strict règlement.

— Pas de "petits coups" dans les bistrots du port, pas de promenades au parc de Biscayne ?

— Rien. Bonjour, bonsoir. Un mur de verre entre tes élèves et toi. C'est pour ton bien, Julian. »

Quelques semaines plus tard, Edna-May mourut d'un cancer généralisé et Julian Sargats suivit ses conseils. Il respecta à la lettre le règlement de l'école. Il acquit la réputation d'être un des professeurs les plus compétents de sa génération. Les nouveaux élèves qui ne le connaissaient pas encore admiraient ses cours mais parlaient de lui comme d'un être hautain et glacial. Quand vers la fin de l'année scolaire 1976-1977 Julian Sargats annonça à la direction de l'école qu'il ne souhaitait pas renouveler son contrat car il avait accepté un poste à l'Université Internationale de la Floride, cette nouvelle fut reçue comme une catastrophe.

« Restez, Sargats, le supplia le directeur, je vous signe un chèque en blanc, restez, nos élèves ont besoin de vous. »

Ce jour-là, Julian avait noté dans son journal intime :

Si tu les avais vus, Edna-May... à genoux devant moi.

J'ai été tenté de leur poser mes conditions : O.K., je reste, mais je donnerai désormais mes cours dans les bistrots de downtown ou sur les plages de Miami.

Il enseigna encore une saison au lycée et signa pour l'Université Internationale de la Floride, un des établissements les plus cotés d'Amérique.

En cette année 1978, une nouvelle époque commençait pour lui.

Julian Sargats finit de boucler ses affaires, il range dans son porte-documents les papiers officiels, contrats et correspondance privée avec d'éminents professeurs de plusieurs universités étrangères avec lesquels il était en rapport. Au fond d'un tiroir, restent ces grands cahiers jaunes et noirs qui lui ont servi au cours de ces dernières années à prendre des notes, à consigner ses doutes, ses rêves et ses cauchemars. Il les appelle « Mon moi profond ». Pour les protéger de la curiosité et des indiscrétions, il avait demandé à un ébéniste de construire un tiroir à double fond dans son solide bureau d'acajou.

Un jour, au début de leur mariage, ces cahiers avaient attiré l'attention d'Emma :

« Qu'écris-tu de si important ? lui avait-elle demandé. Poèmes ? Pensées philosophiques ? Fantasmes sexuels ?

— Non, ce sont des confessions. Comme je ne suis pas catholique, ni en psychanalyse, ces cahiers me tiennent lieu de confessionnal et de divan. C'est à la fois plus confortable et plus économique. »

Il avait déposé trois cahiers remplis d'une écriture droite, sage et sereine sur les genoux de sa femme. Elle sut résister à l'envie de connaître ses pensées les plus intimes et, une fois de plus, ce fut l'occasion pour lui d'admirer son intelligence et son élégance naturelle.

« Le mystère est le meilleur moyen de conserver l'amour dans le mariage. Je ne veux pas me transformer en statue de sel. Garde pour toi tes secrets. »

Il ne sut jamais si ses paroles et son comportement l'avaient influencé. Il put constater, en revanche, qu'avec le temps, cette habitude de noter pensées et réflexions commença à se relâcher. Il pouvait se passer des semaines et des jours sans qu'il y consignât quoi que ce soit.

Une sorte de curiosité le pousse à chercher parmi ces cahiers dissimulés dans le tiroir secret de son bureau ceux qui correspondent à une période de rupture ou de changements importants dans sa vie, comme c'était à présent le cas.

Key Largo. Ces deux mots occupent toute une page. Etape importante, donc. Au hasard des pages, il relit les notes prises pendant la semaine d'entraînement militaire après laquelle Emma et lui étaient restés enfermés trois jours dans un motel sur le bord de la route.

7 septembre 1972.

Le groupe a fini par m'accepter. Les réactions sont très diverses, chacun se manifeste à sa façon.

Ricardo a ouvert le feu. Hier soir, il est venu à la maison pour rendre à Gisela quelques disques de tango qu'il lui avait empruntés.

« Je t'invite à dîner à la Carreta », me dit-il d'un ton bourru.

Je sais qu'il a les moyens. Laura Sierra veille à ce que son fils bien-aimé puisse se payer tous ses caprices. C'est d'ailleurs un objet de discussion permanente entre Laura et Emma. Celle-ci soutient que sa mère gâte trop son fils. Laura, dont les affaires de couture marchent bien depuis qu'elle s'est fait une clientèle grâce à Manouchka Epstein, ne veut rien entendre.

« C'est déjà un handicap d'être presque né en exil. Qu'il profite au moins de sa jeunesse. »

Emma a raison, bien sûr, mais que peut-on faire contre l'aveuglement d'une mère ?

Je pense à cela tout en mangeant avec Ricardo cette nourriture cent pour cent cubaine qu'il s'efforce d'apprécier. Porc rôti, haricots noirs, patates douces, ignames...

Je sais parfaitement que, comme les gamins cubano-américains de sa génération, il préfère le poulet, les gros steaks T-bone et les hamburgers.

Ricardo me propose un marché que je finis par accepter. Malgré son corps athlétique et le duvet noir qui ombre sa lèvre supérieure, il n'a que seize ans. Comme la loi interdit de servir de l'alcool aux mineurs dans les lieux publics, je demande un Cuba Libre et lui un Coca, et dès que la serveuse a le dos tourné, il inverse nos verres. Ricardo mange vite et gloutonnement. Il descend encore plus vite trois grands verres de Cuba Libre sans que j'intervienne. Je le laisse faire parce que j'ai senti qu'il avait quelque chose d'important à me dire et qu'il n'y parviendrait pas tant que l'ivresse n'aurait pas fait tomber ses barrières. Est-ce que l'impressionnante montagne de haricots noirs qu'il a ingurgitée neutralise les effets de l'alcool ? Il a l'air à peine un peu plus excité que d'habitude, parle très vite et dit n'importe quoi, dans cet argot afro-cubain bourré d'obscénités qui vont si mal à son visage d'adolescent illuminé. Les « pines », les « cons », les « grosses couilles » et les « je les encule » se suivent à un rythme effréné et attirent sur nous l'attention d'un groupe de vieux Cubains pourtant habitués à ce genre de vocables dans la bouche des mâles.

Et comme Ricardo n'a toujours pas accouché du message que je sens venir, et qui a l'air de le tourmenter, je l'invite à mon tour dans un endroit que j'affectionne, un bar peu fréquenté par les Cubains, le Irish House Bar, sur Alton Road. Salle plongée dans la pénombre, pullmans discrets propices aux confidences. J'ai prêté à Ricardo un vieux chapeau de feutre et des lunettes noires qui lui donnent un petit air mafieux. Exactement ce qu'il lui fallait. Ici, l'Irish coffee est le meilleur de la ville. Johnny O', le patron, dit que même à Dublin on n'en trouve pas de si bon.

Pour mettre Ricardo en confiance, j'ouvre le débat avec quelques confidences sur ma personne.

« J'aimais beaucoup venir ici à l'époque où je n'avais pas encore choisi entre Boston et Miami. »

Et il me répond avec une certaine arrogance :

« Boston ou Emma ? »

Nous en sommes à notre deuxième Irish coffee.

« Je suis content, dit Ricardo. Nous sommes contents, le groupe est content. Emma t'a choisi et nous sommes contents que tu ne te sois pas contenté de la baiser et "Ciao ! à la prochaine !" »

Puis il me raconte ses coucheries et comment une fille obèse, blanche comme du lait et chaude comme une chienne en chaleur l'avait initié, à l'âge de douze ans.

« J'ai beaucoup baisé, me dit-il. Mais je n'ai jamais été amoureux. »

Trop jeune, naïf en dépit de ses airs de matamore et de ses innombrables expériences sexuelles, il branche directement la conversation sur Emma, m'assurant au passage que le groupe et lui-même ne seraient rien sans elle. À force de me parler de sa sœur, qui est aujourd'hui ma maîtresse, ce garçon m'émeut. Je sais qu'Emma elle-même est toujours étonnée de constater l'ascendant qu'elle exerce sur le groupe qui l'entoure. Intuitif comme il est, Ricardo a trouvé la clé de l'énigme.

« Tu sais, Julian, dans cette ville de merde où les Anglo-Saxons ne pensent qu'au fric et au succès, les Cubains ont un compte à régler avec leur passé. Emma nous apporte un bol d'air frais. Elle peut être emmerdante et tyrannique avec son obsession de Cuba, mais elle est d'une intégrité absolue, sincère, généreuse. Elle nous force à nous dépasser et nous stimule... »

Nous sommes ivres. Je ne compte plus les Irish coffees que nous avons mélangés à la bière brune. Johnny O', le vieux renard, nous a vidé les poches. Il a bien vu que Ricardo était mineur. L'anarchiste et le terroriste dans l'âme qu'il est éprouve une vraie jubilation à bafouer les lois américaines sur la répression de l'alcool. C'est pourquoi il insiste pour nous offrir plusieurs « tournées de la maison » à moi et à mon jeune frère. Car à présent Ricardo et moi avons décidé que nous sommes frères.

Avec Johnny O' et ses potes, nous reprenons en chœur des chants de l'IRA et une rengaine interminable où il s'agit d'enculer la reine d'Angleterre, les lions du British Museum et la statue de Nelson et, pour nous faire plaisir, bien qu'il soit révolutionnaire de cœur, il n'hésite pas à enculer aussi ce vieux barbu de Castro jusqu'à ce que mort s'ensuive.

10 octobre 1972.

Les jumeaux Ciro et Lino tenaient à me voir. Comme Emma, ils ont décidé de faire des études de droit, mais à la différence de leur cousine ils espèrent décrocher un diplôme d'une prestigieuse université et sont venus me demander des conseils sur Harvard.

« Ça me coûte de quitter Miami, les copains, la famille... dit Lino.

— Plus tard, nous monterons un cabinet d'avocats avec Emma... poursuit Ciro.

— Je la vois venir, sa clientèle... tout ce que Miami compte de paumés et d'exilés cubains !

— Nous saurons compenser l'idéalisme de notre petite cousine, notre but à nous, c'est de faire du pognon.

— Ramasser du fric, beaucoup de fric. »

Ils ont tout juste dix-sept ans. Je les croyais frivoles mais charmants. Je me trompais. L'exil les a fait mûrir et je suis certain qu'à l'avenir il faudra compter sur leur influence dans le groupe. Je ferai donc tout mon possible pour qu'ils entrent à Harvard.

17 décembre 1972.

Mère est de retour. Toujours la même silhouette austère, ses cheveux poivre et sel serrés dans un chignon strict et ses longues robes informes. Elle ne boit plus, ne fume plus. « Ce gourou de merde a fait d'elle une bonne sœur hippie », a commenté Gisela.

Elle est revenue avec deux grandes valises pleines de livres écrits par le type en question, des fascicules à la gloire de la secte qui s'autoproclame en toute simplicité « la Communauté Idyllique ». Ma mère fait du prosélytisme et racole chez les voisins de Coral Gables et parmi les membres de l'Association patriotique de père.

L'Aragonais est aux anges. Sa façon de dire « mon épouse » à tout bout de champ a quelque chose de tou-

chant. Nos parents font chambre à part, mais quand ils sont ensemble ils marchent main dans la main et se regardent amoureusement dans les yeux. Gisela et moi, nous sommes surpris. Presque gênés.

« On dirait que maman joue un rôle où elle n'est pas encore très à l'aise, comme une comédienne débutante », m'a dit Gisela.

Peu importe. Elle a l'air sereine et père semble heureux comme jamais.

Je ne peux m'empêcher de me demander où sont passés ses robes et ses bijoux qui valaient une fortune ?

Son gourou se déplace dans une limousine aux vitres teintées, comme un roi de la pègre. « Par mesure de protection », dit Madeleine. « C'est nous qui l'avons incité à se protéger. Car notre Maître est trop bon, et nombreux sont ceux qui lui veulent du mal. »

Nous sommes censés compatir.

Janvier 1973.

J'ai enfin trouvé l'appartement dont je rêvais sur East Flager Street, non loin du Gusman Center for the Performing Arts.

Un bâtiment construit à la fin des années 20. Trois pièces-salle-de-bains-cuisine. Comme l'immeuble fait l'angle de deux rues, il comporte deux entrées, ce qui facilite mes rencontres avec Emma. Fini nos rendez-vous clandestins dans des chambres d'hôtel anonymes. Nous avons fait la liste des hôtels et motels où nous avons dormi. De quoi remplir un guide touristique.

« Tout compte fait, il vaudrait mieux que tu trouves un pied-à-terre où nous pourrions nous voir, ce serait plus économique. »

Mais ce n'est pas la seule raison qui m'a poussé à quitter Coral Gables.

J'avais l'impression qu'une guerre sournoise était en train de diviser la maison en deux camps.

La lune de miel entre mon père et ma mère n'a pas duré longtemps, il fallait s'y attendre. Mère tient à Edelmiro des discours étranges, elle insiste pour qu'il aban-

donne « *le monde de haine dans lequel il vit* ».
*L'Aragonais a retrouvé sa hargne d'antan. Il est fou de
rage parce que Magdalena a exercé un véritable lavage
de cerveau sur quelques membres de son association.
Forts des prédictions de ma mère, ces hommes proposent
maintenant d'oublier le passé et de retrouver le chemin
du pardon et de la réconciliation nationale entre Cuba et
les exilés de Miami.*

*Les discussions entre mes parents deviennent de plus
en plus sordides. Mère accuse son mari de nourrir et
d'entretenir une bande d'incapables et de paresseux, père
lui réclame les bijoux et l'argent qu'elle a donné à son
eunuque pseudo-mystique. Gisela fait le tampon entre les
deux. Elle essaie de les calmer. C'est elle à présent qui
s'occupe de gérer le budget de la maison et elle me
confirme que tous les deux, chacun de leur côté, sont en
train de dilapider ce qui reste de notre ancienne fortune.*

15 mars 1973.

*Louis-le-Second, depuis qu'il réside au Japon,
m'inonde de missives et de cartes postales. Lorsqu'il me
téléphone, il s'annonce toujours de la même façon :* « Allô ! Ici l'Extrême-Orient ! cherche contact avec le ghetto
cubain de Miami ! »

*Il semble être véritablement tombé amoureux de ce
pays. Quand il évoque les Nippons, il joue les cyniques,
parle du* « péril jaune », *des* « bridés », *des* « Mister
Moto » *transformés en bonnes fées Rockefeller. Mais de
plus en plus je sens percer chez lui une réelle admiration
pour ce peuple travailleur, intelligent et subtil.*

« *J'ai enfin réussi à les épater : hier, j'ai soutenu ma
première conversation dans leur langue maudite. Pas seulement* "Comment allez-vous ? — Bien merci." *Non,
nous avons parlé chiffons, parfums, cérémonie du thé,
politique énergétique et autres préciosités du genre. En
parlant leur langue, je comprends mieux leur point de
vue sur les choses. Et, vue de chez eux, l'Amérique me
semble lointaine, brutale et mesquine.* »

*Louis m'a invité plusieurs fois à venir lui rendre visite
là-bas avec Emma.*

Ce matin, j'ai reçu par courrier express une très jolie invitation dans un papier de riz translucide m'annonçant le mariage de Louis Duverne-Stone le Second avec Mademoiselle Machiko Mori.

J'ai montré l'invitation à Emma et, pour la énième fois, je lui ai demandé : « A quand notre tour ? »

Une fois de plus, elle a tergiversé, me répétant qu'elle se marierait le jour où son père pourrait l'accompagner jusqu'à l'autel.

L'ex-commandant Alvarez a été condamné à vingt ans de prison en 1963.

Hier avec mes parents, Gisela, Laura Sierra et ses enfants et le groupe au grand complet, nous nous sommes envolés pour Key West.

A l'extrême pointe de l'île la mer était paisible, le ciel d'un bleu lumineux. Le vent de la veille avait nettoyé le ciel. Et loin, très loin au-dessus de l'horizon, on devinait une ligne : nous sommes tombés d'accord pour dire que c'était la côte cubaine même si au fond personne n'y croyait vraiment. Nous avons jeté à la mer un bouquet d'œillets rouges, les fleurs préférées de l'ex-commandant Alvarez. Il lui reste à purger dix ans de prison exactement.

A présent Julian Sargats fouille ses tiroirs à la recherche du cahier de 1975. Il y a dedans quelque chose qu'il voudrait absolument relire et il tombe enfin sur le passage qu'il cherche...

Rodolfo est, dans le groupe, celui qui m'a toujours étonné le plus. J'admire avec quel art il mène une double vie. Sous le nom de Rudi, il poursuit de brillantes études de médecine, s'entraîne au gymnase et prend des cours d'arts martiaux. Et pour parfaire ses tendances schizophréniques il est devenu un des piliers du groupe d'activistes de l'association de mon père. Il a pris les entraînements militaires en main, sous la haute tutelle de Jerry Brown qui, de son côté, reste égal à lui-même. Ses poèmes sont de plus en plus hermétiques. Un Mallarmé

*guerrier passionné de faits d'armes et de bravoure. Par-
lant d'armes, par les bons soins de Jerry, les Patriotes
s'entraînent maintenant avec de vrais fusils et des revol-
vers. Mon père est béat d'admiration devant les talents
d'organisateur de Rudi. Mais que dirait l'Aragonais s'il
apprenait que ce même Rudi, alias Ruby, a été baptisé
« Reine de la salsa » par le milieu interlope de Miami ?*

Ces notes étaient datées du 25 mars 1975. Une
semaine plus tard, Julian avait écrit dans son cahier :

*Ce matin Rodolfo est passé me voir. Il m'a transmis
un minuscule bout de papier, de ceux qui servent à rouler
des cigarettes et qu'utilisent les prisonniers politiques
cubains pour communiquer avec l'extérieur.*

*« Nous avons reçu, me dit Rodolfo, cette lettre du
commandant Alvarez. Je m'étais permis de lui faire parvenir un message grâce à notre contact à La Havane. Tu
es mon ami et celui d'Emmita. Lis ça ! »*

*Dans ce bout de papier, le commandant Alvarez expli-
quait à sa fille qu'il avait appris ses fiançailles et lui
demandait de ne pas faire de sa libération la condition
de son mariage.*

*« Tu me ferais du tort, Emma. Ma seule consolation
ici, c'est de savoir que ta mère, Ricardo et toi vivez heureux et profitez de la vie qui m'est retirée. J'ai déjà dit
maintes fois à Laura que si elle préférait divorcer pour
pouvoir se remarier et souffrir moins de la solitude, je l'y
encourageais. Sache que rien ne me rendrait plus heureux
que de te savoir mariée et prête à fonder une famille.
Que te dire d'autre ? Je fais de la gymnastique pour me
maintenir en forme, j'observe dans le ciel la ronde des
éperviers et j'ai l'impression de voler avec eux, car mon
âme est libre. Mes gardes m'ont accordé une faveur ines-
pérée : j'ai eu le droit de garder un exemplaire des Chemins de la perfection de Thérèse d'Avila. Peut-être ont-
ils pensé que c'était un manuel de savoir-vivre à l'usage
des marxistes ou un traité d'urbanisme ? Thérèse est ma
meilleure compagne, mon oxygène et mon espoir.*

Ton père qui t'embrasse. »

J'ai lu et relu ce texte au moins une vingtaine de fois tant j'étais bouleversé. Le commandant Alvarez, sans me connaître, venait de m'apporter sa bénédiction pour un mariage qui me semblait de plus en plus improbable. J'ai aussi ressenti de la honte. Cet homme emprisonné, et d'autres avec lui, n'avait qu'un minuscule bout de papier pour exprimer ses idées et lancer au monde des messages. De l'autre côté, ceux que l'on pouvait considérer comme des hommes libres gaspillaient du papier, leurs moyens et leur temps, comme s'ils étaient éternels.

17 juillet 1975.

Rudi-Ruby a joué à la perfection son rôle de Cupidon. Emma a cru que c'était sa mère qui avait parlé au prisonnier de notre concubinage. Moyennant quoi elle lui a fait une scène terrible. Heureusement, Rodolfo s'est interposé, il a tout pris sur lui et a réussi à la convaincre que notre relation devenait indécente : pour son père purgeant une si longue peine en prison, pour sa mère qui se sentait humiliée, pour Ricardo qui s'était battu pour défendre l'honneur de sa sœur, pour toutes ces raisons il fallait que l'on se marie.

Même au lycée nous faisions jaser. La direction a reçu une lettre anonyme l'avertissant que je vivais avec une mineure. Bien sûr, Emma n'est plus mineure, mais avoir à le prouver n'arrangera pas ma situation. Rodolfo a raison quand il dit : « Si le ghetto cubain de la calle Ocho est un petit village où tout se sait, le milieu blanc, anglo-saxon et protestant ou catholique de Miami continue d'être aussi intransigeant, sectaire et hypocrite que les chasseurs de sorcières de l'Inquisition. »

C'est en grande partie grâce aux efforts de Rudi-Ruby qu'Emma, mon tendre amour, consent enfin à m'épouser.

Julian Sargats referme le cahier et ouvre celui de l'année en cours. Il n'a rien noté depuis le mois d'avril. En plein milieu d'une page vierge, il inscrit avec soin, d'une écriture méticuleuse et régulière :

2 juin 1978.

Je quitte mon bureau tristoche et l'enseignement secondaire. Emma a réussi son diplôme. Madame l'avocate va travailler pour les services juridiques de la ville en attendant que Ciro et Lino obtiennent leur diplôme de Harvard.

Rodolfo poursuit de brillantes études de médecine. Il vient de décrocher sa ceinture noire d'aïkido et sa réputation d'artiste travesti s'étend au-delà de Miami. Emma et moi, et les jumeaux qui prendront quelques jours de congé, et Manouchka et tout le groupe nous envolerons en fin de semaine pour assister à la consécration de Ruby : un show international de travestis et de transsexuels au Saint Regis Hotel de Daytona.

Que signaler d'autre ?

Ricardo, la brebis noire, a fini par passer son diplôme de l'école de journalisme. Après avoir galéré à la rubrique des chiens écrasés pour le Herald, *il est devenu « un must », comme il dit, dans les milieux politiques et culturels de la ville. Ses méchants articles d'humeur et d'humour en deux langues font la joie du Miami anglo- et latino-américain. Un véritable exploit. Cheveux longs bouclés, moustache à la Errol Flynn, il roule en Porsche rouge et s'habille chez les meilleurs tailleurs de la Petite Havane.*

Post scriptum : Ricardo m'a appelé hier et nous avons longuement discuté. Il est fou amoureux, pour la première fois de sa vie. D'une dame bolivienne de dix ans son aînée. Doña Casilda Linares Flores. C'est son nom. Une personne plutôt mystérieuse. Elle est propriétaire d'une galerie ultra-chic de Miami, et se balade entre Madrid et New York, Londres et Buenos Aires. Très élégante et raffinée, je ne dirais pas qu'elle est belle mais elle est séduisante. Elle a une peau foncée très marquée, un nez aquilin et un regard noir qui vous fixe sans le moindre égard. Le genre de femme qui vous radiogra-

phie, vous jauge et vous classe d'emblée : fréquentable ou à jeter. Que trouve-t-elle à Ricardo ? Sa jeunesse, bien sûr, sa beauté et son insolence. Et lui ? Son regard intelligent, aigu et parfois implacable, sans doute. Elle me fait un peu penser à Emma. Sans compter qu'elle est aussi intransigeante et anti-castriste viscérale que mon épouse. Je lui ai entendu dire : « Ce pauvre Che Guevara aurait bien dû se rendre compte que les paysans et les Indiens boliviens haïssent instinctivement les aventuriers blancs, barbus et armés, d'où qu'ils viennent. Ce n'est pas l'armée bolivienne ni la CIA qui a assassiné le Che, mais les montagnes andines, nos paysans et nos Indiens. »
Il est prévu que Casilda viendra avec nous à Daytona. J'ai l'intention de porter mon T-shirt à l'effigie du Che. Histoire de voir sa réaction.

Il range le cahier dans son cartable et prend, sur le bureau, les deux photos encadrées de son mariage. Emma en robe blanche et Julian, un sourire d'adolescent aux lèvres, posent au milieu du groupe. Sur une autre photo, on voit Ciro et Lino, Ricardo et Julian en smoking, et Emma et Rodolfo en chemise de nuit des années 50. Ruby porte une perruque rousse bouclée très volumineuse qui lui fait une tête énorme.

Il quitte le lycée et se rend directement chez Manouchka Epstein. Dans le rétroviseur, il observe un instant la structure en verre de l'édifice qui s'éloigne, et les armatures de métal étincelant sous le soleil de plomb. Ces reflets électriques lui rappellent la chevelure flamboyante de la défunte Edna-May. Il appuie sur l'accélérateur, le cœur serré. Six ans de sa vie s'envolent comme un feu de paille, les flammes dévorent et brûlent ce bâtiment dont il a toujours détesté la laideur.

Emma et Julian sont convenus de se retrouver chez Manouchka. Depuis la mort d'Elie Epstein, advenue deux ans auparavant, la veuve a tout vendu et s'est installée dans une confortable maison face à la mer, dans les quartiers nord de Miami. Tous les soirs, à la tombée du jour, Manouchka s'installe sur la terrasse du premier étage qui avance au-dessus du sable comme la proue d'un bateau. Manouchka dit que les jours où la mer est agitée, sa terrasse tangue et lui donne la nausée. Mais est-ce le roulis des vagues ou le nombre de verres que Manouchka s'envoie consciencieusement qui lui donne le mal de mer ? se demande ironiquement Julian. Car chaque soir, pour admirer le crépuscule, Manouchka prend place sur sa chaise longue avec un mini-bar à portée de la main. Et elle sirote des daïquiris tout frais sortis d'une glacière, ou descend une demi-bouteille de vodka glacée, la boisson préférée d'Elie.

Manouchka vient de servir à Julian un second daïquiri et remplit d'une main un peu tremblante son verre de vodka.

« Tu sais, Julian, j'attends la mort avec sérénité. Quand un couple a passé la plus grande partie de sa vie ensemble, le premier à mourir ne tarde pas à emporter l'autre. C'est un fait... mathématique.

— Et si tu étais l'exception à la règle, Manouchka ? Ton médecin dit que tu es la personne la plus saine de toute la Floride. Dans ce coin du monde où le troisième âge bat tous les records de longévité.

— Tu les trouves vivantes, ces momies immobiles qui fixent l'horizon d'un œil vide ? Pitié ! Plutôt mourir debout. A ma première défaillance, j'avancerai dans la mer, à la tombée du jour, abandonnant mon peignoir sur le sable, comme James Mason dans *Une étoile est née*. »

Pensive, elle mord son blinis tartiné de caviar iranien, seule nourriture de sa journée.

La venue d'Emma rompt l'atmosphère nostalgique et paisible de leur tête-à-tête. Sans tenir compte de la douceur de ce crépuscule magique, elle installe avec une sorte de détermination entêtée son monde rude où il n'est question que de vols, de viols, d'hommes assassinés ou de femmes et d'enfants tabassés par les leurs.

Le porte-documents qu'elle traîne avec elle en permanence est deux fois plus large et plus lourd que celui de son mari. En bottines de cuir, pantalon de flanelle, chemisier en soie et veste aux manches retroussées, Emma ressemble tout à fait à la jeune avocate battante qu'elle veut être.

Tout en se déshabillant et enfilant un maillot de bain sur son corps souple et bronzé, elle leur raconte sa journée.

« Notre Emmita est devenue une bien jolie jeune femme », murmure Manouchka à l'oreille de Julian, tout en lui versant une autre coupe de daïquiri. « Les formes anguleuses et fines de l'adolescente se sont arrondies, elle est plus pleine, prête pour la maternité, si tu vois ce que je veux dire. »

Ce n'est pas la première fois que Julian et sa femme entendent ce genre de commentaire dans la bouche de Manouchka ; il revient comme un leitmotiv depuis leur mariage.

« A quoi bon se marier si ce n'est pour créer une famille ? Je sais, je ne suis pas bien placée pour parler de maternité, moi qui n'ai jamais eu d'enfants. Mais ce n'est pas l'envie qui m'en manquait ! En épousant la bonne grosse que j'étais, le pauvre Elie voyait sans doute en moi la mama juive idéale. Hélas, on peut être grosse et stérile. Dieu a parfois un drôle de sens de l'humour ! »

Julian avait souvent posé la question des enfants à Emma qui n'avait pas l'air pressée d'en avoir. Et elle utilisait toujours la même parade :

« En 1983, quand mon père sortira de prison. J'aurai vingt-huit ans, toi trente-six. L'âge idéal pour fonder un foyer. »

Il regarde sa femme dans son maillot de bain deux pièces, une coupe de daïquiri à la main, une cigarette dans l'autre. Elle parle avec Manouchka et il n'entend pas ce qu'elle dit, seuls les accents de sa voix grave et traînante parviennent jusqu'à lui. Elle est bien plantée sur ses jambes, au centre de la terrasse, droite et solide, comme derrière le pupitre du tribunal.

Emma la passionnée, Emma, celle par qui justice arrive. Celle qui fait sourire les juridictions les plus récalcitrantes par son enthousiasme juvénile, sa fougue et sa

*révolte. Celle qui sait sans hésiter où se trouve la fron-
tière entre le Bien et le Mal.*

*Moi, je m'enfonce de plus en plus dans le monde des
morts. Le Siècle d'Or espagnol, les grands mystiques du
passé. Des morts, illustres et merveilleux, mais morts.
Pendant ce temps-là, Emma, la Santa Barbara de la calle
Ocho, retrousse ses manches et plonge ses mains dans la
merde. Pour sauver qui et quoi ? Des âmes errantes, des
anges déchus : le Cuba d'hier, le Cuba de jamais, le Cuba
de nulle part, l'île de ton imagination, ma chère femme.
Emma. Mater Nostra, mon épouse au ventre stérile qui,
je le crains, ne pourra jamais enfanter, jamais. Mater
lumineuse qui ne peut qu'enfanter un mythe.*

« Je plaide en ce moment une affaire intéressante. Un
procès qui, je l'espère, va faire du bruit. Et pas seulement
dans la communauté cubaine. Quintillano Perez. Né en
janvier 1959. Il a donc aujourd'hui l'âge de la Révolution. Dix-neuf ans de lavage de cerveau communiste. Et
pourtant il y a six mois Quintillano décide de quitter
l'île qu'il ressent comme une prison. Il se débrouille pour
construire un radeau. Une grande porte longue et large,
très lourde, qu'il a trouvée dans un appartement désaf-
fecté et quatre pneus de voiture accrochés par de grosses
cordes lui suffiront.

— Un héros ! » dit Manouchka en levant son verre
d'un geste impérieux.

« Et de quoi accuse-t-on ce héros ? »

Julian ressent un pincement au cœur, une pointe de
jalousie, mais qui n'en est pas tout à fait, car il n'est pas
jaloux d'une personne comme on l'est ordinairement, il
est jaloux du métier de sa femme.

« On l'accuse d'avoir emprunté une bagnole laissée
toutes portes ouvertes sur la Onzième Avenue. C'est un
peu comme si le propriétaire avait mis un écriteau sur le
pare-brise : "Prenez-moi, je suis à vous." Pour
comprendre, il faut se replacer dans le contexte de Quintillano. A Cuba, son père avait une caisse des années 50.
Il passait ses dimanches à l'astiquer, à la bichonner, il en
prenait soin comme de la prunelle de ses yeux. Et voilà

qu'au royaume de la consommation et de la richesse, il trouve une Ford décapotable, seule et abandonnée à son triste sort.

— Alors, il l'a prise comme si elle lui appartenait », dit Julian.

Il s'en veut d'avoir mis un peu trop de véhémence et d'ironie dans ses propos.

« Il l'a "empruntée", comme il dit dans sa défense. Il voulait juste faire un tour du côté de la plage avec l'intention de la remettre en place. Je crois à sa bonne foi.

— Et c'est pour ça qu'on le met en prison ? On laisse courir les gros trafiquants de drogue et on jette en prison un pauvre gars déboussolé par l'exil ? C'est une honte ! »

La colère spontanée de Manouchka lui fait monter des plaques rouges aux joues. « Oui, seulement... »

Emma brosse avec énergie ses longs cheveux qu'elle serre dans la journée en chignon derrière la nuque.

« ... Seulement Quintillano a accumulé les faux pas et la malchance. Il conduisait sans permis, et comme les freins de la voiture étaient déficients, il a embouti une Mercedes de luxe appartenant à un cheik arabe, ou une grosse légume de ce genre. Un flic en moto est arrivé. Un grand gros blond, gras avec un petit nez court. Il a traité le Cubain de sale nègre et Quintillano sans réfléchir lui a asséné un direct en pleine gueule. Le nez du grand blond s'est mis à pisser le sang... vous voyez le tableau.

— Aïe, aïe, aïe... se lamente Manouchka, psalmodiant comme une vieille Juive en deuil. Un Noir tapant sur la gueule d'un Blanc, flic de surcroît, quelle offense plus grave peut-on imaginer de ce côté-ci de l'Amérique ? Tu vas avoir bien du mal à défendre sa cause. Et dis-moi, si ça n'est pas indiscret, pourquoi t'intéresses-tu autant à lui ?

— Parce qu'au cours du procès, il a eu une parole sublime devant le juge. Il a dit : je n'ai pas risqué ma vie et fui l'enfer communiste sur un rafiot pour me faire traiter de sale négro au pays des libertés !

— Putain de mes deux, tu as raison ! »

Julian écoute avec amusement le singulier dialogue entre Emma et Manouchka. Elles passent d'un anglais très châtié avec une pointe d'accent du Sud au cubain le plus argotique.

« A force de t'identifier aux voyous que tu défends, tu parles comme eux, l'avait mise en garde Julian.

— Je puise mes racines dans notre peuple en exil, lui avait-elle répondu. Toi, tu es en dehors du temps. Avec tes lectures classiques, tu vas finir par parler comme saint Jean de la Croix... C'est ce qui fait de nous un couple si parfait et complémentaire... J'ai parfois du mal à suivre tes raisonnements et tes phrases alambiquées. Et toi tu m'écoutes comme si j'étais une Martienne.

— Ce qui veut dire ?

— Que nous ne risquons pas de nous ennuyer. Savoir surprendre l'autre, c'est la clé des bons mariages. »

Emma et Julian doivent aider Manouchka à rentrer dans sa chambre. En essayant de regagner son lit à baldaquin, la veuve tangue et grogne que le vent s'est levé.

« Allons nous baigner », propose Emma à son époux une fois qu'ils ont couché leur vieille amie sous sa moustiquaire.

C'est exactement ce que Julian redoutait le plus et qui lui pendait au nez, depuis qu'Emma avait enfilé son maillot de bain. Elle adorait les baignades au clair de lune qu'il détestait de toutes ses forces.

« Si nous n'avions pas eu Castro à Cuba, je serais peut-être devenue championne de natation, ou une nouvelle Esther Williams, une ballerine aquatique avec des couronnes de fleurs sur la tête ! »

Julian est un médiocre nageur. La mer lui inspire une terreur métaphysique.

Emma, elle, aime faire des kilomètres à la nage et s'éloigner de la côte. Elle reste des heures en pleine mer, très au large, et il se sent obligé de la suivre malgré sa peur viscérale et sa brasse maladroite.

Les maisons le long de la plage ne sont plus que silhouettes fantomatiques. Il est très tard et la plupart des gens ont éteint les lumières. Personne, se dit Julian, personne n'entendrait leurs appels au secours s'il leur arrivait quoi que ce soit. Son imagination ne fait qu'un tour, il se voit poursuivi par un requin, un poulpe l'enlace dans ses tentacules gluants et il sent le frôlement visqueux d'une colonie de méduses violettes et venimeuses.

Emma sait bien qu'il déteste nager ainsi dans la nuit noire. Et pourtant, elle fait semblant de ne rien savoir.

Un rituel secret s'est établi entre eux depuis ces six années de mariage. Chaque fois qu'Emma a eu une journée particulièrement dure — examens difficiles, mauvaises nouvelles de son père — et qu'ils se trouvent à proximité d'une plage, elle insiste pour prendre un bain nocturne. Le couple s'éloigne à une distance respectable de la côte et reste un long moment à nager comme deux naufragés, muets et impuissants.

De retour sur le rivage, Julian sait ce que lui réserve alors son épouse. Récompense pour avoir vaincu sa peur ? Reconnaissance de sa soumission ou de sa résignation ? Il ne saurait le dire. Après leur baignade nocturne, Emma se donne à son mari avec une frénésie qui le surprend toujours. Le lendemain de ces ébats, le cou et le dos de Julian sont couverts de marques et de griffes. Couchés nus sur le bord de la plage, moitié sur le sable, moitié dans l'eau, ils retrouvent ces moments d'abandon animal qu'ils avaient connus au cours de leurs trois nuits dans le motel sur le bord de la route six ans auparavant, et qui avaient pour ainsi dire irrémédiablement scellé leur destin.

Ils sont nus sur le canapé de la terrasse, enlacés, recouverts d'un drap et boivent, à même le goulot, une bouteille de vodka glacée. Accrochés l'un à l'autre, repus et silencieux. Julian pense qu'Emma s'est endormie tant son corps pèse sur le sien.

« Comment va la famille à Coral Gables ? » demande-t-elle d'une voix flottante.

Julian se retourne et dépose avec une extrême attention le corps de sa femme sur le canapé. Il la tient serrée contre lui et parle tout bas, comme elle, d'une voix chantante qui rappelle celle de Rita Alfaro lorsqu'elle l'emmenait dans des histoires de princesse, d'ogres et de gitans andalous.

« C'est la guerre là-bas, l'enfer. Pire que Beyrouth. Ils ne connaissent plus entre eux que le langage des coups bas et des attaques vicieuses. Ma mère a réussi à convaincre Gisela de l'infaillibilité de son gourou. Toutes les deux se baladent en sandales de moines et longues robes blanches et arborent constamment des sourires béats pour dissimuler leurs cœurs de hyènes. La soi-disant spiritualité de ce gourou a transformé ma mère et ma sœur en zombies plus amères et féroces que les monstres d'un film de terreur. Avant d'entrer dans la secte, leurs visages rayonnaient de cette merveilleuse lumière intérieure héritée de ma grand-mère. Aujour-d'hui, elles ont l'air de mortes-vivantes. On m'a parlé de ce phénomène de dépersonnalisation qui frappe les adeptes des sectes. Je ne comprenais pas ce que cela vou-lait dire à l'époque, maintenant je le vois. »

A observer sa poitrine se soulever au rythme de sa res-piration, il sait aussi qu'Emma n'écoute plus ce qu'il dit, mais il continue à parler tout haut pour mieux s'expli-quer les changements profonds qui se sont produits dans sa famille depuis ces dernières semaines.

« Les enfants de Gisela sont en pension à l'école de la secte au fin fond des Rocheuses. Les pauvres petits méritaient meilleur sort. Ils vont être embrigadés à vie. Ils vont devenir, comme ils disent, "des soldats du Corps Céleste" et grossir les rangs de l'armée de paumés et de naïfs qui travaille aux ordres de ce maudit gourou. Je ne veux pas t'importuner avec ces tristes histoires, mais j'ai consulté Ciro et Lino, nos deux brillants et récents avo-cats de Harvard. "Rien à faire, m'ont-ils dit. Tant qu'ils respectent les principes essentiels de la loi américaine, ni les avocats, ni le FBI, ni personne ici ne peut rien contre ces sectes. Elles naissent, grandissent et prospèrent." Quant à moi, que puis-je faire ? Quand je tente de la raisonner, ma mère m'écoute, sourit, dodeline de la tête et murmure d'une voix à la douceur écœurante : "Mon pauvre Julian, Dieu permette que tu accèdes un jour à la lumière." Gisela va encore plus loin. Elle refuse catégori-quement la moindre critique, essaie de m'enrôler dans ses salades, me refile livres et brochures que je me fais une joie de jeter au panier devant elle. Après de terribles bagarres avec mon père, elles sont parvenues à un accord. La maison a été divisée en deux. Mère et Gisela occupent l'avant, c'est-à-dire le jardin, le vestibule, la salle de séjour, la salle à manger et les chambres donnant sur la rue. Mon père occupe la partie centrale du patio intérieur, et les chambres donnant sur le terrain vague où il a toujours rêvé de construire une maison pour nous. Les deux femmes reçoivent leurs adeptes toutes portes ouvertes. L'image du gourou encadrée trône au mur dans toutes les pièces. Et une fois par mois, le saint homme vient prêcher la bonne parole au voisinage. Quant à mon père, c'est presque dans la clandestinité qu'il reçoit ses amis. La rumeur court dans la Petite Havane que "le groupe de l'Aragonais", comme ils disent, s'est beaucoup radicalisé, qu'ils seraient devenus de dangereux extrémistes. Les effectifs se sont renouvelés. Les exilés de la première heure, ces bons gros un peu excités et loufoques que j'avais connus jadis, ont été remplacés par une nouvelle génération. Des types qui n'ont rien à perdre, qui ont découvert que tout allait mal, vingt ans après la Révolution. Peu importe leurs mérites ou leurs motivations. Ils ont tous des sales gueules et une revanche à prendre. Le genre de matamores à tirer sans sommation. Le grand mystère pour moi, c'est l'engagement de Rodolfo. Que cherche à se prouver notre Ruby-Rudi, si intelligent et sensible, dans cette équipe de brutes arrogantes et patibulaires ? Ou est-ce par cynisme que Ruby-la-folle trouve un plaisir pervers à commander ce groupe de machos desperados qui ne jurent que par la mort de Fidel Castro ? Je me suis promis de parler à Rodolfo droit dans les yeux. Moi, l'athée, j'allumerais un cierge à la Vierge de la Charité pour en avoir le cœur net. »

Julian contemple le visage paisible de sa femme plongée dans le sommeil. Il retire avec délicatesse une boucle qui tombe sur son front.

« Tu dors, Emma ? Oui, tu dors... Je peux donc te l'avouer sans rougir... tu es ma seule patrie, Emma. Ma seule religion, le sens de ma vie. Je comprends le chagrin de Manouchka à la mort d'Elie. Sans toi, je serais perdu.

Voilà, je suis mûr pour créer une secte où ton image ser-virait de guide. Bonne nuit, ma chérie. »

Julian et Emma partent de chez Manouchka Epstein et se rendent à l'aéroport. La vieille dame somnole, complè-tement étalée sur le siège arrière de la voiture.

Julian qui déteste de plus en plus conduire sur l'auto-route a cédé le volant à sa femme. Le pied rivé sur l'accé-lérateur, elle double les poids lourds et les voitures à un rythme régulier.

Enfoncé sur son siège, les jambes repliées, un grand cahier aux feuilles jaunes posé sur les genoux, Julian écrit.

« Devine ce que je fais ? demande-t-il à sa femme.

— Tu prends des notes pour tes futurs cours, ou pour ton livre sur l'amour impossible de Thérèse d'Avila pour Jean de la Croix.

— Pas du tout. J'écris à propos d'une décision que nous allons prendre tous les deux.

— Oui... ?

— Petit a : nous allons profiter de ce week-end de repos, le seul que nous ayons eu depuis des mois et des mois...

— Petit b...

— Interdit de parler ou même de penser à tes procès en cours. Bref, interdiction absolue de travailler.

— Accordé. Et toi, jure-moi que tu ne penseras ni à tes cours et ni à ton Université internationale !

— Une amende de dix dollars chaque fois que l'un de nous ne tiendra pas ses promesses.

— Cent dollars ! Nous irons à Daytona, le Las Vegas de la côte Est.

— Tête vide pendant trois jours, pas la moindre pen-sée sérieuse, créative, politique ou sociale. Nous allons...

— Nous promener, bien manger, faire l'amour, dor-mir, remanger, refaire l'amour, ça te va ?

— Ça me va. Une petite cure, avant de retrouver nos amis demain soir, pour le grand show de Ruby.

— Notre reine de la nuit.

— A nous le Sabbath ! s'exclame Julian, euphorique.

— Quoi, qu'est-ce que tu racontes ? Quel Sabbath ? dit Manouchka Epstein surgissant de son sommeil avec des gestes de noyée.

— Nous parlons de fêtes, pas de pogroms, Manou. Mais tu fais bien de te réveiller, nous sommes presque arrivés.

— Prends le volant, Julian, et gare la voiture.

— *"Lasciate ogni entrate, lasciate ogni speranza"*, disait Dante. Je vous dépose au terminal Départ et je m'enfonce dans cet enfer de parking.

— Si tu n'es pas là dans quinze minutes, rendez-vous à Daytona. »

Tandis que Manouchka Epstein passe sa journée à visiter de vieux amis européens retraités, Emma et Julian réalisent point par point les bonnes dispositions prises dans l'auto : ils mangent, dorment, font l'amour et dorment encore...

Le samedi, tard dans la matinée, ils décident de faire un peu de tourisme.

Pour Julian, Daytona et Ormond Beach évoquaient le début du siècle et la course que R.E. Olds et Alexander Winton remportèrent sur la plage devant le magnat de l'automobile Henry Ford, un événement à la suite duquel cette ville sans histoire était devenue l'attraction de l'Amérique entière. C'est à cette époque aussi que Henry Flager, qui ne cessait de répéter à ses associés « la mer et la plage gratuites, le soleil assuré à 100 %... je ne connais pas de meilleur endroit pour investir », acheta et fit reconstruire le célèbre hôtel Ormond devenu depuis le lieu de résidence estivale privilégié de la haute aristocratie financière des Etats-Unis. Quelques décennies plus tard, Daytona, transformée en Mecque de la course automobile, attirait un flot de visiteurs tout au long de l'année.

Malgré son insistance, Julian doit se résigner : ils ne visiteront pas le pittoresque « lieu de naissance du musée de la vitesse », ce « Birthplace of Speed Museum » qui abrite toutes les automobiles célèbres en compétition à Daytona, car Emma s'y oppose fermement.

« Tu détestes conduire et tu ne t'intéresses pas aux courses automobiles, alors je ne comprends pas pourquoi tu insistes pour visiter ce musée des horreurs ?

— Justement, pour l'horreur. Il paraît qu'attenant au musée et moyennant un somptueux pourboire on peut accéder aux caves où sont entassées les carcasses des voitures accidentées pendant les courses. De la tôle froissée, des carrosseries en accordéon, des traînées de sang sur les sièges, des survêtements calcinés. L'envers du décor, en somme. Les trophées, la foule et les cris de joie d'un côté, de l'autre le malheur et la présence de la mort.

— Je vois... Imposer à sa femme ce genre d'épreuve est une cause de divorce. "Cruauté mentale à l'encontre de son conjoint." Veux-tu courir ce risque ou préfères-tu m'accompagner au parc de Tomoka pour un petit voyage ethnique au village timucan de la tribu de Nocoroco, entièrement reconstitué ? »

En échange d'une promesse d'excursion à la villa The Casement, l'imposante résidence d'été du milliardaire J.D. Rockefeller, ouverte au public, Julian accepte donc de visiter avec sa femme le surprenant campement de tipis où tous les gestes et les objets de la vie quotidienne de la tribu sont artificiellement mis en scène. Les Indiens sont représentés par des mannequins de cire, grands chefs et prêtres parés de coiffures plumées et de splendides tissages de perles avec emblèmes et symboles, tandis que des panneaux explicatifs commentent abondamment chaque scène. Un groupe est assis en tailleur autour d'un foyer, pour mieux donner l'illusion de la vie.

Après son mariage avec Emma, Julian avait retrouvé le passe-temps privilégié de son adolescence : la photo. Emma avait remplacé Gisela dans le rôle de la muse, et les diapositives couleur les beaux tirages noir et blanc de jadis. Mais contrairement à Gisela, sa femme avait du mal à se prêter à sa passion pour la photo. Il faisait de beaux clichés d'elle à son insu, en se faisant oublier, mais dès qu'elle sentait la présence de l'objectif sur elle son visage se renfrognait et son sourire se figeait. Cette fois-ci il entend bien capter son visage souriant, naturel, et fait en sorte de la distraire :

« On raconte que John D. Rockefeller était descendu quelques jours dans un hôtel de Riverside Drive et que, dépité par le manque de respect avec lequel on le traitait, il décida, pour se venger, de construire une somptueuse résidence juste en face de l'hôtel en question, rien que pour les emmerder. »

Emma, assise sur un banc, a enlevé son chapeau de paille aux ailes tombantes et les lunettes noires qu'elle portait exprès pour saboter la séance de photos de son mari. Elle étend la main pour suivre l'envol d'un papillon, son visage a une expression calme, un regard concentré, un sourire à peine esquissé. Julian en profite pour accélérer ses prises tout en continuant de lui parler, pour ne pas rompre le charme :

« Tu te rends compte ? Un caprice de star, une simple blessure d'amour-propre et un milliardaire dépense une fortune colossale pour se construire la villa de ses rêves, sous le nez de populations misérables qui ont à peine de quoi se nourrir !

— Stop ! Cent dollars d'amende pour avoir rompu notre pacte ! Tu l'avais dit toi-même ! Sujets graves et sérieux s'abstenir, pas de réflexion à connotation politique ou professionnelle ! »

Le papillon s'est envolé, Emma a remis son chapeau et ses lunettes noires.

« O.K. je te dois cent dollars ! » dit Julian, le cœur léger et convaincu qu'il vient de voler à sa femme un magnifique portrait.

Elle met ses lunettes noires, elle enfonce son chapeau de paille jusqu'aux oreilles. Elle sourit. Et son sourire s'imprime sur la pellicule. Dans deux ans, dans vingt ans, je ressortirai ces photos et je me dirai : voilà, c'était elle dans un de ses rares moments de repos. Un jour quelconque à Daytona, devant The Casement de M. Rockefeller. Hors du temps, comme j'aurais voulu que nous vivions. Loin de Miami, loin de tout. Illusion. Ces pierres ont résisté au passage du temps, dans un siècle elles

seront encore là et nous... où serons-nous dans à peine
dix ans ?

Ruby-Rodolfo avait réservé pour ses amis une table au
cabaret dans lequel il se produisait.

« Je vous ai placés en face du grand escalier qui est la
copie conforme de celui du Casino de Paris. Une fois que
les reines de la nuit américaine, toutes races confondues,
blanches blondes, noires ébène, rousses, rouges indiennes
l'auront bien descendu, moi, Catherine la Grande, Impé-
ratrice de toutes les Russies, j'apparaîtrai pour le bouquet
final ! »

Pour l'occasion l'endroit avait été décoré de stuc façon
cathédrale gothique ornée de grands vitraux multicolores
qui, traversés de puissants projecteurs, donnaient une
atmosphère étrangement kitsch à l'immense salle carrée.

Rodolfo n'avait pas menti. On avait installé une imposante plate-forme au centre de la piste de danse, en avant
du plateau très large et très profond où devaient se succé-
der les revues des travestis. Le fameux escalier éclairé par
des arabesques de néons de couleurs différentes faisait un
arc-en-ciel fluo qui montait à une bonne hauteur. Des
fauteuils Louis XV cernaient la piste en demi-cercle et la
soie bleue des nappes qui recouvraient les petites tables
rondes scintillait de fleurs de lys brodées main.

Manouchka, cela allait de soi, occupa la place centrale,
flanquée à droite de Julian et Ciro et à gauche de Lino,
Ricardo et sa compagne Casilda Linares Flores.

Julian observait ce qu'il continuait d'appeler « le groupe » avec une sorte de fascination. Ciro et Lino, fatigués
de s'entendre dire qu'ils étaient interchangeables, avaient
fait en sorte de se ressembler le moins possible. Rasé de
près, Ciro avait la coupe militaire et s'était habillé
comme un banquier de la City. Il excellait à parler un
anglais très châtié, les lèvres pincées et avec des intonations proches de l'éternuement, relayé par un espagnol à
l'articulation sèche. Lino, lui, avait adopté le style « in-
tello de la côte Est » : lunettes rondes et cheveux en
bataille, moustaches et barbiche à la Lénine. Il boulait les
mots, déblatérait à cent à l'heure dans un anglo-spanish

savoureux, enfant bâtard d'espagnol cubain et d'américain chewing-gum de la Floride du Sud.

Emma, quant à elle, n'était pas dupe de ce changement
de look radical qu'elle n'attribuait pas à un désir de se
différencier, mais à une stratégie bien pensée. Elle avait
dit à son mari :

« Nos petits jumeaux sont devenus de redoutables
hommes d'affaires. J'ai vu leur tactique pour mieux
conquérir leur client : le premier se présente comme
l'avocat inflexible et sans états d'âme. Si cette image n'accroche pas tout de suite, l'autre prend la relève : idéaliste
et très pointilleux sur les questions de déontologie, il rassure par sa souplesse, ses qualités de cœur. Ils ont tout
juste leur diplôme en poche et se conduisent déjà en vieux
routiers. J'espère pouvoir tenir la route à leurs côtés. La
seule chose qui les intéresse c'est le pouvoir et le prestige
que donne l'argent et ils ne s'en cachent pas, tandis que
moi... »

Elle avait laissé sa phrase en suspens mais Julian savait
ce qu'elle en pensait. Jusqu'où et jusqu'à quand pourrait-
elle faire équipe avec ses deux cousins ? Elle pour qui
l'argent comptait si peu et dont la seule motivation était
la défense de l'honneur et de la dignité des Cubains en
exil ?

Depuis qu'il était avec sa Bolivienne, Ricardo avait
aussi beaucoup changé. Pour tenir tête à cette femme à
la forte personnalité et plus âgée que lui, il avait progressivement abandonné le style flamboyant qu'il arborait
depuis son adolescence. Un changement subtil, plus intérieur qu'extérieur. Ses cheveux bouclés tombaient toujours sur ses épaules et il continuait à s'habiller comme
les caïds de la drogue latinos, veste épaulée, chemise
voyante, bracelets en or et chaînettes avec médaille de la
Vierge autour du cou, mais c'était pour tromper son
monde, disait-il. Ses gestes n'avaient plus la même arrogance ni la même fièvre et il prenait le temps d'écouter
et d'observer les autres. Parallèlement, sa réputation de
journaliste ne cessait de croître. Quand on le félicitait sur
la qualité de ses articles et des enquêtes politiques qu'il
menait, Ricardo souriait et répliquait, modeste :

« Je dois beaucoup à Mme Linares Flores. Grâce à ses relations dans les milieux les plus divers j'ai accès à des informations très sûres et ne me contente pas de rumeurs et ouï-dire comme c'est, hélas, trop souvent le cas à Miami. »

Julian surprit l'implacable regard avec lequel Emma détaillait Casilda Linares Flores. Emma ne supportait pas « la Bolivienne », comme elle l'appelait avec mépris. Plusieurs fois, ils s'étaient disputés à ce sujet.

« Je n'aime pas cette façon ridicule qu'elle a de s'entourer de mystère. Elle est riche, tout le monde le sait, mais ce que l'on sait moins c'est d'où vient son fric. Mines d'argent ? Héritage ? Extorsion de fonds ? Trafic de cocaïne ? On la dit divorcée ou veuve, mais a-t-on jamais entendu parler de son mari ? Il était certainement américain puisqu'elle bénéficie d'un passeport US. Je n'aime pas ce luxe dans lequel elle vit, ni sa soi-disant élégance. Pour qui se prend-elle, cette Indienne ? J'aime encore moins l'influence qu'elle exerce sur Ricardo. Il devient snob, puant, ne fréquente plus que les familles riches, les politiciens proches du Département d'Etat de Washington et les militaires haut gradés en poste à Miami. »

Le ton hargneux d'Emma ce soir-là sortit Julian de ses rêveries.

« Quel pauvre crétin, ce Ricardo ! » lâcha-t-elle.

Debout, un verre à la main, Ricardo portait un toast à quelqu'un assis à l'autre bout de la table.

« Il est un peu ivre, c'est tout, Emm, je t'en prie !

— Ivre ? Il n'a rien bu depuis que nous sommes là. Tu as vu ses yeux ? C'est la Bolivienne qui lui fournit ce dont il a besoin !

— Emm... ! »

Julian prit la main de sa femme dans un geste d'apaisement qu'il savait inutile. Il commençait à se poser des questions sur la suite de ce week-end dont il attendait tant. L'agressivité d'Emma vis-à-vis de Casilda devenait de plus en plus visible et il comptait sur le calme de Manouchka, le savoir-faire diplomatique de Ciro et Lino, et surtout sur la présence de Rodolfo pour calmer sa compagne.

Le groupe. Ma vraie, mon unique famille maintenant que ma mère et ma sœur ont quitté le monde réel pour vivre sur une planète calibrée, soumise à l'endoctrinement d'un gourou qui leur promet le salut et construit sa fortune sur la crédulité d'une masse indifférenciée. Elles sont passées de l'autre côté du miroir. Pauvre Magdalena, pauvre Gisela... Qu'y ont-elles trouvé ? Bugs Bunny déguisé en saint homme ? Un bouddha perverti et avare ? Qui sait ? Peut-être trouveront-elles la sérénité au bout du chemin ?

Quant à mon père, il est plus intransigeant que jamais et je ne peux pas échanger deux mots avec lui. Constamment entouré de sa garde prétorienne, il a confié la gestion de ses affaires et la direction stratégique de son groupuscule, comme il dit, à Jerry Brown, militaire et poète dont l'adjoint n'est autre que Rodolfo, médecin et travelo. La rumeur court qu'ils sont devenus inséparables. Jerry et Ruby. Le monde à l'envers. Un roman digne de la Petite Havane, surréaliste. Le groupe, ma seule famille. Dieu ! Aie pitié de nos âmes !

Ils se tournent vers moi, m'observent, me sourient. Aurais-je fait un geste sans m'en rendre compte ? Aurais-je parlé tout seul à voix haute, comme feu ma grand-mère ? Je n'ai qu'à me lever pour...

Julian Sargats se lève, une coupe de champagne à la main.

« A vous tous ! A Ruby, bien sûr. Notre reine de la nuit ! »

Au même moment une fanfare stridente fait écho à son toast, comme un effet répété en coulisses. Manouchka Epstein pince le bras de Julian et se penche pour lui chuchoter d'une voix enrouée :

« Pourvu que le spectacle ne soit pas trop minable ! Devant leurs amis gay, je crains toujours que les travestis ne se contrôlent plus ! Mais les autres ! Regarde-moi la tronche de ces gens-là. Des bourgeois riches et repus. L'Amérique profonde. Pure et dure. Quatre-vingts pour cent de ces bougres vont à la messe le dimanche. Je me demande vraiment ce qu'ils foutent là. Ils se sont trompés d'adresse. T'as vu un peu le hall d'entrée ? Toutes ces photos de filles superbes... il n'est annoncé nulle part que ce sont des travestis. Et je connais mon Rudi, il va faire son Zorro, enlever sa perruque à la fin du spectacle et montrer ses biscoteaux de gladiateur. Mon Dieu ! Ces gens-là sont capables de le lyncher ! Daytona ou pas, nous sommes au sud des Etats-Unis et on ne rigole pas au pays du Ku Klux Klan. J'espère que notre ex-GI... comment s'appelle-t-il déjà ?

— Jerry.

— Il faut que Jerry prépare une sortie de secours en cas d'émeute... il faut le prévenir...

— Ne t'inquiète pas, Manou, tout se passera bien. Bourgeois ou pas, ces gens sont ici en vacances. Ils ont payé pour passer du bon temps, ils en voudront pour leur argent ! »

L'équipe que formait Jerry et Rodolfo était à la hauteur de la situation. Sous l'influence de l'ex-marine américain, les travestis avaient réussi à éviter les poncifs habituels à ce genre de revue, l'inévitable imitation de stars de cinéma ou de vedettes de la chanson illustrant les succès commerciaux de Barbara Streisand, Marilyn Monroe ou Diana Ross, à grand renfort de silicone, faux cils et déluge de strass.

Jerry et Rodolfo avaient choisi le thème de la femme guerrière et la plastique des amazones. Les costumes de ces farouches femelles permettaient d'exhiber le corps masculin sans aucun complexe. La féminité était ici toute stylisée. Pour ajouter à cette réussite, chaque travesti était un professionnel dans son genre. Les chanteurs chantaient en direct, les danseurs savaient danser, les acrobates et les spécialistes en arts martiaux étaient des super-athlètes. Le grand escalier était utilisé de façon ironique, non pas pour être descendu par des êtres de rêve aux parures resplendissantes, mais pour servir de piste d'envol et de tremplin à des exercices de haute voltige. Tout se déroulait à un rythme effréné, pas une pause, pas un temps mort.

« Si l'on avait confié le commandement des troupes

américaines au Vietnam à Jerry, commenta Lino, ils seraient aujourd'hui à Hanoï ! »

Julian, amusé, observait les réactions du public. Hommes d'affaires texans ou californiens, couples de retraités et touristes, hommes, femmes, jeunes et vieux, tous, captivés par le spectacle, avaient le regard émerveillé et le sourire béat. Rodolfo, comme il l'avait annoncé, s'était réservé le grand final. Moulé dans une tunique étincelante symbolisant une sorte d'ange à la puissance féminine ambiguë, il affrontait la brutalité mâle d'une horde de gladiateurs déchaînés. Le public, debout et frappant des mains, lui fit une ovation et une demi-heure durant les artistes de la troupe au complet s'inclinèrent devant l'hommage fiévreux d'un public comblé. Des confettis, des serpentins et des ballons tombèrent du plafond sur la tête des gens pendant que sur scène une grande banderole fut déroulée où l'on pouvait lire :

RUBY,
TU ES NOTRE REINE
TU ES NOTRE ROI.

Après le show, les organisateurs avaient prévu de réunir quelques invités de marque et les amis des artistes. Ils avaient loué à cet effet la terrasse-jardin tout en haut de l'hôtel.

On avait l'impression de baigner dans la nuit tropicale, splendide, sous un ciel inondé de myriades d'étoiles que dominait une grosse lune ronde et lumineuse. Une coupole transparente protégeait la terrasse du vent et de la pluie. Sans doute l'organisateur — un certain Max Willis dont le nom était gravé sur une plaque de bronze dans le hall qui accédait à cette bulle en plein ciel — avait-il compté sur cet effet car un œil averti reconnaissait la touche du Douanier Rousseau dans le décor dont il était l'auteur. Des arrangements de fleurs tropicales aux formes monstrueuses et chatoyantes, des troncs d'arbres tendrement enlacés de feuillages et de lianes tourmentées composaient un labyrinthe végétal avec quantité de recoins et des circulations imprévues où l'on pouvait se perdre et s'isoler pour une conversation confidentielle ou un tête-à-tête amoureux. Chaque petit salon avait son éclairage particulier où se déclinait tantôt la gamme bleutée d'un faible quart de lune, tantôt les tons ambrés d'une demi-lune traversée de nuages argentés ou la lumière froide et blanche d'une nuit de pleine lune. Chaque coin avait sa personnalité, qui, à travers mobilier et objets, faisait allusion à des femmes écrivains, Emily Dickinson, Margaret Mitchell, Edith Wharton... Tabernacles d'oiseaux et de papillons, acajou anglais, tables de bambous tressés. Il y avait le coin blanc, moderne, design et plastic, dédié à Jean Harlow ; un autre « baroque tourmenté », encombré de tables à pattes d'éléphant, fauteuils-bestiaire, bronzes tarabiscotés et barbotines qui rappelaient le voyage au bout de la folie de Zelda, la malheureuse femme de Scott Fitzgerald.

Les premiers à arriver sont les amis de Rodolfo. Deux grandes tables richement dressées offrent aux invités un somptueux buffet froid et des boissons à volonté. « De quoi tenir un siège pendant un mois ! » s'écrie Casilda Linares Flores, tandis que Manouchka se plaint de l'air climatisé qui la fait grelotter. Emma passe un bras sous celui de son frère et l'attire à l'écart tout en déclarant suffisamment fort pour qu'on l'entende :
« Pourquoi ne dis-tu pas à ta concubine que nous parlons espagnol entre nous ? Si au moins elle avait l'accent de Vivien Leigh ! Ne lui a-t-on jamais dit qu'elle parlait l'anglais comme une vache catalane ? »
La Bolivienne, impassible, encaisse l'offense sans la moindre réaction. Les réflexions glissent sur elle tandis qu'elle se dirige avec une assurance tranquille, un regard hautain et une démarche de panthère noire vers le buffet où un maître d'hôtel subjugué lui tend une coupe de champagne.
Ciro s'éloigne à son tour pour accueillir un couple de financiers new-yorkais avec lequel il est en relation. Efficace, serviable, il s'occupe de leur fournir petits fours et

boissons avant de les entraîner dans le salon Jean-Har-
low. Lino et Julian se chargent de Manouchka du côté
d'Emily Dickinson où un petit sofa de rotin l'attend au
milieu des feuillages.

« Lino, mon petit, veux-tu dire à ces drôles de pin-
gouins d'apporter à boire et à manger à la grosse baleine
que je suis ? »

Puis elle ouvre sur ses genoux le volumineux sac qui
ne la quitte jamais et vide sur un coussin la moitié de son
fourbi.

« Veux-tu ma veste, Manou, tu frissonnes ?

— Merci, mon Julian. Si ma grand-mère a résisté aux
hivers polonais du ghetto de Varsovie je peux bien survivre à quelques heures dans ce frigo yankee. »

Elle s'enroule dans un châle de laine et accueille avec
un large sourire le serveur qui lui apporte un plateau avec
seau à glace, vodka et zakouski divers.

« T'inquiète pas, mon Julian, tu peux me laisser, j'ai
de quoi m'occuper. Dis à Rudi quand tu le croises de
venir m'embrasser ! »

Quelques semaines plus tard Julian décide d'effectuer
un de ces rangements saisonniers dont il est coutumier et
qui lui servent, dit-il, à « mettre de l'ordre dans sa vie et
ses idées ». Cela lui permet, chaque fois, de se débarrasser d'une masse impressionnante de journaux, revues,
livres et prospectus, de feuillets remplis à la hâte et de
carnets noircis à l'écriture illisible.

Deux ou trois fois par an au moins il se livre à cette
sorte d'autodafé, remplit quelques sacs et les fait brûler
dans l'incinérateur de l'université.

En cette fin d'août 1978, Julian Sargats se trouve tout
seul à la maison. Emma et sa mère se sont rendues à la
capitale, Tallahassee, pour assister à un congrès de
femmes et filles de prisonniers politiques enfermés dans
les geôles de Castro.

Parmi les vieux journaux et les revues sans intérêt qu'il
s'apprête à mettre à la poubelle, il tombe sur quelques-
uns de ces grands cahiers à feuilles jaunes qui l'ont

accompagné pendant un temps. Comme s'il s'agissait d'un signe du destin, il sourit, les ouvre et s'installe sous un parasol au bord de la piscine : depuis le couronnement de la reine internationale des travelos, il avait ressenti le besoin de coucher par écrit ses impressions.

Rodolfo est vraiment marrant. Tu parles d'une « petite fête » ! Il y avait bien une centaine de personnes au dernier étage de l'hôtel où nous nous sommes retrouvés. Et quelle faune ! Des hommes d'affaires de New York et du Texas, des correspondants de la presse étrangère, un petit groupe de Saoudiens — va savoir ce qu'ils faisaient là ? Tout ce beau monde se frottait, plutôt amusé, aux gigolos latinos, travestis de toutes les couleurs et transsexuels extravertis qui leur envoyaient des œillades langoureuses.

« C'est mon jour de bonheur, m'a lancé Casilda, je me suis fait draguer par un travelo qui m'a prise pour un transsexuel. »

Puis, se rendant compte que j'étais à la recherche d'Emma :

« Richard a embarqué sa sœur pour un petit tête-à-tête, ils avaient des choses à se dire, paraît-il...

— Où ça ?

— Daytona-by-night, une petite virée en ville comme seul Richard en a le secret. La Floride interlope c'est son rayon, je lui ai même conseillé d'écrire un guide. »

Casilda appelle son jeune amant Richard, car elle est convaincue que c'est un pas nécessaire à une bonne intégration dans son pays d'accueil.

Le champagne et le punch commençaient à faire leur effet. Nous avons plaisanté un moment quand la conversation a subitement dévié sur l'état de la culture en Amérique latine. Casilda a développé une bien curieuse théorie. Le grand malheur pour ce continent, a-t-elle dit en substance, c'est d'être sorti de la tutelle de l'Espagne.

« Imagine l'Amérique latine se regroupant au sein d'une sorte de Commonwealth à l'anglaise. Nous aurions aujourd'hui l'aigle américain face au puma sud-américain. Au lieu de cela c'est un putois aux abois qui s'imagine pouvoir se confronter au lion yankee. Une fois de

plus, les Sud-Américains se trompent. Au point où nous en sommes, il vaudrait mieux que le continent du Sud demande son annexion en bloc à celui du Nord.

— Mais Casilda, je ne te croyais pas si réactionnaire !

— L'Amérique latine, poursuivit Casilda, est un continent à la dérive. Il n'y a qu'à voir l'exode haïtien, les milliers d'immigrants légaux et illégaux qui ont trouvé refuge aux Etats-Unis. Qui sait si ce ne sera pas notre vengeance, une ruse inventée par les Noirs et les Indiens ? Dans un siècle, seule une minorité anglo-saxonne parlera encore l'anglais aux USA », dit-elle, me gratifiant d'un sourire triomphal et s'éclipsant parmi les invités.

Sans transition, je me suis fait alpaguer par Jerry qui m'a assené une grande tape dans le dos en me conduisant presque manu militari dans le coin que Max Willis a dédié aux sœurs Brontë.

Depuis l'entraînement à Key Largo, Jerry et moi avions dû nous croiser une ou deux fois. Toujours pressé, en train de monter ou de sauter d'une jeep. Je savais par Rodolfo qu'il fréquentait Coral Gables où il avait avec mon père de mystérieux briefings.

« Julian, voilà un moment que je voulais te parler, on ne s'est pas revus depuis le training de Key Largo... je tenais à m'excuser, Julian...

— T'excuser de quoi ? demandai-je surpris.

— Des propos que j'ai tenus sur ton père à l'époque. Je n'avais sur lui que des renseignements partiels. Il était mal entouré. On lui faisait du tort sans qu'il le sache. Je remercie Rodolfo de m'avoir fait rencontrer don Edelmiro Sargats. Nous avons nettoyé la bande de malfrats et de sangsues qui lui soutirait de l'argent et vivait à ses crochets. Maintenant ça va mieux, tu dois être au courant.

— Je ne suis au courant de rien, Jerry, je ne vois quasiment plus ma famille. Nous nous sommes éloignés, je n'ai plus rien à voir avec eux.

— Les choses changent et les gens évoluent, Julian. Je sais que ta mère et Gisela se sont fait bouffer par cette putain de secte. Ton père, c'est autre chose. Son intégrité devrait servir d'exemple aux gens qui nous gouvernent.

A Washington, ils ne font que parler. Don Edelmiro, lui, agit. J'en suis arrivé à la conclusion qu'à Miami seuls deux groupes de Cubains sont dans la vérité : Alpha 66 et l'équipe de ton père. Castro ne tombera que si l'on ne combat pas contre lui sur son propre terrain. J'ai rompu avec mes anciens camarades de l'armée et je me suis libéré pour mieux servir l'Association patriotique de don Edelmiro. »

Jerry avait pris du poids. Bien campé sur ses jambes solides, les épaules cuirassées, la coupe militaire et le front haut. Un Rudyard Kipling à la recherche de ses héros mythiques.

Un moment, j'ai eu envie de lui demander s'il écrivait toujours et surtout comment il conciliait sa fascination pour les exploits virils avec sa fréquentation d'une troupe de travelos, mais je n'ai pas eu le temps car au même instant notre Ruby-Reine d'un soir est entré, créant un grand remous dans la terrasse. Extravagante, une cascade de boucles rousses sur la tête et les épaules, perchée sur des talons aiguilles, elle se déhanchait exagérément et ouvrait une grande bouche peinte en distribuant des baisers à la ronde.

Le barman a créé un punch spécial en son honneur, une liqueur à la couleur rose ambré, un punch glacial au goût exotique qui se laisse boire avec plaisir. Son aspect inoffensif cache un mélange d'alcool explosif. Grâce à quoi l'ambiance déjà bien échauffée commença à virer à l'orgie.

Un cheik arabe embrassait passionnément un jeune travesti, Lino dansait joue contre joue avec une superbe Noire qui ressemblait à s'y méprendre à Grace Jones. Ciro, imperturbable, avait fait venir un transsexuel chinois et un jeune éphèbe d'origine française pour tenir compagnie à ses amis new-yorkais. Il photographiait sous toutes les coutures les deux hommes avec les travelos sur leurs genoux, ce qui semblait amuser Lino au plus haut point.

« Mon frère sait comment gagner la fidélité de ses clients ! De nos jours, les photos compromettantes font les meilleurs amis ! »

J'errai sur la terrasse acceptant les verres de punch que les garçons m'offraient sur un plateau. Je n'avais pas envie de me retrouver seul dans ma chambre. Les virées nocturnes de Ricardo pouvaient durer jusqu'au petit matin et je ne risquais pas de récupérer ma femme avant l'aube.

Au milieu d'une déambulation somnolente et vaguement euphorique, je vis Manouchka transportée par deux gros bras, endormie sur son fauteuil et enroulée dans son châle. On la conduisait à sa chambre. L'atmosphère semblait se détériorer et Jerry et son service d'ordre commençaient à vider les ivrognes agressifs et les couples exhibitionnistes qui simulaient le coït sur les précieux meubles de Max Willis. Rodolfo, qui s'était éclipsé, réapparut en tenue de yachtman, souliers blancs, chaussettes nacrées, pantalon de flanelle et chemise de soie bleu pâle. Il portait par-dessus un blazer bleu marine à boutons dorés.

« Laissons Jerry et ses amis mettre un peu d'ordre dans ce chaos, Julian. Ils sont experts en la matière. Viens, allons voir le soleil se lever sur l'Atlantique. »

Nous avons marché le long de la mer et l'air matinal me fit du bien. Je retrouvais le Rodolfo calme et confiant que j'avais connu six ans auparavant, celui qui avait si habilement œuvré pour qu'Emma accepte de m'épouser sans attendre la libération de son père.

« Ce soir, j'enterre ma vie de travesti. C'est un chapitre de mon existence qui prend fin.

— Mais qu'est-ce que tu vas faire ? dis-je ébahi.

— Mon métier de médecin et mon devoir de militant. »

Nous étions seuls, à peine dégrisés, devant la mer immense et sans aucun témoin. Je posai enfin à Rodolfo la question qui m'intriguait depuis longtemps. « Est-ce que tu t'es joint au groupe de mon père à cause de Jerry ou parce que tu crois sincèrement que vos activités sont capables de renverser Castro ? »

Il marchait les mains dans les poches, sifflotant un air de Janis Joplin, Oh Lord, will you give me a Mercedes

Benz... *Puis il marqua un temps de réflexion avant de poursuivre :*

« *Pour les deux raisons à la fois. Rien n'est jamais simple, Julian. A l'hôpital, mon patron, un des meilleurs chirurgiens de ce pays, m'a dit un jour : "Quand j'opère, j'hésite toujours jusqu'à la dernière minute. Avant d'ouvrir un corps, de tailler dans un organe malade, ma déontologie personnelle me dicte d'envisager toutes les autres possibilités. Mais une fois la décision prise, je prends le scalpel d'une main assurée et je tranche d'un coup net." »*

Nous étions arrivés sur le petit port de plaisance au bout de la plage et nous nous sommes assis sur le pont d'un bateau.

« *Depuis 1959, il ne se passe pas un jour sans que la communauté des Cubains de Miami ne clame que le gouvernement de Castro va tomber. Ni le désastre de la baie des Cochons, ni la crise d'octobre n'ont rien appris à ceux qui rêvent de la chute prochaine du régime cubain. Ton père a eu au moins le mérite de faire quelques actions symboliques en envoyant de temps en temps des vedettes mitrailler les bâtiments des gardes-côtes castristes ou les hôtels pour touristes de Varadero. Ces missions éclair sur la côte cubaine ne sont qu'une piqûre de moustique, j'en conviens, des traces sur le sable, aussitôt effacées par la mer. Mais grâce à ces interventions les gens continuent de rêver, tu comprends, cela maintient l'espoir vivant. Promène-toi sur la calle Ocho quand un obus est tombé sur une plage cubaine... un jour, lorsque toute cette histoire aura pris fin, on donnera à ton père le nom d'une place de La Havane où l'on érigera un monument à sa mémoire. Belle revanche et honneur suprême pour cet Aragonais de Jaca !* »

Je l'écoutais en dessinant des cercles sur le sable avec une branche.

« *Pourquoi souris-tu ? Tu ne crois pas à cette éventualité ?*

— *Je pense à ma grand-mère andalouse, capable de venir hanter les lieux pour faire fuir à jamais les promeneurs de cette place !* »

Au-dessus de l'horizon le disque rouge du soleil

*commençait sa lente ascension, annonçant une journée
d'intense chaleur. Rodolfo retira son blazer et remonta
les manches de sa chemise.*

*« Et pour l'autre partie de ma question... à propos de
Jerry ?*

— Ah... Jerry ! »

*Rodolfo se lança alors dans une description de ce qu'il
appelait « une histoire d'amour surréaliste ». Bien
entendu Jerry détestait les homosexuels et il n'aurait
jamais imaginé faire l'amour avec un homme,
commença-t-il par déclarer.*

*« C'est pourtant lui qui t'a aidé à monter cette revue
de travestis...*

*— Parce que je faisais mes adieux à la scène. L'idée
lui plaisait. Jerry reste convaincu que je pourrais devenir
un jour le Che Guevara de la contre-révolution cubaine.
Depuis quelques semaines, poursuivit Rodolfo, Jerry a
emménagé dans un appartement très coquet sur le boulevard Biscayne. Nous dormons dans la même chambre,
sur des lits séparés, bien sûr. Je passe parfois mes nuits
à le regarder dormir. Une fois... nous étions ivres... j'ai
commencé à le caresser. Il s'est laissé faire, puis, au
moment de passer à l'action, il m'a repoussé. Non, Rudi,
m'a-t-il dit, même pour toi, je n'y arriverais pas ! »*

*Ce disant Rodolfo partit d'un rire convulsif. Il me prit
par le bras et me fit lever pour me conduire à la cafétéria
au bord de l'eau qui venait d'ouvrir ses portes.*

*« Tu vois, Julian, c'est comme pour la lutte contre Cas-
tro, c'est une question de foi. J'attends le jour où Jerry
consentira enfin à se laisser aimer. Peut-être faudra-t-il
attendre le jour où en plein combat les balles des soldats
de Castro siffleront autour de nous... alors ce sera pour
moi le plus beau des carillons, les cloches du bonheur,
comme Ingrid Bergman avec Bing Crosby dans ce film
de nonnes et de curés ! »*

*Quelques jours plus tard, Rodolfo prouva qu'il savait
tenir parole.*

*Il nous convoqua tous un soir chez Manouchka pour
une cérémonie bien particulière. Jerry, Emma, Ricardo,*

Lino, Ciro, Casilda et moi étions rassemblés devant un impressionnant feu de bois qu'il avait allumé sur la plage. Assise sur sa terrasse, Manouchka nous encourageait de loin :

« Au feu ! Au feu ! »

Ainsi partirent en fumée perruques et escarpins, robes et trousses de maquillage, l'impressionnante garde-robe que Rodolfo avait constituée depuis son adolescence. Une vraie fortune se consumait sous nos yeux.

« Au vent ! Au feu ! A la cendre ! Que la cendre revienne à la cendre ! » psalmodiait Rodolfo.

Puis il nous demanda de faire un cercle, de nous prendre par la main et de danser et chanter sur l'air de Ce n'est qu'un au revoir, en improvisant les paroles.

« Adieu, Ruby, nous t'avons tant aimé !

— Hey, Rudi, nous t'aimerons encore ! »

Depuis plusieurs jours la rumeur court en ville que Jerry, Rudi et un groupe de jeunes appartenant à l'association de mon père ont disparu. Emma est inquiète. Dans les milieux de l'exil on dit qu'un commando anti-castriste a fait une incursion éclair sur la côte Nord de Cuba. L'embarcation est revenue en Floride après un accrochage avec une vedette de la marine cubaine. On parle de morts et de blessés, mais personne n'en sait plus. Pour l'instant, ce n'est qu'une rumeur.

J'ai promis à Emma de rendre visite à mon père. Je me sens tout bizarre à l'idée de retourner à Coral Gables.

Julian Sargats, qui n'a pas vu ses parents depuis des mois, est surpris de constater à quel point la maison s'est transformée. Le jardin est soigné, les rosiers sont pleins de fleurs et bien taillés, l'allée ratissée, et rien n'encombre le chemin dallé menant à la maison. Les deux petites fontaines plantées de dahlias et de glaïeuls donnent une note de fraîcheur et de couleur. La façade de la maison a été récemment badigeonnée de blanc et de bleu, les couleurs de la secte.

Par la porte d'entrée grande ouverte on aperçoit un rassemblement de gens. Un chœur mixte d'hommes, femmes et enfants chante une litanie obsédante dans une langue aux sonorités étranges. Tenté d'aller voir de plus près, Julian Sargats hésite un instant à entrer puis il emprunte le chemin latéral qui conduit vers l'arrière de la maison où son père a trouvé refuge.

Assis sur un rocking-chair, Edelmiro Sargats se balance doucement, une canette de bière à la main, un éventail tressé dans l'autre. Depuis quelques mois, il a décidé de faire des économies pour renflouer les caisses de son association et de « tout investir dans la lutte contre le pouvoir castriste ». L'air climatisé a été coupé et il ne s'éclaire plus qu'à la lumière d'une ampoule de 60 watts. Il n'ouvre plus la télévision. Seule la radio diffuse jour et nuit les émissions d'une des stations anti-castristes très virulentes.

Du glorieux passé de cette immense pièce où il avait réussi pour un temps à faire revivre la douce atmosphère de la maison de La Havane il ne reste plus rien. Les beaux meubles de Rita Alfaro ont disparu, le piano où Magdalena ne joue plus a été relégué dans un coin. Verres et assiettes sales fraternisent avec de vieux bulletins publiés par l'Association patriotique, des revues, des journaux et d'innombrables cartes de l'Ile. Personne ne prend plus la peine de passer un chiffon sur les objets abandonnés à leur sommeil poussiéreux.

Edelmiro Sargats, les yeux mi-clos, écoute le discours délirant d'un type qui, dans un flot ininterrompu d'imprécations, promet aux auditeurs la chute du castrisme avant la fin de l'année et l'extermination prochaine du dictateur.

Julian frappe des pieds pour manifester sa présence. Edelmiro soulève une paupière.

« Ah, tu es là... », dit-il d'un air las, lui indiquant le réfrigérateur d'un geste de la tête.

« Sers-toi une bière, le frigo est plein. »

Pièce maîtresse du salon, l'énorme frigo occupe maintenant la place du piano. Julian constate qu'il est bourré de conserves, pizzas et steaks sous vide, bouteilles et canettes de bière, de quoi tenir un siège.

« On dirait que l'époque des paniers Sargats est bel et

bien révolue ! » lâche-t-il, en regrettant déjà ses paroles malheureuses. Lui qui craignait d'avoir blessé son père s'étonne de le voir secoué d'un rire convulsif.

« Nous sommes au pays de la vitesse et de l'efficacité. Peu importe ce qu'on bouffe, pourvu que ce soit du solide et du survitaminé. J'ai pensé un moment me lancer dans une affaire de conserves de *fabada* espagnole. Mais à quoi bon donner des perles aux cochons ? J'ai abandonné l'idée. Et puis, j'ai d'autres chats à fouetter ! »

Père et fils boivent silencieusement tandis qu'à la radio un politicien explique comment il envisage la reconstruction de Cuba après la chute du régime. Se voulant persuasif, celui-ci a choisi le ton de la confidence, une voix suave et modulée qui parle à l'oreille de chaque auditeur. L'espace sonore libéré est soudain envahi par la montée en puissance du chœur des adeptes de la secte à l'autre bout de la maison qui semble arrivé au paroxysme de l'extase.

« Non mais tu les entends, Julian ? C'est la fin de la semaine. Ils beuglent pendant deux jours sans discontinuer. Ils s'imaginent qu'ils vont me rendre fou. Je les emmerde ! Des pauvres types ! On va voir qui est le plus fort et le plus sain d'esprit ! »

Edelmiro Sargats tourne alors le bouton de la radio et monte le son à plein volume. Le père et le fils restent muets quelques minutes tandis que la voix de cuivre chaud de Celia Cruz emplit l'espace d'un rythme de rumba endiablé : *Yo soy del Cuba de amor, soy del Cuba de ayer, soy el simbolo del sol, soy el sabor tropical... yo soy libre come el viento... y un dia volveré !*

Puis il réduit de nouveau le volume pour constater que le chant de la chorale a baissé d'un ton. Son père affiche un fin sourire et repasse sur la station de l'exil. Il avale une longue rasade de bière et rote.

« Sais-tu que ta mère et Gisela ont eu le culot de convertir à leur nouvelle religion presque tous nos voisins ? Sais-tu comment on appelle cette rue dans la Petite Havane ? Coral Gables Tibet. J'en rirais s'il n'y avait les enfants. Tes neveux, Julian ! Pâles comme de la cire, habillés tout de blanc, sages et éteints. Carlitos, l'aîné, a même essayé de me convertir. "Nous sommes pour la paix et la fraternité, grand-père", m'a dit le pauvre petit. "Cubains de Cuba et d'ailleurs, Noirs et Blancs, Jaunes et Indiens, Chinois, Russes, Australiens... nous sommes les enfants de la terre, les enfants de l'amour, oublie la guerre, papy..." Je lui ai flanqué une gifle qui l'a envoyé bouler au milieu du patio. Pauvre gosse ! Ce n'est pas de sa faute. Regarde ce qu'ils ont fait de ma femme et de ma fille, ces connards ! Où va le monde, Julian ? Je n'en crois pas mes yeux ! Ce gourou de merde est pire que Castro, pire ! »

Edelmiro Sargats amorce un mouvement pour se lever, il prend appui sur les accoudoirs mais ses forces le lâchent et il retombe de tout son poids sur son siège. « Donne-moi une autre bière.

— Tu ne crois pas que tu as assez bu ?

— Allons ! La bière est bonne pour les reins. On pisse. Il m'arrive de me soulager assis sur ce fauteuil. Et je dépose mon pantalon et mon caleçon devant la porte de la chambre de ta mère, pour qu'elle sache ce que j'en pense. »

A la radio, les discours politiques ont fait place à un feuilleton, une rediffusion d'un succès radiophonique des années 50. Le succès de cette rediffusion, explique l'animateur, vient du fait qu'il est interprété aujourd'hui par les mêmes acteurs qu'à l'époque à Cuba. Une histoire d'amour malheureuse. Il pense à sa grand-mère Rita qui raffolait de ce feuilleton précisément à cause des voix des acteurs. Ces quinquagénaires qui réinterprètent les rôles de jeunes premiers n'ont plus rien à voir avec cette histoire qui se voulait un hymne aux valeurs traditionnelles et à la délicatesse des sentiments blessés. Ils n'y croient plus, et leurs voix d'aujourd'hui ne sont plus capables de faire passer la moindre émotion. Pauvre Rita, si tu entendais ça !

« Sais-tu par hasard où sont passés Rodolfo et Jerry, papa ? Nous sommes sans nouvelles depuis une semaine. »

Edelmiro plaque la canette de bière glacée contre son

front puis il avale une longue gorgée de bière avant de dire :

« Ils font leur devoir d'hommes. C'est tout. Jerry me réconcilie avec l'Amérique. J'aurais aimé avoir un fils de cette trempe. »

Julian boit à son tour et fait comme s'il n'avait rien entendu. L'image de Rita Alfaro se superpose à la voix de l'actrice du feuilleton qui murmure dans le micro : « Le temps ne guérit pas les blessures, le temps passe mais les blessures d'amour restent. »

Sur le chemin du retour, Julian décide de faire une halte chez Manouchka Epstein. En rentrant de Daytona, la vieille dame avait eu un malaise et ne quittait plus sa chaise longue et sa terrasse que pour rentrer dans son lit, et il se faisait bien du souci.

Devant la maison, il croise le médecin de sa vieille amie.

« Comment va-t-elle ?

— C'est sans espoir. Il faudrait l'hospitaliser, lui faire subir un traitement de choc. Elle refuse. "Je veux mourir de ma propre mort", répète-t-elle chaque fois que j'aborde la question. Et elle me récite des vers d'une certaine Marie Rilk, des vers vraiment morbides.

— Rilke. Rainer Maria Rilke. Un poète allemand.

— Qu'est-ce que ça veut dire, mourir de sa propre mort ? Nous mourrons tous de nos morts respectives, nous n'avons pas le choix. La grande question c'est de savoir si nous devons baisser les bras, accepter avec résignation le passage au néant ou faire confiance à la science pour prolonger la vie. Mme Epstein ne veut pas aller à l'hôpital. Soit. Elle veut attendre la mort sur sa terrasse, face à l'océan. Pour la voir venir, dit-elle. Comme son défunt mari. Une cigarette à la main et un verre de vodka dans l'autre... Après tout, c'est son droit... »

Julian trouve Manouchka adossée à une pile d'oreillers. Zapata, un réfugié guatémaltèque que la vieille dame a pris sous sa protection, se déplace, discret et silencieux, dans l'immense chambre à coucher au milieu de laquelle trône le haut lit à baldaquin de « la patronne » comme il l'appelle, avec des accents pleins de déférence et de délicate attention.

De taille moyenne, la peau trouée de petite vérole, l'homme est sans âge.

« Il a cent ans, dit Manouchka à ses amies. Sur ses papiers il est écrit qu'il a vingt ans, mais détrompez-vous, mon Zapata a cent ans. »

L'Indien a réussi à virer les trois femmes de chambre, le jardinier et la cuisinière de Manouchka en les traitant de voleurs, et depuis il gère tout seul la grande maison, le jardin et ses deux étages privés. Levé à l'aube, il trime toute la journée et veille jusque tard dans la nuit pour s'assurer que sa patronne, ivre morte, s'est endormie comme un ange.

« Je me fous de la poussière et du désordre, Zap. Laisse les araignées tisser leurs filets autour de nous et viens boire un verre avec moi... je lui dis. Mais il ne touche pas à l'alcool, le malheureux. Et je sais qu'il mange à peine. D'où sort-il son énergie ? D'une mystérieuse puissance intérieure, peut-être. Il peut passer des heures sur la plage, assis sur les talons, en se balançant lentement d'avant en arrière et chantant dans une langue antique dont il ne sait pas lui-même si c'est de l'aztèque ou du maya. Des berceuses que sa mère lui chantait, paraît-il. Autrefois, quand Elie vivait encore, je lui ai souvent proposé de tout quitter pour aller prier devant le Mur des Lamentations. Ma pauvre Manou, me disait Elie, les femmes n'ont pas le droit de psalmodier devant le Mur. Je sais... puisque Yahvé ne veut pas de nous, pauvres femmes, je demanderai à Zapata de m'apprendre sa chanson et je prierai ses dieux ! »

Zapata, fluet et discret, se déplace pieds nus sans se faire remarquer. Il apporte à sa patronne un Bloody-Mary bien frais.

« Il est persuadé que le jus de tomate atténue les effets nocifs de la vodka, le pauvre amour. »

Le visage de Zapata reste impassible et ses épaisses moustaches noires rabattues au coin de ses lèvres lui donnent l'air désolé d'un chien implorant sa maîtresse de ne pas mourir trop tôt.

« Comment se porte Miami, mon Julian ?

— Egale à elle-même. Hier soir des dealers se sont entre-tués dans un bar. Un carnage. Mais la prochaine saison artistique s'annonce brillantissime. Il faut que tu te remettes sur pieds, vite. Je voudrais t'emmener voir le New York City Ballet, un récital du quartet Kronos que tu aimes tant et Shirley McLaine qui, m'a-t-on dit, est plus en forme que jamais !

— Et la calle Ocho ?

— En dehors du temps... vivant à l'heure cubaine et attendant le retour à l'avant-révolution.

— Et ton Emma... elle ne change pas non plus ?

— Oh, que si ! J'ai réussi à la convaincre de profiter des vacances de Noël pour faire un petit tour en Europe. J'ai déjà réservé les billets d'avion et les chambres d'hôtel. Et tout à l'heure en te quittant, je vais la rejoindre au City Hall pour lui montrer les billets. Paris-Londres-Rome-Bruxelles, j'ose à peine le croire !

— Si je pouvais la convaincre, Julian, si... »

Manouchka ne peut pas finir sa phrase. Sa voix s'étouffe. Zapata accourt et lui prend son verre, attendant que la crise passe. Elle tousse, se mouche, réclame d'un geste impérieux son verre.

« Si je pouvais vous convaincre tous les deux de quitter cette fournaise pour vous installer en Espagne. Avec vos diplômes, vous n'auriez pas de mal à trouver du travail là-bas. Loin d'ici. Pour votre bien, mes chéris, loin d'ici. »

Julian prend la main que Manouchka lui tend et l'embrasse.

« Après ce voyage, tout ira mieux, Manou. Nous allons voir l'Europe ensemble. Ce sera plus facile alors de lui faire comprendre... tout n'est pas perdu, j'ai bon espoir... »

Julian Sargats arrive au City Hall juste à temps pour assister à la plaidoirie de sa femme. Un cas digne de ces feuilletons radiophoniques qui faisaient la joie de Rita Alfaro. L'avocate rappelle les faits dans un style froid, concis et direct, cherchant à tout prix à éviter le style mélodramatique.

« Voici l'histoire de deux familles d'exilés cubains qui doivent partager une vieille maison au cœur de la Petite Havane. Les premiers arrivés dans les lieux, une famille noire de cinq enfants, habitent le rez-de-chaussée, en bien meilleur état que le premier étage. Ils disposent en outre d'un petit bout de jardin, d'un garage et d'une sorte de cour intérieure qu'ils utilisent pour faire des barbecues.

Le chef de famille, Juancho Sosa, a été caporal dans l'armée de Batista et l'homme de confiance d'un colonel qui lui a fait quitter Cuba tout au début de la Révolution.

La famille blanche des Zamora est arrivée à Miami dans les années 70 et s'est installée dans ce premier étage que les locataires précédents avaient laissé en piteux état. Vitres cassées, tuyauterie percée, nids d'araignées et cafards. A leur arrivée, tout de suite la solidarité de l'exil joua et les Sosa firent leur possible pour aider leurs nouveaux voisins. Les enfants Zamora passaient le plus clair de leur temps au rez-de-chaussée et Idalia Sosa, une belle Noire au cœur d'or, se donnait beaucoup de mal pour aider Rosa Zamora à s'adapter à sa nouvelle vie.

Les problèmes commencèrent lorsque Paco Zamora, un type irascible, déclara un jour : « Je n'ai pas quitté Cuba communiste pour qu'un nègre fasse la loi en dessous de chez moi ! »

Paco accusait Juancho de trafiquer la tuyauterie pour prendre toute l'eau pour sa famille, de les asphyxier avec la fumée de ses barbecues et ses odeurs de poissons frits et de chercher à les décourager d'habiter en haut pour récupérer toute la maison pour eux.

La situation s'envenima et les Zamora interdirent à leurs enfants de jouer avec les nègres d'en bas, surtout parce qu'Olga Zamora l'aînée, une adolescente de treize ans, semblait s'être amourachée de Manolo Sosa, un gamin de quinze ans plein de charme.

Chacun campait sur ses positions jusqu'au jour où Juancho Sosa surprit Paco, son voisin raciste, en train de reluquer avec des jumelles sa femme qui prenait un bain, la fenêtre entrouverte. Idalia Sosa et Rosa Zamora durent en venir aux mains pour calmer leurs maris respectifs et éviter la tragédie. Pendant quelques semaines les familles se croisèrent sans se parler ni se regarder. Tous, enfants, adultes, semblaient se satisfaire de ce statu quo. Jusqu'au jour où...

Olga qui s'était plainte de malaises avoua à sa mère qu'elle était enceinte. Victime d'une crise de nerfs, Mme Zamora gifla sa fille, la traîna par les cheveux et lui hurla des insanités dans les oreilles jusqu'à obtenir des aveux. C'était Manolo Sosa qui l'aurait, disait-elle, "forcée" un jour dans un terrain vague.

Alerté par les cris, le père d'Olga était descendu chez les Sosa, un couteau à cran d'arrêt à la main.

Craignant pour la vie de son fils, Idalia Sosa avait attaqué la première, et elle avait enfoncé un couteau de cuisine dans le flanc du père vindicatif. »

Maître Alvarez expose froidement les faits. Vêtue d'un tailleur à la coupe stricte, ses cheveux sont ramassés dans un chignon un peu lâche derrière la nuque. Elle ne cesse de remonter sur son nez ses lunettes à monture d'écaille, une habitude prise lors de ses plaidoiries et qui, dit-elle, l'aide à surmonter son trac, lui donne une contenance et lui porte chance.

Tout au long de la plaidoirie qui suivra, Julian ne cessera d'admirer le talent dialectique de sa femme qui décrit avec minutie la tragi-comédie de ces deux familles pour mieux mettre à jour le contexte auquel elle attribue les causes de ce drame : Cuba.

« Sans le communisme dans l'île, ces deux familles n'auraient pas eu à s'exiler. Comme toutes les personnes éprises de liberté à Cuba dans ces années-là elles n'ont vécu qu'au travers du rêve américain. Et les voilà confrontées à la cruelle réalité : en fait de rêve américain elles se retrouvent dans des conditions de logement abjectes, obligées de payer un loyer abusif. Juancho Sosa a du mal à joindre les deux bouts. Avec le seul salaire du père, les Zamora vivent mal et ne tiennent que grâce au *welfare*[1]. Les enfants ne savent plus s'ils sont cubains ou américains. Les adultes ne savent pas comment réagir à

1. Aide sociale.

la perte des valeurs traditionnelles, partagés qu'ils sont entre le souci de s'enrichir et le respect des lois et de la morale. Chacun sait comme il est facile de s'enrichir vite et sans trop d'efforts dans cette ville... »

Mais entre le sérieux de ses arguments et la description scrupuleuse de chaque acteur du drame, Emma ne se prive pas non plus des quelques accès de lyrisme destinés à emporter l'adhésion des jurés.

« Idalia Sosa a frappé, certes, mais c'était pour secourir la vie menacée de la chair de sa chair ! » s'écrie-t-elle d'une voix vibrante.

« Emma... tu devrais écrire un feuilleton pour la télévision. Nous pourrions gagner beaucoup d'argent, devenir millionnaires, voyager en Europe. L'histoire d'une tigresse défendant griffes et crocs son petit, une mégère baraquée comme un grenadier et un gaillard de quinze ans de presque deux mètres de haut !

— Là n'est pas la question. Je connais Idalia depuis des années, c'est elle qui a poussé son mari à quitter Cuba. Humilié par les siens — car pour les Cubains de l'exil son mari restait un sbire de Batista — Juancho vivait de petits boulots et d'expédients, haïssait les Blancs et les Américains, qu'ils soient noirs, métis ou indiens ! Ses difficultés d'intégration l'ont plongé dans l'alcoolisme, il buvait pour oublier son amertume et l'alcool le rendait chaque jour plus amer. C'est Idalia qui porte la culotte, Idalia qui souffre de ne pouvoir aider son mari, de le voir se détruire, Idalia qui essaie envers et contre tout de sauver la cohésion de sa famille, Idalia qui protège ses enfants. Son geste est héroïque. »

Depuis quelques jours déjà radio et télévision annonçaient l'arrivée d'un cyclone dans la région, et des trombes d'eau se déversent sur la ville depuis le matin.

A la sortie du tribunal le couple court chercher sa voiture et se réfugie dans une cafétéria downtown.

L'air fatigué, Emma mange sans appétit le sandwichclub qu'elle a commandé. Elle supporte mal son échec. Malgré sa plaidoirie adroite et convaincante, émouvante même, Idalia Sosa a été condamnée à verser des dommages et intérêts à la famille Zamora, une amende de cinq mille dollars et un an de prison ferme pour « blessures ayant pu entraîner la mort ».

Deux rides profondes creusent les coins de sa bouche, comme chaque fois qu'elle est en colère ou triste.

« Je ne comprends pas, Emm...

— Quoi, qu'est-ce que tu ne comprends pas ?

— L'attitude du juge. Une femme noire qui ne tient pas compte des injures racistes des Zamora, qui oublie le couteau à cran d'arrêt et les menaces de l'homme...

— Tu vis dans ton monde universitaire, Julian. La réalité à Miami est complexe. Les wasp nous détestent. Les Noirs américains, les Haïtiens et les Latinos aussi. La communauté cubaine à Miami est devenue trop forte, trop envahissante. En tant que femme noire, ce juge doit donner l'exemple, un exemple qui servira de leçon à notre communauté. »

Emma vide son verre de milk-shake en aspirant bruyamment les dernières gouttes avec une paille.

« Je ne laisse pas tomber. Je vais faire appel. Je demande qu'Idalia Sosa soit jugée à Tallahassee pour bénéficier d'un procès en règle, loin des préjugés de Miami.

— Ces procédures sont très longues...

— Pourquoi ? »

Julian sort de son porte-documents l'enveloppe en papier de Manille qui contient les billets d'avion, les réservations d'hôtel dans diverses capitales européennes.

« Parce que nous partons faire un tour d'Europe. Quelques semaines. Tu connais la blague ? Si c'est jeudi, ça sera Bruxelles !

— Et Londres ? Et Rome ! Et surtout Paris !

— Cinq jours dans la Ville Lumière. De Montmartre à la Bastille, de Saint-Germain-des-Prés aux Champs-Elysées... A nous Charles-de-Gaulle-Etoile, les chansons d'Edith Piaf et les vitrines de Christian Dior ! Es-tu heureuse ? »

Pour toute réponse Emma se lève, fait le tour de la table et tombe dans les bras de son mari en le couvrant de baisers.

En rentrant chez eux, ils trouvent la Mercedes de Casilda Linares garée devant leur maison.

La Bolivienne les attend dans la salle de séjour, un high-ball dans une main et un fin cigarillo dans l'autre.

« Votre si gentille femme de chambre m'a autorisée à m'installer ici pour vous attendre. Alcool, cookies, jambon, elle est vraiment parfaite... J'ai essayé de te joindre toute la journée à l'université, Julian. Et toi à ton bureau, Emma...

— Je plaidais.

— J'assistais à sa plaidoirie. »

Ils sont hilares, la perspective de ce voyage les a enivrés.

Casilda Linares ne cille pas, elle les regarde tranquillement, pesant le pour et le contre avant de se décider à déstabiliser leur fragile bonheur.

« J'ai une mauvaise nouvelle à vous annoncer. Une vedette de don Edelmiro a été interceptée au cours d'une escarmouche le long des côtes cubaines. La vedette a dû se replier sur Key West. Il y a eu des dégâts.

— Rudi ?...

— Rodolfo est à l'hôpital, blessé mais sain et sauf. Il y a eu deux morts, dont Jerry.

— Allons à Key West. Rudi doit être désespéré par la mort de Jerry. Et sans doute harcelé par ces connards de l'administration américaine. J'appelle Ciro tout de suite pour qu'il alerte la radio et la presse. »

Emma a déjà la main sur le combiné quand Casilda l'arrête.

« Les jumeaux sont à Key West. Ils font le nécessaire pour ramener Rudi. »

Oubliant Emma, la Bolivienne se lève et regarde Julian droit dans les yeux pour donner plus de solennité à ses paroles :

« Et comme une mauvaise nouvelle n'arrive jamais

seule, l'échec de la mission, la mort de Jerry, la rumeur un instant que Rodolfo avait été tué ont eu raison de la résistance de ton père. Il a eu une attaque. Les médecins pour le moment sont incapables de faire le moindre diagnostic. Il survivra, mais dans quel état ? »

Elle prend la main de Julian et la serre d'un geste si masculin qu'il a du mal à retenir un sourire. Casilda Linares, la belle plante exotique, a gardé quelque chose de l'authentique guerillero.

Plus tard, il faudra que je décrive cette scène dans mon cahier noir. Car il faudra que je la revive, au-delà de l'émotion et de l'inextricable confusion des sentiments qui m'assaillent à l'instant. Casilda et son beau visage hermétique, sa voix grave et l'impressionnante maîtrise de ses gestes, Casilda me raconte les malheurs qui tombent sur mon père, sur mes amis les plus chers. Elle me parle et tout en l'écoutant je ne peux m'empêcher de penser : regarde-la bien, enregistre chacun de ses mots et de ses gestes. Etrange dédoublement. En même temps que je ressens une peine immense et foudroyante, je ne cesse de me dire... cela passera... cela passera...

Casilda telle Cassandre décrivant avec l'objectivité d'un fait divers la mort de Jerry Newton-Brown.

J'appris à cette occasion que Casilda rendait souvent visite à mon père. Elle connaissait bien l'Espagne et l'Aragonais retrouvait avec elle les souvenirs de son pays natal.

Elle parle et je ne la quitte pas des yeux, et je ressens le même malaise qui trouble tellement Emma. Derrière ce visage impassible se cache une volonté de fer. Je la croyais hautaine et absente et voici qu'elle semble connaître tous les dessous du décor. Mon père et Jerry lui ont fait des confidences, Ricardo est sous son emprise. Emma, terrassée par le malheur, vient prendre appui sur elle. Ange gardien ou démon maléfique, la Linares est parmi nous.

Trois jours après les tragiques événements, Julian Sargats reçoit un paquet et une lettre. La lettre est signée par un certain lieutenant Martin C. Kelly qui avait participé aux entraînements de Jerry à Key Largo six ans auparavant.

« Jerry m'a chargé de vous expédier ce paquet, si par malheur un jour il ne revenait pas de mission. »

C'était une grande enveloppe contenant une centaine de pages. Pas de titre, mais un message personnel pour Julian, écrit à la main.

« Dix poèmes, de dix pages chacun. Comme tu peux le constater, les marges sont larges. J'aurais pu économiser les pages, mais j'aime cette idée : dix poèmes, dix pages, cent pages au total. Un livre ? Je n'en sais rien. Je laisse ces textes entre tes mains. Je ne veux pas de louanges amicales, comme ferait Rodolfo s'il avait à juger de mes écrits, je veux une critique sévère comme tu me l'avais faite à Key Largo. Je te laisse décider de leur sort : jette-les au feu... ou lis-les aux amis si tu les aimes. Adieu, Julian. "Quand on a le don de poésie, c'est un crime de se taire"... Je me souviens de tes paroles. J'ai choisi la fureur et la violence. Bien ou mal, j'aurai réussi à rompre le silence. Accepte donc ces poèmes posthumes. »

En sortant de l'hôpital, Rodolfo refuse de rentrer dans l'appartement du boulevard Biscayne, là où Jerry avait vécu les derniers jours de sa vie. Toutes les affaires personnelles du mort sont envoyées à sa mère dans l'Ohio. Il demande aussi à Julian, Emma et aux autres membres du groupe de faire main basse sur sa collection de disques, gravures, livres d'art et même d'une partie de sa garde-robe masculine.

« Tout ce que vous ne prendrez pas ira à l'Armée du salut. Je ne veux rien garder du passé, je vais faire peau neuve comme le caméléon. »

Il s'installe provisoirement dans un hôtel et change de style vestimentaire : un costume trois-pièces aux couleurs sobres, des chaussures anglaises et des cravates classiques.

Encore convalescent, amaigri et pâle, il convoque ses

amis devant l'hôtel et, prenant une pose de mannequin, déclare avec solennité :

« Monsieur le docteur a définitivement chassé l'ex-reine de la nuit tropicale. »

Puis il glisse à l'oreille de Julian :

« Viens me voir à l'hôtel. Je voudrais te parler de lui. »

Ce n'est qu'une semaine plus tard qu'ils trouvent le temps de dîner ensemble sur la terrasse de son hôtel, face à la mer.

Les yeux fiévreux, un sourire timide qui change profondément l'expression de son visage, Rodolfo finit par poser à Julian la question qui le tracasse.

« Alors, qu'en penses-tu ? »

Les cent pages dactylographiées sont bien en vue sur un coin de la table comme s'il s'agissait d'un troisième convive.

« Ce n'est pas le livre du siècle. On y sent les influences de W.H. Auden, de E.E. Cummings et du T.S. Eliot de *The Waste Land*. Mais c'est beau, fort, sincère et honnête. Cela mérite d'affronter lecteurs et critiques. Cet homme aurait été un grand poète s'il s'était donné le temps. Je suis prêt à faire lire ce manuscrit à mes collègues de l'université et à le traduire en espagnol.

— Je suis prêt, quand j'irai à New York, à me coltiner toutes les maisons d'édition. Il y en a bien une qui le publiera, pas vrai ? »

Pour mieux cacher son émotion, Rudi lève sa coupe et tous les deux boivent en silence. Il a réservé une table un peu à l'écart, contre un mur d'orangers en fleur et de jasmin.

« Pourquoi souris-tu, Julian ?

— Je pense à Rita Alfaro, ma grand-mère. Elle aurait été ravie de nous tenir compagnie. Elle adorait le jasmin qui représentait pour elle le mariage de La Havane et de son Andalousie natale et entretenait de longues conversations avec ses morts. J'ai hérité d'elle cette habitude.

— C'est curieux, mais depuis que Jerry n'est plus de ce monde, nous nous parlons beaucoup. De son vivant, nous n'évoquions jamais nos problèmes personnels et voici qu'à présent je lui raconte tout. Ce dialogue avec un mort me réconforte plus que les conversations avec les vivants.

— Elie Epstein disait la même chose à propos de sa famille exterminée à Dachau. Pas un jour sans que je ne les voie ni ne les entende... me disait-il. Quant à moi, l'autre jour j'ai eu une vision de ma grand-mère en train de dévisager celui qu'elle considérait comme son ennemi mortel, mon père, assis sur une chaise roulante, muet et absent.

— Je m'en veux de ma lâcheté, Julian. Je n'ai pas eu le courage de rendre visite à ton père. C'était un roc, l'image de la solidité, l'homme inébranlable... et le savoir si diminué... Comment vont les choses à Coral Gables ? »

Julian vide la bouteille de vin dans les verres.

« Je suis passé en coup de vent hier. Ma mère l'a installé dans une chambre sur la rue. Elle a vidé le QG de l'association, tout a été jeté à la poubelle, l'endroit a été repeint, le piano vendu. Un autel bouddhiste occupe un coin de la pièce, comme dans chaque pièce de la maison. Père avait menacé de déshériter toute sa famille, moi y compris. Il voulait tout léguer à ses patriotes.

Est-ce parce qu'il a été pris de court, ou est-ce son sens profond du devoir et de la famille, va savoir ? Il n'a rien changé à son testament, et si son cerveau marchait encore, il mourrait de rage en constatant que ma mère et Gisela ont tout donné à la secte. Elles parlent de créer un ashram en Inde. Après les paniers Sargats, les ashrams Sargats. Pauvre père !

— Si j'ai bien compris, te voilà un homme riche, Julian !

— Pas tout à fait, mon frère. Les dépenses passées de ma mère et les investissements de l'association dans la lutte anti-castriste ont largement entamé notre patrimoine familial. »

Le serveur vient de déposer sur la table des tasses de café et des ballons de cognac français.

« Qui aurait pu imaginer il y a six ans les changements qui se sont produits dans nos vies ? Toi qui ne pensais qu'à quitter Miami, tu t'installes ici. Moi qui ne pouvais imaginer de vivre autre part que sur la calle Ocho, je quitte tout et m'en vais à New York. J'aimerais savoir lire dans une boule de cristal pour voir où nous en serons dans dix ans. Ces changements si abrupts m'angoissent, mais sais-tu ce qui me soutient ? »

Il tend la main pour attraper le recueil de poèmes de Jerry.

« Ceci. Ce chant d'amour secret et pudique que Jerry a écrit pour moi. Bien sûr, il ne l'a jamais formulé de cette façon, mais... est-ce que je me trompe ? Je sens ma présence derrière chaque mot, chaque vers... »

Il serre le manuscrit sur sa poitrine, reste un long moment les yeux fermés puis, sans transition, renverse la tête en arrière et éclate de rire.

« Pauvre de moi ! Triste veuve éplorée, radoteuse et pitoyable ! »

Quand Julian Sargats rentre chez lui tard dans la nuit il est dans un état d'ébriété avancé. Il trouve sa femme au lit, bien calée sur ses oreillers, entourée de dossiers, cahiers et manuels de droit.

« Je croyais te trouver endormie.

— Comme tu vois je suis réveillée. Je joue le rôle de l'épouse éplorée pour me faire pardonner toutes les fois où c'est toi qui m'as attendue. En fait, je voulais me rendre utile, je pensais que la soirée avec Rudi risquait d'être pénible. Mais à voir ton air rayonnant...

— La veuve joyeuse voulait faire ses adieux à Miami-by-night. Je me suis laissé entraîner dans les boîtes les plus folles dont je ne soupçonnais pas même l'existence. Rodolfo était déchaîné : "Nous sommes gay, Julian, ce nom dont on nous affuble n'est pas le fruit du hasard. Nous célébrons le côté solaire de la vie, c'est ce qui fait notre force dans la morosité ambiante de notre époque"... »

Debout, cravate défaite et chemise ouverte sur la poitrine, Julian regarde sa femme qui n'est plus qu'un contour flou. Emma scrute les yeux de son mari devenus sombres, les rides de son front, la moue amère de sa bouche.

« Tu regrettes d'avoir annulé notre voyage en Europe, hein ? »

Elle fait tomber le chargement de cahiers et de livres qu'elle avait sur les genoux, rejette le drap d'un geste large, replie ses jambes contre sa poitrine et les recouvre de sa chemise de nuit transparente.

« Non, je ne regrette pas, nous ne pouvions pas décemment partir... »

Emma resserre ses bras autour de ses jambes et pose son menton sur ses genoux. Il perd le fil de ses pensées. Il revoit l'adolescente de Key Largo le premier soir où elle s'était offerte à lui.

« July... »

Il tressaille. Elle ne l'a jamais appelé ainsi. Sans doute est-ce Gisela qui lui a fait des confidences sur leur adolescence à Cuba.

Emma se lève et se jette dans ses bras.

« Je suis là, July, nous sommes là, toi et moi. Cette ville en exil, comme tu l'appelles, fait pression sur nous mais nous résistons. Et je suis fière de toi. J'aurais accepté d'aller en Europe si tu me l'avais demandé. Tu as pris la décision qui s'imposait. Au milieu de tous ces combats, nous apprenons à mieux nous aimer. »

Miami. Hiver 1983

La confusion règne sur l'aéroport international de Miami. La presse locale, les diverses délégations politiques et les nombreux amis de la famille Alvarez Sierra attendent de pied ferme l'arrivée du commandant Alvarez, libéré une semaine plus tôt à La Havane, après avoir purgé, jour après jour, une peine de vingt ans de prison.

Au cœur de Miami, une plaque indique qu'on entre dans Little Havane. Quand le Commandant franchira cette frontière, l'association qui a travaillé à sa libération a prévu qu'un certain nombre de personnes accompagnent le cortège de voitures jusqu'à la maison des Alvarez Sierra. Du premier étage du balcon où ont été installés des micros le Commandant s'adressera à la foule. Les haut-parleurs transmettront son discours « jusqu'à la place de la Révolution de La Havane, pour que Fidel écoute le témoignage d'un homme enfin libre après vingt ans d'agonie dans ses geôles », précise une large banderole qui couvre toute la largeur de la maison. Les principales têtes pensantes de l'exil cubain, au-delà de leurs opinions divergentes ou de leurs aspirations personnelles à être les guides politiques du Cuba de demain (de Carlos Alberto Montaner et sa Plate-forme démocratique à Mas Canosa et la Fondation cubano-américaine, sans oublier Nazario Sergeant et son Alpha 66), font partie de la délégation qui doit recevoir le vieux prisonnier. Le matin même à la radio un chroniqueur commentait l'étrange unanimité qui s'était faite autour du commandant Alvarez :

« Hubert Matos, Miguel Sales et d'autres prisonniers politiques de notre communauté ont toujours trouvé moyen d'envoyer des messages ou des déclarations politiques à ceux qui, de l'étranger, luttaient pour leur libération. Pas le commandant Alvarez. Il communiquait exclusivement avec sa famille qui nous transmettait, bien sûr, la gratitude du prisonnier pour les efforts que nous faisions. Mais aucun groupe, aucune organisation politique ne peut prétendre avoir reçu le soutien moral du Commandant. Après vingt ans de prison, cet homme reste une énigme. N'appartenant à personne, il appartient à tous, c'est ce que semble indiquer cette unanimité autour de lui. »

Installé à la cafétéria de l'aéroport, Julian se souvient du commentaire de la radio et déplie le journal qu'il vient d'acheter.

SALUONS LA FAMILLE D'UN HÉROS

titre la une avec une grande photo couleur pleine page. On reconnaît à peine Laura Sierra : elle a abandonné ses habits de deuil et porte un ensemble bleu turquoise lumineux, « la couleur préférée de mon mari », comme elle dit dans son entrevue. Une mise en plis ondulée et des cheveux légèrement décolorés encadrent son visage rajeuni. Son rayonnement, se dit Julian, ne vient pas seulement du maquillage et de sa nouvelle coiffure mais de sa force intérieure. Cette femme a défié le temps et elle va accueillir son mari le Commandant avec le sourire et le regard de leur première rencontre.

Laura Sierra s'appuie au bras de Ricardo qui a coupé ses cheveux de mousquetaire, s'est laissé pousser une barbe soignée qui le vieillit et lui donne, selon ses propres mots, « un air convenable de bourgeois bien établi ».

A ses côtés un peu en retrait se trouvent Lino et Ciro qui depuis un certain temps déjà ont perdu leur obsession de se différencier. Ils sont maintenant comme une seule et même personne en deux exemplaires. A quelques variations près du côté de la cravate ou de la couleur des chaussettes, ils portent le même costume élégant et classique, marque de leur réussite sociale et financière. Presque chauves, ils ont pris le léger embonpoint qui sied à leur condition.

« Le conservateur et le contestataire... Non, ça n'était pas une bonne tactique. Savez-vous ce qui rassure aujourd'hui notre clientèle ? C'est d'avoir affaire à une seule personne et deux cerveaux. Deux pour le prix d'un. Ce que Lino dit, Ciro le confirme. Complémentarité au service de la stabilité et de l'équilibre. Garder le cap, avoir une ligne de conduite lisible, claire et déterminée, voilà ce dont les gens ont besoin dans cette ville-pieuvre où les ghettos, la guerre des gangs et la grande délinquance menacent l'ordre établi, cette ville assaillie par des vagues d'immigrés incontrôlables, peuplée d'exilés, convoitée par les entrepreneurs de tout poil, courtisée par les touristes, une ville qui ne sait plus sur quel pied danser. Nous, nous battons la mesure, nous leur donnons le tempo, les deux pieds bien sur terre, un rythme lent, solide, durable. »

La rupture entre Emma et ses cousins s'était produite deux ans auparavant. Bien qu'ils aient fait tout leur possible pour l'entraîner dans leur pas de deux si bien rodé, elle leur avait reproché de ne vivre et respirer que pour amasser toujours plus d'argent, sans hésiter à tremper dans des affaires troubles.

« Fifty-fifty, Emma, n'est-ce pas un deal honnête ? Tu donnes cinquante pour cent de ton temps à tes exilés sans le sou, et le reste tu le consacres aux affaires lucratives. Est-ce trop te demander ?

— Vous faites des compromis douteux, les frères, vous fricotez avec la pire racaille de cette ville.

— Notre cabinet jouit d'un prestige national, Emma...

— Je sais, on vous appelle...

— Quoi, on nous appelle... ? grogne Ciro.

— On vous appelle de Los Angeles et de Las Vegas, ce qui donne bien la couleur de ce prestige. Je n'ai pas le temps de suivre de près toutes les activités et tous les accords de notre firme, mais je ne sais plus où me mettre quand j'entends évoquer devant moi certains de nos clients — de vos clients —, des barons notoires de la mafia américaine.

— Mets-toi où tu veux, réagis comme tu le sens. Tu es notre sainte Jeanne des Abattoirs. Nous sommes les frères corsaires, c'est la force de notre équipe. »

Cette conversation qui avait eu lieu chez eux résonne encore aux oreilles de Julian. Les voix qui s'échauffaient, Emma réclamant des informations précises et les jumeaux se défilant comme ils pouvaient. Puis cette phrase qui avait fait l'effet d'une bombe :

« Non, je ne fermerai pas les yeux devant le blanchiment d'argent ! hurlait Emma hors d'elle.

— Elle nous fout dehors, avait dit Lino en saluant Julian sur le pas de la porte.

— Laisse passer l'orage... », s'était-il contenté de répondre.

Lorsqu'il avait essayé de plaider en faveur des frères, Emma s'était montrée inflexible et déterminée.

« Jamais je ne me rendrai complice de leurs magouilles. Nous ne pouvons plus continuer ensemble. Qu'ils restent mes cousins bien-aimés, mais je n'en veux pas comme partenaires. Dieu fasse qu'ils ne tombent pas un jour sous le coup de la loi. Imagine-toi s'il me fallait les défendre à la barre ? Je me demande même si j'en serais capable. Je m'entends dire devant le juge : vous n'avez que ce que vous méritez, vous êtes pourris, petits frères, l'argent mal acquis corrompt jusqu'aux os. »

Julian passe la main pour aplatir le journal sur la table. Puis il réunit ses deux paumes en forme de lunette ou d'œilleton de caméra et regarde à travers en cadrant le visage de sa femme.

Emma à côté de sa mère, droite, le visage impassible, les yeux fixant l'objectif. Il ouvre lentement une main pour laisser apparaître son image à lui, un peu en retrait. Rien ne semble compter pour lui que la présence de sa femme. Il sait ce que son visage immobile cache d'anxiété, de fierté et de défi. C'est elle qui toutes ces années durant a entretenu envers et contre tous la flamme vivante du souvenir et la dévotion absolue de la famille pour le prisonnier isolé dans sa cellule.

Je vais mettre cette photo sous verre, elle restera comme un symbole. Celui de la libération de trois personnes. Ton père retrouvant la liberté. Pour toi, la fin d'années de luttes et de tensions, et moi qui me sens enfin libre de décider de notre avenir. Tu vas me donner les enfants que j'attends de toi, Emma. T'ai-je jamais dit, ma chérie, que mon contrat à l'université comportait une clause particulière ? Je viens d'envoyer une lettre pour demander l'année sabbatique à laquelle j'ai droit. Dans quelques mois nous pourrons partir. Un an si ça nous chante. Le temps de voyager, de réfléchir... Je viens aussi de t'écrire une longue lettre pour te dire tout ce dont je n'ai jamais voulu te parler au cours de ces années de vie commune. Mes angoisses, mes doutes, mes moments d'exaspération. Bien souvent j'ai eu la tentation de partir, m'imaginant t'écrire de l'autre bout du monde. D'Islande, de Patagonie, que sais-je ?... Je suis là, aux confins du pôle Nord, ou du Sud, peu importe... rejoins-moi si tu m'aimes. Ici, tu verras comme tout semble dérisoire, comment les choses se relativisent. Mais si je ne t'ai pas dit ce que je ressentais, c'est que tu n'étais pas prête à l'entendre : les années de bonheur de l'enfance et de l'adolescence ; ces quelques mois de Révolution qui ont changé le cours de ma vie, lui ont donné un sens. Au milieu de ces bouleversements qui transformaient d'heure en heure le paysage quotidien, je me disais « tout redevient possible ». S'ils effrayaient mon père, ces changements étaient pour moi le début d'une vie nouvelle, la naissance d'un monde. Plus tard à Boston, souvent l'envie m'a pris de rentrer à Cuba. J'étais prêt à plonger dans l'inconnu. Lorsque je t'ai rencontrée... Mais ce désir de retour aux sources ne m'a jamais quitté. Miami est pour nous une cloche fermée, Emma, nous nous battons contre des moulins à vent. A force de ne rêver que de revanche, nous courons le risque de perdre le sens de la réalité. Prenons de la distance, allons voir ailleurs ce qui s'y passe. Qui sait, la révolution est peut-être à refaire ?

*Donnons-nous la chance de mieux comprendre, don-
nons-nous de l'espoir, Emm...*

« Julian ! »
A l'autre bout de la cafétéria, Lino le sort de son rêve
éveillé. Le nœud de cravate relâché, la chemise ouverte
sur la poitrine, toute de travers. Julian dépose un billet
de dix dollars sur la table : ce jour de fête pour la famille
Alvarez doit profiter à tous ! La serveuse guatémaltèque
pourra bénir dans ses prières le client anonyme qui lui a
laissé un si généreux pourboire pour une tasse de mauvais café.
« Julian !
— Lino, que se passe-t-il ?
— Le bordel, mon frère, c'est le bordel. »
Il pose un bras sur l'épaule de Julian et le pousse en
avant sans tenir compte du flot de passagers qui débarquent avec leurs chargements de valises, sacs et radiocas-
settes encombrantes.
« Excuse-me ! Pardon ! Please ! Pardon ! » dit-il en distribuant de généreux coups de coude pour se frayer un
passage dans la foule.
En un rien de temps ils se retrouvent au parking.
« La prison a eu raison du cerveau du commandant
Alvarez. Il refuse de parler aux journalistes. Il ne veut
pas d'escorte officielle à travers la ville ni de discours à
la foule. Il refuse tout, le couillon !
— Pourquoi ?
— Va savoir... Ricardo a préparé une réception
royale. Notre héros est là ! Fêtons le retour du père ! Et
sais-tu ce qu'Alvarez a dit à son fils : "Décommande tout
ce cirque. Je suis ici en tant que personne privée, comme
tous les autres voyageurs de cet aéroport." Tu te rends
compte ? Vingt ans dans les prisons de Castro et il se
prend pour un voyageur anonyme. Sénile, je te dis ! Nous
attendions le comte de Monte-Cristo venu racheter vingt
ans d'amertume et nous avons droit à Greta Garbo lançant à la foule de ses admirateurs *"Please, kids, I want
to be alone !"*
— Où m'emmènes-tu, pourquoi cette hystérie ?

— Le Commandant veut te voir.

— Moi ?

— Oui, toi. Le directeur de l'aéroport qui est un pote à moi s'est arrangé pour faire sortir Alvarez par une porte dérobée.

— Pourquoi moi ?

— Il paraît que depuis ton mariage avec Emma vous entreteniez une correspondance régulière. Ça fait une heure que je te cherche. Je m'attendais à te voir sabrer le champagne au bar des VIP et je te trouve dans cette cafétéria minable.

— Où sont les autres ?

— Ils essayent de rattraper le coup. Ricardo fait face à la fureur des journalistes, Emma et Ciro sont partis dare-dare à la calle Ocho pour tenter d'expliquer l'inexplicable aux délégations présentes. Casilda s'est chargée de ramener la pauvre Laura effondrée à la maison. On a frôlé le lynchage. Quant au Commandant, il t'attend sagement dans ta voiture. »

L'homme est grand, les cheveux grisonnants, une fine moustache souligne ses lèvres bien dessinées. Un visage aigu aux pommettes saillantes et un regard d'une grande intelligence. Des yeux noirs anthracite qui vous fixent sans vous lâcher et d'où se dégage une sorte de bienveillance. Il a le corps sec et nerveux d'un homme qui a su se maintenir en vie pendant vingt ans de solitude, d'enfermement et de mauvais traitements.

« Julian...

— Commandant... »

Pas d'accolade à la cubaine mais une solide poignée de main suivie d'un long regard pénétrant. Lino en profite pour s'éclipser.

« Je vais donner un coup de main à Ricardo. Je vous conseille de filer au plus vite, si vous ne voulez pas que les paparazzi vous tombent dessus...

— Conduisez-moi au bord de la mer, loin de cette foule », demande le Commandant. Julian décide d'aller chez Zapata, l'heureux Indien qui a hérité de la maison de sa patronne, Manouchka Epstein. C'est le seul endroit de

Miami à sa connaissance où ils pourront être tranquilles...

L'Indien a transformé la villa en maison de retraite pour vieillards, « des personnes très âgées qui attendent la mort ». Depuis le décès de sa patronne survenu trois ans auparavant, Zapata s'occupe d'eux avec une totale dévotion.

Il demande des sommes fabuleuses aux familles riches qui veulent se débarrasser de leurs vieux, afin de pouvoir distribuer des « bourses de mort » aux familles les plus pauvres, comme il dit.

« L'argent n'a rien à voir dans cette histoire, explique Zapata avec son accent doux. Riches ou pauvres, Noirs ou Blancs, tous ont perdu le sens de l'éternité, même mes frères Indiens. Chez nous autrefois on vénérait les anciens. Les vieux étaient source de bonté et de sagesse. Aujourd'hui partout on les abandonne, on les laisse mourir dans la solitude, on les jette dehors comme des chiens. Ces vieux qui viennent mourir ici me donnent beaucoup de bonheur et m'apportent de la lumière. »

Zapata et sa famille du troisième âge n'occupent que le rez-de-chaussée de la maison. L'étage supérieur est resté tel quel depuis la mort de Manouchka.

« La chambre de ma patronne est à la disposition de ses amis, de ceux qu'elle aimait, comme vous et votre épouse, Monsieur Julian. Venez vous reposer ici quand vous voudrez, emmenez vos amis. »

L'Indien a adopté aujourd'hui une blouse blanche d'infirmier et lui qui allait toujours nu-pieds porte à présent des chaussures de tennis.

« Pour faire bonne impression aux familles de mes hôtes. Pour eux, un Indien sans chaussures est un sauvage. »

L'Indien leur a apporté un repas léger puis il s'est effacé pour vaquer à ses occupations.

Les deux hommes sont assis sur la terrasse. Le soleil commence à décliner. Une symphonie de couleurs embrase le paysage donnant aux maisons, au sable et à la mer une teinte surréelle. Le visage du Commandant passe du rose au bleu. Zapata pour fêter la circonstance a sorti des réserves de Manouchka une bouteille de Bacardi anejo, sa boisson préférée avant d'aller en prison.

« Un authentique Bacardi cubain. Il a vieilli dans un placard, comme moi dans ma prison. Sais-tu Julian ? La prison conserve ou tue. Voyons si ce rhum a bien ou mal tourné. »

Quand le soleil disparaît derrière la ligne d'horizon, la bouteille est presque vide.

« A la nuit ! dit Julian, levant son petit verre de rhum.

— A la nuit ! répète Alvarez dans un même geste. La mer. Voilà ce qui m'a manqué le plus, Julian, la mer. Je suis né au bord de l'eau, à Baracoa. Et avant mon incarcération je n'avais pas passé un seul jour sans voir la mer. Je pouvais me priver de tout, sauf d'elle : regarder le mouvement des vagues, respirer l'air du large, contempler le ciel et le soleil couchant. Au début, j'ai failli mourir d'asphyxie entre ces quatre murs aveugles. Puis peu à peu ce qui m'accablait a fini par me donner l'énergie nécessaire. Puisqu'on te prive de ce qui t'est vital, me suis-je dit, tu dois résister, jusqu'au jour où tu verras de nouveau l'océan, à perte de vue devant toi. Cette seule idée m'a donné la force de survivre, de vaincre. J'ai tenu bon et me voilà... »

Presque sans transition, Alvarez commence à raconter la prison à son beau-fils. Les journées monotones et sans fin, les tracasseries de ses gardiens quand, à Miami, le cas Alvarez commençait à faire des remous.

« Pour être honnête, je dois te dire que j'ai eu droit à toutes les vilenies possibles. Les gardiens fanatiques ou sadiques qui me privaient de nourriture, d'eau, m'empêchaient de dormir, les tortures psychologiques du style "Radio Marti a annoncé la mort de votre femme... votre fille a eu un accident, elle est paralysée des deux jambes". J'ai appris à lire dans leurs regards, à traduire leurs mots. Je savais quand ils mentaient, quand ils disaient vrai. Il y avait les "neutres" aussi, ceux qui exécutaient leur tâche comme des automates. Parmi eux certains étaient des gens simples, des paysans qui croyaient sincèrement que la Révolution devait être sévère mais juste. C'est un de ces gardiens qui m'a donné un jour *les Chemins de la perfection* de Thérèse d'Avila.

Je n'avais jamais lu les pensées de cette religieuse. J'ai commencé par feuilleter le livre, puis à lire certains passages, dans le désordre, puis à les relire, à les étudier. Enfin, j'ai appris par cœur des pages entières.

Je ne suis pas un homme religieux et ne le serai jamais. Mon père, un anarchiste militant, m'avait nourri de Bakounine. A quinze ans, pour m'opposer à lui, j'ai dévoré Lénine, Staline, Marx... Dans ma conception du monde, Dieu a toujours été absent. J'ai donc fait une lecture de Thérèse d'Avila tout à fait païenne. J'ai retenu de son expérience de l'extase mystique le message suivant : la terre est notre seule référence, c'est ici que se mènent les combats décisifs. Ici-bas, sur les routes arides d'Andalousie où elle s'écorchait les pieds dans ses sandales, endurant la soif et le froid pour construire des couvents à travers toute l'Espagne. Pourquoi tous ces couvents, me suis-je demandé ? Je crois avoir trouvé la réponse. Ça n'était pas seulement pour construire un temple à la gloire du Seigneur. Cette femme voyait au-delà des apparences. C'était une façon d'inscrire son combat sur la terre, au-delà de simples batailles pour un pouvoir temporaire, séculier et religieux. Les hommes passent, les tyrans meurent, la pierre reste. Les politiciens se trompent toujours d'objectif. On ne fait pas avancer l'humanité au pas de l'oie ou à coups de trique. Les chemins de la perfection sont ailleurs. Je ne suis pas venu à Miami pour hurler "Mort à Castro, à bas la Révolution !" mais pour construire pierre à pierre ma maison avec tous. Une demeure bâtie sur la générosité, le partage, l'intégrité et le don de soi, une maison pour les hommes. Un couvent à l'abri des passions. Voilà ce que j'aurais voulu vous dire, à toi, à Laura, à Emma et à Ricardo. Mais mon courrier était étroitement surveillé, et les feuilles de cigarettes que je vous faisais parvenir clandestinement ne me le permettaient pas. »

L'obscurité est tombée sur la terrasse et la voix du Commandant dans la pénombre prend une résonance particulière. Lui qui n'a pas parlé depuis vingt ans ne peut plus s'arrêter.

« En prison, il y a ceux qui parlent et ceux qui se taisent. Cela dépend du caractère de chacun, bien sûr. L'angoisse, la rage peuvent vous pousser à une verborragie aveugle. On parle aux gardiens, aux prisonniers derrière les barreaux, aux murs, aux barreaux même. Tout est bon pour délirer. Puis il y a les taciturnes, ceux qui écoutent et se taisent. Je faisais partie de cette catégorie. J'ai choisi le silence et j'ai fini par l'aimer, par avoir honte de toutes les paroles vaines prononcées dans le passé. Ainsi, j'ai appris à réfléchir et à ressentir, et j'espère ne pas perdre cette habitude une fois la liberté retrouvée. »

Suit un long silence que Julian ne peut se résoudre à rompre.

« A travers vos lettres, j'ai appris à vous connaître, toi, Emma, ma femme Laura et Ricardo. Un jour, Emma m'a écrit "Julian est une sorte de saint Jean de la Croix, la foi en moins..." Elle s'en voulait de te retenir à Miami. Elle pensait que si tu partais ailleurs tu aurais le courage d'écrire les livres que tu n'as jamais écrits. Elle disait que si elle restait à Miami, c'était pour moi. Je le sais. Mais il est temps d'en finir avec ces chaînes invisibles qui nous retiennent les uns aux autres. Il est temps de retrouver sa liberté, de prendre chacun pour soi les décisions qui s'imposent. Voilà pourquoi je ne vous ai rien dit avant mon retour. Je me doutais que je serais reçu en héros. J'aurais pu obtempérer, me prêter de bonne grâce aux cérémonies, aux discours. J'ai repensé à Thérèse d'Avila qui mieux que quiconque savait que les actes sont plus forts que les paroles. C'est dur pour ma famille et vos amis, je le sais. Mais je veux recommencer ma vie d'homme libre sans ambiguïtés. Et pour l'instant, je ne peux que garder le silence. »

Une étoile filante tombe dans le ciel. Combien de nuits étoilées ont-ils passées avec Emma et Manouchka sur cette même terrasse, à rêver du jour où tous se trouveraient réunis autour du Commandant !

« Il est temps d'en finir avec les chaînes invisibles », répète le Commandant.

Micros, haut-parleurs, banderoles et pancartes ont été décrochés.

Chez les Alvarez Sierra les portes et les fenêtres sont closes mais on peut voir percer la lumière au travers des volets et des rideaux de tulle.

Julian descend de voiture et prend congé de son beau-père. Après une longue conversation, ils se sont mis d'accord : Alvarez fera face, tout seul, au chagrin ou à la rancœur de sa famille.

« Je ne me fais pas d'illusions, je viens de porter un coup rude à leurs espoirs. Depuis vingt ans ils mènent un combat qu'ils voudraient que je continue. Je n'y peux rien. Je ne rentre pas dans les normes. La prison a fait de moi un outsider mais aussi un homme indépendant. Le prisonnier d'hier ne revient pas avec des désirs de vengeance mais en colombe pacifique. Pour eux, forcément, cela doit être dur à avaler. »

Les deux hommes se serrent longuement la main et Julian regarde le Commandant s'éloigner vers la demeure familiale.

Lui non plus ne se fait pas d'illusions : les retrouvailles risquent d'être difficiles et de durer une bonne partie de la nuit. Sachant qu'il ne pourra trouver le sommeil avant le retour de sa femme, il s'apprête à se mettre au travail.

Il a promis à ses élèves de leur projeter un film de montage réalisé par une de ses amies, Nuda Casarosada. Le film est constitué d'archives de la télévision américaine et hispano-américaine et d'un tournage réalisé par Nuda au moment de l'exode du port de Mariel en 1980. Il doit préparer le commentaire.

Micro en main, Julian met le magnétoscope en marche.

« Que nous disent ces images ? Un port cubain, Mariel, pratiquement inconnu du reste du monde jusqu'à ce jour. Devenu célèbre par l'exode spontané de 125 000 personnes qui prennent la mer après que Fidel Castro a déclaré : "Que ceux qui veulent partir le fassent" — phrase qui provoque l'émoi dans la communauté cubaine de Miami.

Prises de vues d'hélicoptère... ces centaines d'embarcations improvisées défient vents et courants marins de l'ancien détroit de Floride pour aller à la rencontre de leurs amis et de leurs parents.

Et maintenant, l'envers de la médaille... Ces images proviennent des actualités cubaines. Elles montrent le cordon de policiers qui retient une foule amassée sur le port, une foule dont le seul objectif est d'insulter et de malmener ceux qui ont choisi l'exil ! "Vers de terre ! Chiennes ! Traîtres ! Fils de pute !"

Le cordon policier est brisé. Des hommes et des femmes attaquent à coups de bâtons et de pierres les postulants à l'exil, vieillards, enfants et femmes enceintes. Des gens en larmes, d'autres le visage en sang... Et que dit le journaliste de la chaîne de télévision cubaine ? "La milice et la police ont du mal à contenir la colère du peuple contre les traîtres à leur patrie..."

Ici... l'arrivée à Miami de quelques-unes de ces embarcations. Des familles séparées depuis plus de vingt ans se retrouvent dans l'émotion. Certains qui ont profité de ce départ massif pour quitter l'île parlent aux caméras de leur angoisse d'avoir tout abandonné là-bas et de leur espoir de se refaire une vie de citoyens libres aux États-Unis.

L'exode de Mariel a déséquilibré la vie quotidienne à Miami et les autorités doivent faire face à des problèmes urgents. L'hémorragie de Mariel vient d'être stoppée. Cuba a de nouveau fermé le port et aucune embarcation n'a plus désormais le droit de quitter la Floride pour aller ramasser sur les côtes cubaines les candidats à l'exil qui continuent d'affluer dans l'espoir de partir.

Les réfugiés cubains sont triés par les autorités américaines : d'un côté ceux qui ont de la famille, des amis, un dossier en règle... de l'autre ceux qui feront l'objet de recherches et de contrôles, pour lesquels il faudra prendre des décisions administratives.

La rumeur court que Fidel a profité de cette ouverture pour laisser partir fous, délinquants et repris de justice, vidant ainsi l'île des éléments indésirables et dangereux. »

Julian ne peut s'empêcher de sourire : son amie Nuda a mélangé aux stock-shots d'actualités quelques séquences d'un documentaire qu'elle a réalisé.

Vivant sous les ponts, parqués dans des tentes de fortune de l'armée et entourés de barbelés, des centaines de Cubains attendent que soit réglée leur situation administrative.

Un groupe d'homosexuels. Un mûlatre au torse d'athlète, bouche rouge vif et pommettes barbouillées de maquillage bat des cils en murmurant d'une voix rauque et langoureuse dans le micro que Nuda lui tend : « J'ai connu deux camps de concentration dans ma vie, celui de l'UMAP à Cuba quand le gouvernement de Castro a décidé d'enfermer tous les pédés. Et celui-ci. Parqués derrière des barbelés, en Amérique. Tu me demandes ce que j'en pense ? Sous le joug communiste ou au pays de la liberté, le résultat est le même : on enferme les folles parce qu'on ne les supporte pas. Pourquoi ? Parce que nous sommes les seuls êtres vraiment libres sur cette planète ! Nous autres les pédales, ils ne peuvent pas nous encadrer ! »

Cette déclaration de principe est suivie d'une explosion de rire : la joyeuse bande s'aligne en rangs serrés, façon Chorus Line, et se met à danser et chanter l'hymne de l'indépendance sur un air de cha-cha-cha.

Julian fait un arrêt sur image. Nuda s'est amusée à suivre un homme à la silhouette pitoyable. Petit, presque chauve, mal rasé, le pantalon tombant sur les hanches, des tennis sales et une guayabera toute graisseuse. Ce triste personnage semble faire des emplettes, un panier sous le bras. Il se rend compte que la caméra le suit et se retourne, fait un sourire, un sourire pathétique qui ressemble à une grimace.

Lorsque Nuda Casarosada lui avait montré son film la première fois, Julian avait immédiatement reconnu sur ces images son professeur vénéré Armando Argüelles, l'éminent spécialiste de littérature classique espagnole du lycée de La Havane. La façon obsessionnelle avec laquelle Nuda s'était évertuée à repérer et à suivre des cas de personnes atypiques et plus ou moins pathétiques dans la Petite Havane l'avait conduit à s'arrêter sur celui que, dans son langage rude, elle appelait « une vieille tante perdue dans la jungle de la calle Ocho ».

Julian avait réussi à retrouver l'adresse de son ancien professeur. Il habitait une petite chambre dans une pension minable à la frontière du quartier noir.

« Pourquoi n'êtes-vous pas venu me voir ? demanda Julian au professeur.

— Je me fais oublier. Je préfère tout oublier », avait répondu l'homme, la voix brisée. A force de patience et de persuasion, Julian avait encouragé le professeur à lui raconter son histoire.

Armando Argüelles exerçait avec sérieux et compétence son métier d'enseignant. Il était respecté des autres professeurs, aimé par ses élèves.

En 1965, en pleine vague de répression morale et politique à Cuba, un type malveillant accusa Argüelles de « pervertir » ses élèves et de les détourner de leurs devoirs révolutionnaires. L'accusateur était le chef du service de nettoyage. Ancien admirateur du dictateur Batista, l'homme du jour au lendemain était devenu un adepte fervent du marxisme-léninisme. Il nettoyait les chiottes en uniforme de milicien, ne ratait pas une réunion de son « centre de travail » et se portait volontaire pour aller couper la canne à sucre, se distinguant par son fanatisme révolutionnaire.

Cet homme jura qu'il avait surpris un soir Argüelles en train de sodomiser un garçon de treize ans sur le bureau d'une salle de classe, et pour soi-disant protéger l'honneur de la famille, l'employé refusa de donner le nom du jeune homme. Il fallait le croire sur parole. Les autorités du lycée, disait-il, savaient parfaitement de qui il s'agissait.

« C'était l'époque, raconta le professeur, où à l'université, dans les lycées et les centres de travail des tribunaux révolutionnaires condamnaient sans appel les "antisociaux" et ceux qu'on qualifiait de parasites. Devant cette grotesque accusation, quelques collègues ont tenté mollement de prendre ma défense. Un petit groupe d'élèves plus courageux a signé une pétition en ma faveur. Les choses commençaient, semble-t-il, à se calmer lorsqu'un gamin roublard et paresseux, le dernier de la classe qui s'asseyait toujours au fond pour chahuter, jura que je l'avais violé. Je n'avais jamais eu le moindre contact privé avec lui. C'était le neveu de l'employé qui m'avait dénoncé. Tous mes efforts pour déjouer cette sinistre mascarade furent vains. Je m'attendais au pire, à la prison, mais tout paraissait tellement incongru — j'avais un dossier professionnel irréprochable — que l'université se borna à demander ma démission "pour raisons de santé". Ecœuré, j'ai obtempéré. On ne me laissait guère le choix.

Depuis quinze ans que j'ai quitté l'université j'ai fait un tas de petits métiers pour survivre. J'ai appris ce que le mot "déclassé" veux dire.

Un jour que je promenais mon désœuvrement et ma tristesse dans La Havane, j'ai entendu à la radio qu'on ouvrait le port de Mariel à ceux qui voulaient quitter l'île. Je n'ai pas hésité. J'ai rassemblé quelques affaires et attrapé un omnibus bondé qui m'a conduit au port. Avec les autres, j'ai subi les injures de la foule, fait la queue pour présenter ma carte d'identité et donner mon adresse. C'est là que j'ai fait la connaissance d'un jeune écrivain dont je n'avais jamais entendu parler. Me voyant perdu, affolé à l'idée qu'on ne me laisserait pas partir, le jeune homme m'a glissé à l'oreille : "Faites comme moi. Il paraît que si vous déclarez que vous êtes homosexuel, ils vous laissent partir sans problèmes." Il a été appelé avant moi. Je l'ai vu s'éloigner, puis il s'est retourné et m'a souri avant de se perdre sur le quai. Cela m'a donné du courage. Quand mon tour est arrivé et qu'on m'a demandé le motif de mon départ, j'ai dit sans hésiter homosexuel. J'avais toujours mené une vie sexuelle discrète, persuadé que seuls comptaient au regard des autres mon talent et la rigueur de mon travail. Ce jour-là sur le port de Mariel, je me trouvais soudain dépouillé de tout ce que j'étais, de tout ce que j'avais fait. Je n'étais plus qu'homosexuel. »

Julian avait prié Nuda Casarosada de retirer du film le passage sur Argüelles, mais elle avait refusé en l'accusant de trafiquer l'histoire comme les communistes qui enlevaient ou rajoutaient les personnages tombés en disgrâce des films et photos d'archives.

« Hubert Matos, Carlos Franqui, tous ceux qui ont disparu de l'iconographie de la Révolution cubaine pour faire oublier qu'ils étaient les compagnons de lutte de la première heure à côté de Castro... et tu veux que je fasse pareil ? »

Mais Nuda, finissant par se rendre aux arguments de Julian, coupa les images de l'infortuné professeur. Elle l'aida même à trouver un poste de correcteur d'épreuves au *Nuevo Herald* de Miami.

Sur l'écran, des images d'un journal télévisé de l'époque montrent une famille qui se retrouve après quinze ans de séparation.

« Si je commente ces images pour vous, poursuit Julian, c'est parce que j'ai envie de vous dire, à vous, la génération des étudiants cubains qui ont grandi en Amérique : apprenez à regarder au-delà du politique, apprenez à regarder l'Histoire. Les histoires de chacun... car ce qui caractérise ce siècle depuis sept décennies, n'est-ce pas une longue succession de ruptures et de séparations ? La guerre de 14-18, la révolution bolchevique en Russie, le triomphe du nazisme et du fascisme en Europe, la Seconde Guerre mondiale, la Révolution cubaine, les bombes d'Hiroshima et de Nagasaki, les goulags staliniens, la solution finale hitlérienne. Une longue suite d'horreurs et de tragédies. Sans compter un phénomène tout aussi dévastateur et plus sournois que les horreurs énumérées ici, je veux parler de la souffrance provoquée par ce qu'on appelle avec une fausse pudeur délicieuse "la raison politique". Cette folle raison qui, tout au long de ce siècle, a séparé le père et le fils, la sœur et le frère, a retourné l'ami contre l'ami. Cette raison politique qui a remplacé la foi religieuse tombée en désuétude. Tous ici à Miami, nous sommes ses enfants, et ces images de l'exode de Mariel parlent mieux que des dizaines de livres. Personne ne peut traduire ce qu'exprime le visage de cette vieille femme débarquée en Floride et qui retrouve son fils et des petits-enfants après des années de séparation et d'attente.

Sans nous en rendre compte, nous partageons les souf-frances et les joies de tous les exilés de la terre. La nostalgie du pays. Plus le temps passe, plus le retour au pays d'origine semble lointain et plus les divisions entre nous grandissent.

Je vois l'exode de Mariel comme une répétition générale de ce qui risque d'arriver un jour dans l'autre sens, je veux dire de la Floride vers Cuba. Imaginez seulement... Un jour le régime cubain s'écroule, les barrières tombent, les changements sont possibles. Cuba tendra la main à Miami et Miami tendra la main à Cuba. Nous boirons au rhum de la liberté, un Cuba Libre au Coca made in USA. Aux Cubains de préparer des lendemains qui chantent ou qui pleurent. Mais ce jour arrivera, vous pouvez en être sûrs. Alors pourquoi continuer à crier au scandale quand un "communiste" de Castro rencontre un exilé ou quand un exilé rencontre un "communiste" de Castro ? Demain, soyez-en sûrs, ils se donneront la main... »

Julian coupe le magnétophone et tend l'oreille. Il vient d'entendre la voix de Kathleen Ferrier dans les *Kindertotenlieder* de Gustav Mahler.

C'est le signe qu'Emma est de retour.

Un rituel. Elle pose le disque de Kathleen Ferrier sur la platine, ôte ses chaussures à talons et se sert un whisky sec avec quelques glaçons.

« Certaines personnes lorsqu'elles sont stressées ou très émues attrapent des maux de tête. Moi, c'est dans les pieds. Mes pieds me brûlent, le sang afflue dans les orteils. Enlever ses chaussures, mettre ses jambes en l'air, c'est le seul remède. Le whisky ? Mais c'est pour la mauvaise humeur, pardi ! La voix de Kathleen me transporte sur d'autres rives et le chant des enfants morts relativise mes problèmes. Tout cela aidant, je suis prête à me réconcilier avec mon pire ennemi, sauf Castro, inutile de le dire. »

Julian va dans la cuisine et trouve sa femme pieds nus, les jambes posées sur une chaise, un verre de whisky à la main et les yeux fermés.

La voix de Kathleen Ferrier s'élève comme une eau pure :

Nun seh'ich wohl, warum so dunkle Flammen

Julian respecte ce rituel. Lui aussi a ses « trucs ». Il se verse un whisky-soda et s'assoit à table, attendant qu'Emma se livre.

Ils boivent en silence. La voix de Kathleen Ferrier s'est tue depuis longtemps. Emma n'a pas bougé, n'a pas dit un mot. Elle se borne à boire et tend le bras pour que Julian remplisse son verre.

Julian sait que sa femme ne supporte pas l'alcool et qu'elle est capable de perdre très vite ses moyens. Quand il lui propose d'aller se coucher, elle refuse d'un geste obstiné et lui tend à nouveau son verre. Julian sait comme elle peut être énervante dans de pareilles circonstances.

« Mon signe du Capricorne et mon ascendant Taureau font de moi ce que je suis, que tu l'aimes ou pas ! » avait-elle proclamé une fois quand Ricardo lui reprochait cette tendance qu'elle avait à couper les ponts brutalement et à s'enfermer dans une révolte muette.

Se sentant impuissant à sortir sa femme de son désespoir, Julian remplit à son tour son verre de ce malt vieux d'un quart de siècle, un moyen radical pour tomber rapidement dans l'inconscience et dans l'oubli.

Ai-je rêvé ? Ces souvenirs d'une nuit de folie que je consigne dans ce cahier ne sont-ils que les images confuses d'un cerveau imbibé d'alcool ? Comme au plus beau jour de mes premières nuits d'amour avec Emma à Key West, ma peau garde les traces de ses morsures et de ses griffes.

Ni moi ni personne n'a su mesurer le choc que l'attitude du commandant Alvarez a provoqué chez sa fille.

L'image du héros est tombé en miettes, la forteresse invisible s'est écroulée. Alvarez a fait de sa fille une orpheline spirituelle. Tous les appuis sur lesquels elle s'est construite depuis son enfance se sont effondrés d'un seul coup. Elle s'attendait à tout, sauf à ce refus qui sonnait pour elle comme une trahison à ses convictions et celles de sa communauté. Le commandant ne semble pas avoir imaginé la douleur de sa fille qui n'a pas compris son refus catégorique de se prêter au jeu des règles établies.

Hier soir Emma délirait, c'était sa façon d'exorciser ses démons et sa peine. Je le sais. Elle me serrait de toutes ses forces, me lacérait le dos avec ses ongles et, dans son excitation sexuelle, me suppliait de la frapper. Ses cris étaient ceux d'un animal blessé hurlant sa douleur.

Quand, enfin apaisée, elle s'est endormie dans mes bras, ce n'est pas un mot d'amour plein de tendre reconnaissance qu'elle a prononcé, comme tant d'autres fois, mais cette phrase terrible :

« Mon père... je le hais ! »

Un cri sorti du cœur.

A présent il va nous falloir vivre avec ce cadavre entre nous.

Une semaine après le départ d'Alvarez et de sa femme Laura pour Vaca Key, Ricardo fit son intervention à la radio, une intervention annoncée à grand tapage dans la presse, et très attendue.

En route pour l'université, Julian écoute son beau-frère. Des propos plus insidieux et pervers que délibérément agressifs.

L'argument qui revient comme un leitmotiv, c'est que son père est un homme fatigué. Le vaillant soldat de la période héroïque a été psychologiquement brisé par les trahisons idéologiques de ses amis révolutionnaires.

« Mon père luttait contre Batista. Il avait cru aux promesses de Fidel Castro dans la Sierra Maestra qui prétendait défendre la liberté et l'indépendance de l'île. Quand il a réalisé que Cuba était en train de devenir un bastion communiste et totalitaire, mon père s'est senti moralement anéanti.

... Vingt ans, voilà le prix que cet homme a dû payer pour avoir eu le courage de se confronter aux marxistes cubains. Je comprends sa fatigue, mais... »

Le « mais... » reste en suspens. Ricardo sait très bien

jouer des effets de silence. Quand il reprend, le ton a changé. Commence alors un réquisitoire sans pitié (il ne nomme plus son père une seule fois) contre tous ceux qui, en cette fin novembre 83, ont la faiblesse de croire qu'on peut composer avec le gouvernement de Castro.

« Je sais, vingt-quatre ans de dictature, c'est long. Depuis le 1er janvier 1959, jour du triomphe de la Révolution, ceux qui ont choisi l'exil n'ont cessé de rêver. Castro va tomber, demain, après-demain... et un quart de siècle plus tard, il est toujours là. Les vieux exilés, ceux que la nostalgie de l'île travaille comme l'érosion, continuent de rêver : des Républicains sont bien rentrés en Espagne sous Franco, pourquoi pas nous à Cuba ? Ce n'est pas la première dictature que notre pays ait connue... Les naïfs... »

Le ton monte et Ricardo se livre à présent à une diatribe en règle contre l'insupportable naïveté de ses concitoyens.

« Par les temps qui courent, la naïveté est criminelle... »

Il s'échauffe, s'emballe, accélère le rythme, le débit devient légèrement hystérique... encore un peu et l'on croirait Fidel et ses discours monomaniaques, se laissant emporter tour à tour par la colère, l'enthousiasme et l'émotion, entraînant derrière lui tout un peuple subjugué. Un style que bon nombre de politiciens de l'exil copient malgré eux, comme pour exorciser le pouvoir de Castro.

Agacé, Julian éteint la radio.

De son bureau, il appelle Laura à Vaca Key. Il s'en doutait, elle n'a pas pu s'empêcher d'écouter l'intervention de son fils.

« Oui, nous l'avons entendu.

— Le Commandant aussi ? demande Julian étonné.

— Bien sûr. Ricky n'a pas été trop dur avec son père, n'est-ce pas ? Mais... le voilà, je te le passe.

— Je l'ai bien écouté, dit le Commandant d'une voix sereine. Son algarade répond à mon silence. C'est la loi de l'équilibre. Le père se tait, le fils hurle. » Et sans transition, le vieux Julio Arsenio Alvarez annonce à Julian qu'ils ne comptent pas rester à Vaca Key.

« Trop de yachts, de bateaux de plaisance, trop de bruit. Nous avons trouvé un coin de paradis, à Big Pine Key, du côté de Bahia Onda, une maison complètement isolée, entourée d'arbres magnifiques et d'une végétation luxuriante, comme aux Antilles. C'est une vieille baraque des années 30 construite par un écrivain de polars britannique. Il y aura de la place pour vous tous. Emma et toi... Je veux dire, si elle a envie de venir nous voir... Ce qui n'a pas l'air si évident, à entendre son frère. »

Le Commandant ne se fait pas d'illusions. Par son refus de prendre les armes contre Castro il s'est aliéné le respect, sinon l'amour, de ses enfants.

« Comptez sur moi, je viendrai vous voir », dit Julian avant de raccrocher.

Le soir même, Emma et Julian se rendent à une réception en hommage à Elie et Manouchka Epstein. A leur mort, un couple de jeunes stylistes — Carmen et Sarita Leiva — avait hérité de leur galerie d'art à condition de rester fidèle aux principes qui avaient été les leurs (c'était précisé dans le testament), à savoir la défense et l'illustration de la modernité dans ce qu'elle avait de plus hardi et de plus insolent, à condition aussi d'y exposer les jeunes créateurs d'origine cubaine.

Pourtant l'esprit de la galerie a radicalement changé.

« Carmen et Sarita n'ont aucune sensibilité artistique, ce sont surtout des femmes d'affaires avisées », entend-on dans les milieux concernés.

Fini la déco baba des années Epstein, le style se veut « post-moderne, design new-look et mélange d'influences diverses », disent les filles. Vidéos et gadgets électroniques en guise de bouquets de fleurs, écrans de téléviseurs et œuvres minimalistes, installations conceptuelles... on se croirait dans une bande dessinée techno, un hypertexte en trois dimensions, un cyber-espace pour clones dernier cri.

A l'époque du couple Epstein et sous l'influence de Rudi-Ruby, les défilés de mode bon enfant montraient des modèles économiques, avec un goût prononcé pour le kitsch, destinés à la jeunesse de Miami. Les filles étaient bien en chair, grassouillettes et gaies, les garçons beaux et simples. Croyant aux vertus du métissage Ruby choisissait toujours, à la grande joie de Manouchka et d'Elie, des jeunes Noirs ou des mûlatres cubains et haïtiens, des Chicanos et des Portoricains, rarement des Blancs.

Carmen et Sarita ont une préférence pour les grandes filles longilignes au teint d'endive, les mannequins masculins au look androgyne et sophistiqué. Elles revendiquent « une tendance plus européenne, plus proche de l'avant-garde de New York, Paris, Milan : Paco Rabanne, Moschino, Jean-Paul Gaultier... » Leur intelligence du marketing consiste à savoir l'adapter au goût de la Floride : des caleçons et bodys moulés, des couleurs criardes, des motifs ananas et palmiers, du dévêtu suggestif et hard, des matières synthétiques brillantes.

Emma, écœurée, glisse à l'oreille de Julian :

« Une garde-robe de perroquets, regarde-moi ce zoo ! »

Changement notable dans la musique aussi : adieu Ravi Shankar, Pink Floyd et Doors, l'heure est au rock pur et dur, aux synthétiseurs, à ce qui cogne et crie. « De la musique de sourds », renchérit-elle, nostalgique.

Le public est plutôt yuppie. Les ados cubains ont laissé la place à la génération des 25-30 ans. Jeunes cadres dynamiques, hommes d'affaires américains et leurs épouses, du beau monde bien nourri, bien bronzé et bien propre.

Seule note rétro dans le décor : une grande photo d'Elie et de Manouchka Epstein grandeur nature est accrochée au mur du fond : vêtus de longues tuniques indiennes avec une couronne de fleurs sur le front, ils se tiennent par la main et arborent un sourire angélique.

« Nom d'une chienne vérolée ! Ces salopes ont le culot de mettre leur photo ! Les pauvres doivent se retourner dans leur tombe en voyant ce qu'est devenue leur belle et chaleureuse galerie. Foutons le camp, Julian, ces deux-là me font gerber ! »

Et eux qui avaient réservé leur soirée se retrouvent dans la rue comme deux chiens errants.

« Qu'est-ce qu'on fait ? On va au ciné ou on rentre ? »

Qu'est-ce qu'on fait ? On reste plantés là, au milieu du trottoir, comme tant d'autres fois dans le passé. Du vivant d'Elie et de Manouchka, combien de fois sommes-nous sortis de leur galerie en catastrophe parce que l'ambiance ne te plaisait pas ? Frivole, disais-tu. Combien de fois m'as-tu demandé, désemparée, qu'est-ce qu'on fait maintenant ? Où va-t-on ? Un soir, plein de punch, je t'ai répondu « au bout du monde » ! Tu n'étais qu'une jeune fille un peu maigre avec de grands yeux dévorants. Tes yeux n'ont pas changé, mais la jeune fille a fait place à une jeune femme épanouie et sûre d'elle. Une avocate compétente, capable de faire face aux juges les plus sévères, aux plus redoutables procureurs. Si Manou et Elie te voyaient ce soir, ils n'en reviendraient pas ! Tu es devenue une autre, Emma... et moi, en onze ans de vie commune, je n'ai pas changé. Mes pulsions restent les mêmes. J'aurais envie de t'arracher aux autres, à ce train-train quotidien, de te rapter, de t'enlever sur le vaisseau du Hollandais errant, de partir vers des destinations inconnues, sans cap, pour l'éternité.

« Alors, Julian, décide-toi ! Qu'est-ce qu'on fait ? »

Il l'attrape par le bras.

« Je te kidnappe ! Je suis Captain Kid et Francis Drake, le chef des pirates !

— Tu es ivre ou quoi ?

— Non, je retombe en enfance. En adolescence, comme tu voudras. D'ailleurs, tu pourrais m'imiter. Rendons hommage à Elie et Manou, deux éternels ados ! Ne pensons pas au lendemain. Vivons, pour l'unique raison de vivre ! »

Il passe quelques coups de fil pour réserver une bonne table dans un des meilleurs restaurants de la ville. Il souligne qu'il est professeur à l'Université Internationale, donne le nom de Maître Alvarez Sierra, bien connu dans certains milieux. Il est tard et ce samedi du mois d'août toute la ville semble s'être donné rendez-vous à Miami Beach. Le Dominique, le restaurant français de l'hôtel Alexander, affiche complet. Au Carlyle Grill sur Ocean Drive il ne reste plus qu'une table près des cuisines. N'en pouvant plus, Julian laisse tomber le nom de Ricardo Alvarez Sierra pour négocier une table au Café Chauveron, un des endroits les plus sélects d'East Bay Harbor Drive. Ce ne pouvait pas tomber mieux puisque Ricardo a publié récemment un article élogieux sur ce restaurant : « La meilleure et plus authentique cuisine française de Floride... »

Quand ils entrent, on déroule un tapis rouge sous leurs pieds, on leur fait des courbettes, on les conduit à leur place avec force civilités.

« La meilleure table, celle de Ricardo Alvarez et de ses invités. »

Le directeur donne à Julian du « mon pote », signe de fratrie un peu canaille. Ils ont une table avec une vue splendide sur l'océan. Chandelles et douce pénombre. Une bouteille de champagne dans un seau à glace, des coupes en cristal, des fleurs. René Chauveron prend congé d'eux pour accueillir de nouveaux et distingués clients.

Julian s'entretient en français avec le maître d'hôtel, demande la composition des plats, les spécialités du jour.

« N'oublie pas que je ne peux pas manger d'escargots, de cuisses de grenouille, pieds de cochon, queue de porc et autres mets infâmes dont raffolent les Français.

— Je te propose une soupe au roquefort. »

Emma fait une moue méfiante.

« Oignons, vin blanc et beurre. Un bouquet d'herbes aux noms sublimes, thym, romarin, laurier... le tout nageant dans une crème de Roquefort Papillon, le plus moelleux et raffiné des fromages.

— Pour le plat de résistance, quelque chose de moins exotique, s'il te plaît !

— Permets-moi de t'imposer la daube à l'armagnac, vivement recommandée par ton frère ! Gîte de bœuf avec

carottes et navets mijotés dans du vin rouge, de l'armagnac, de la muscade et des aromates. C'est un plat du
sud-ouest de la France.

— Deux repas comme ça et je ne vais plus rentrer dans
ce petit tailleur Yves Saint-Laurent qui t'a coûté si cher !
Sans compter que ce dîner pourrait te ruiner définitivement.

— Tant pis, tant mieux ! A partir d'aujourd'hui, nous
dînerons tous les soirs ici. J'y engloutirai tout mon salaire
de prof et toi... tu grossiras... tu deviendras enfin ce mas-
todonte aux chairs épaisses, aux fesses énormes et aux
seins babyloniens dont j'ai rêvé toute mon enfance !

— Gavez-la comme une oie et votre rêve deviendra
réalité !... Bon... Va pour la daube et basta !

— Nenni ! Il faut que tu goûtes la salade vigneronne :
mâche, persil, huile de noix, moutarde et vinaigre balsa-
mique, emmenthal et cervelas. Une petite merveille
d'après le chef, un gentleman arménien diplômé de
l'école Ritz-Escoffier à Paris.

— Et comme dessert ? Il n'y a que ça qui m'intéresse.

— Non, avant le dessert le plateau de fromages.
Comme le veut la tradition. Un camembert fait à cœur,
des chèvres frais, du bleu d'Auvergne comme Danton et
Napoléon l'aimaient. Et pour finir, marquise de mon
cœur, des crêpes Suzette au Grand Marnier, sans lequel
il n'est pas de vrai ni d'honnête souper digne de ce nom
dans les chaumières de France et de Navarre !

— Le bicarbonate est compris dans l'addition, je suppose ?

— Bicarbonate ? Hérésie ! Tais-toi donc, femme
infâme, et bouffe ! Tiens, voilà la soupe ! »

Ils ont beaucoup mangé et bien bu. Ils sont un peu
gris, euphoriques. Emma n'a pas pu terminer ses crêpes
Suzette mais le café cubain et le vieil armagnac plongent
les époux dans un confort délicieux.

« Depuis quand n'avions-nous pas fait ça, Julian ?

— Rester main dans la main à se regarder dans le
blanc des yeux sans rien dire ?

— Non, idiot ! Une petite sortie en ville en amoureux, juste toi et moi, sans rien qui interfère ?

— Deux ans, sept mois et trois jours.

— Mais non !

— Ces moments que tu m'accordes se comptent sur les doigts de la main.

— O.K... Tu es si malheureux avec moi, Julian ?

— Non, impatient. Il me tarde de m'envoler pour l'Europe. Là-bas cette sorte de soirée sera la règle et non pas l'exception. Dans les jardins de Florence, au Parthénon ou au British Museum, nous pourrons rêver à loisir des hot-dogs de Miami, tu vois ce que je veux dire ?

— Tout est prêt, les billets d'avion, les réservations d'hôtel, ma tête aussi. Partons, Julian.

— Alléluia ! Mais pourquoi ce regard abattu, cet air sombre ? »

Emma joue avec la cire qui tombe des chandeliers et se brûle les doigts.

« Je pense au temps, Julian. A ce qui passe et ce que je n'ai pas eu le temps de voir passer, ce n'est pas un jeu de mots.

— Le syndrome de la trentaine ! Ce n'est pas une tragédie, ma chérie ! A l'époque de Balzac, peut-être que vieillir était difficile pour une femme, mais aujourd'hui ! Pour l'amour du ciel, Emma ! Les régimes alimentaires, la chirurgie esthétique, les crèmes et les onguents... Tout est à la portée des femmes pour garder une silhouette de jeune fille, un teint de pêche jusqu'à soixante-dix ans et même plus. Regarde toutes ces grand-mères de choc, Joan Collins, Mme Ronald Reagan, Raquel Welch !

— Arrête tes conneries, Julian. Je parle du temps, le vrai, celui qui vous éloigne de vous-même et qui sépare les amants, du temps qui tue. Que sont devenus nos amis les plus chers ? Où sont nos parents ? Qu'avons-nous fait de nos onze années de mariage ? Elie et Manou sont morts. Ton père est sur une chaise roulante, végétant comme un légume, ta sœur et ta mère sont devenues des zombies sectaires... Et notre groupe bien-aimé, qu'est devenu notre groupe ? Rodolfo ne quitte plus New York, obsédé par la postérité littéraire de Jerry, son amant

poète et militaire. Ciro et Lino ont réussi comme ils voulaient, pourris d'argent et de pouvoir. Quant à Ricardo...
nous aurions dû nous soutenir quand père nous a trahis..
et que fait-il ? Il suit sa Bolivienne à travers la cordillère
des Andes... un voyage tellement exotique et passionnant
qu'il ne trouve pas une minute pour envoyer une carte ni
faire un signe. Le temps détruit tout, les pyramides, les
liens d'amour d'une famille, l'amitié entre les gens... »

*Elle s'exalte, s'énerve, gesticule. Elle regrette les morts
et les absents, mais quand elle parle de Ricardo, on sent
que la blessure est profonde. Son frère est le seul à pouvoir remplacer l'image de son idole déchue, le père muet
qui l'a abandonnée. Ricardo le pugnace, l'homme de tous
les combats qui joue les aventuriers sur la route des
Andes. Trahison pour trahison, c'est celle-ci qu'Emma
supporte le moins bien.*

*Dois-je remercier le ciel de la défection du frère ?
Grâce à lui, peut-être ma femme acceptera-t-elle de me
suivre en Europe. Pour me faire plaisir, ou pour montrer
à son frère qu'elle aussi est capable de tout plaquer, de
passer outre leur combat politique ? Peu importe pourvu
que nous soyons ensemble, en terre étrangère. Douze
mois. Un an. Trois cent soixante-cinq jours. Toi qui n'as
connu que les cyclones et le soleil, la mer et la plage,
Cuba et Miami, tu vas découvrir les saisons et le climat
tempéré. Tu sauras ce qu'on éprouve à marcher sur un
lit de feuilles mortes en automne, à glisser sur les pentes
enneigées de l'hiver. Les amandiers en fleur fin janvier en
Espagne ou au Maroc. La douceur méditerranéenne, l'été
irlandais, la bière blonde, les vastes étendues vertes et les
falaises abruptes. Tant de choses nouvelles à voir, Emma,
à ressentir.*

*Et tu parles encore de ton frère. Et tu fais renaître l'es-
poir en toi. Sans doute, te dis-tu, Ricardo a besoin de ce
voyage. Il rentrera plein de forces renouvelées et plus
lucide pour reprendre le flambeau. Chevaliers de la Table
Ronde, à la recherche du Graal de pureté. Haine et
combat. Cuba sans Castro. Une marque au fer rouge gravée dans le cœur. Vous ne pouvez pas oublier.*

Te regardant et t'écoutant, je suis incapable de trouver le baume qui apaisera cette douleur. Et je me demande d'où vient l'amour que j'ai pour toi, Emma... d'où vient cet amour ?

Orlando-Miami. Eté-hiver 1985

L'aéroport d'Orly, en région parisienne.

Après un an de pérégrinations sur le vieux continent, ils rentrent en Amérique. Avant de quitter l'Europe, tous les deux s'étaient mis d'accord.

« Gardons le secret sur notre retour. Cachons-nous dans un hôtel incognito. Donnons-nous une journée pour nous réhabituer à Miami, faire la transition en douceur », avait dit Emma. Et Julian avait rectifié :

« Disons plutôt trois jours !

— Mais comment faire pour ne pas tomber sur des têtes connues ?

— Il suffit de descendre au Mayfair. C'est chic et cher. Il y a un centre commercial, neuf restaurants, des jacuzzis dans chaque chambre, un téléviseur avec écran géant sur lequel on peut capter toutes les chaînes américaines, histoire de se mettre à jour sur les derniers événements. Peu de risque ici de tomber sur un Cubain égaré de Little Havane. Le Mayfair est une planète à lui tout seul. »

Dissimulés sous des chapeaux et derrière des lunettes noires, le couple traverse le hall du grand hôtel et se fond dans un groupe de touristes japonais pour emprunter les ascenseurs.

Pendant quelques jours, ils suivent scrupuleusement le plan élaboré à Orly. Enfermés dans leur chambre, ils commandent repas et vin français pour ne pas oublier tout à fait Paris, dorment, font l'amour et regardent la télévision, se nourrissant de programmes anglais et espagnols, de feuilletons larmoyants, talk-shows et émissions de jeux d'une extraordinaire médiocrité où des adultes à l'air honnête s'humilient pour gagner une tondeuse à gazon, un réfrigérateur ou une chaîne hi-fi.

« Comme à Madrid, Rome, Londres et Paris. J'ai moins honte de vivre ici. Grâce à la télévision, le sous-développement intellectuel s'étend maintenant à l'échelle de la planète. »

Ils sont euphoriques car le garçon qui leur a servi le dîner dans leur chambre les a soignés. A l'entendre, la cave du Mayfair serait aussi bien pourvue que celle de Taillevent à Paris, plus d'un millier de références, pour certaines dans une dizaine de millésimes, et des grands crus de bordeaux à faire pâlir le meilleur des cavistes. Avant de partir pour l'Europe, le couple s'était constitué une cagnotte en traveller's chèques, à participation égale. « Fifty-fifty », avait insisté Emma.

Aussi ont-ils bien l'intention de claquer tous ceux qui leur restent pendant ces trois jours au Mayfair.

La nuit est tombée. Sur la terrasse, ils vident une dernière bouteille.

Dans la chambre, la télévision est allumée. Seul le son leur parvient : une voix grave et mesurée se livrant au sempiternel discours sur la situation cubaine... « Vingt-six ans de pouvoir communiste, vingt-six ans de Fidel et que reste-t-il aujourd'hui de notre Cuba ? La situation n'est ni pire ni meilleure que celle de la plupart des pays de l'Est...

— Ricardo ! » s'écrie Emma en se précipitant dans la chambre.

En effet c'est bien lui, égal à lui-même, le visage plus mûr, respirant par tous les pores l'assurance d'un homme enfin maître de son destin.

Emma reste debout, figée sur place, hypnotisée par l'image de son frère en train d'exhorter une fois de plus ses compatriotes Cubains de Miami à l'effort renouvelé pour libérer l'île de l'emprise communiste.

Assis sur le fauteuil rococo de la chambre aux murs recouverts de satin rose, Julian contemple sa femme.

*La lune peut entrer dans l'orbite terrestre, les océans
dévorer les montagnes, le monde s'engloutir en quelques
secondes, mais tu ne te rendras compte de rien, Emma,
car ton idole de frère est apparue à la télévision.*

Avant de quitter les lieux, ils prennent leur dernier
petit déjeuner au Tiffany Bar de l'hôtel. En complément
du petit déjeuner continental, la maison offre du caviar
sur des toasts.

« Divine décadence », murmure Julian répétant la
phrase préférée de Liza Minnelli dans *Cabaret*.

Ils ont fait quelques achats à la boutique du complexe
commercial et Emma a offert un cadeau à son mari, un
grand cahier relié avec une couverture turquoise et des
feuilles en vélin bleu ciel, et un assortiment de stylos-
feutres bleu roi, mauve, carmin, vert pomme, fuchsia.
« Couleurs différentes pour états d'âme variables... changement de climat... nous rentrons à Miami après un an
d'absence, nous entamons un nouveau chapitre de l'histoire de notre vie. »

Julian propose alors d'écrire, chacun sur une page, une
sorte d'état civil « sec, objectif, sordide. La vérité, rien
que la vérité ».

Entre le café au lait et les tartines au caviar, sagement
assis côte à côte, ils notent avec application, lui sur la
page de droite, elle sur celle de gauche :

JULIAN SARGATS
Age : 38 ans
Profession : professeur de littérature classique espagnole
Marié.
Situation familiale : père hémiplégique profond, réduit à
l'état de légume sur une chaise roulante. Placé actuelle-
ment à la clinique de la secte Les Chemins du Ciel.
D'après différents témoignages, les sœurs s'occuperaient
très bien de lui.
Je promets de rendre visite à don Edelmiro. Le vieil orme
irréductible est aujourd'hui diminué, malmené, abattu.
Pendant ce temps, ma mère, ma sœur et l'un de mes
neveux sont partis porter la bonne parole du côté du

Pacifique et en Asie. La dernière fois qu'on a eu de leurs nouvelles, ils se trouvaient — Dieu les protège — dans un bidonville de Manille. Les voies du Seigneur prennent parfois des chemins obscurs.

Mon seul port d'attache, mon unique famille, c'est ma femme Emma.

EMMA SARGATS
Age : 30 ans
Profession : avocate
Mariée.
Situation familiale : père et mère coupés du monde. Depuis quelques mois ils se sont établis au Campsite des Everglades et vivent à la dure, sous une tente sans eau ni électricité. Ma mère s'occupe des activités propres à son sexe : se procurer de l'eau potable, transporter les bidons, préparer à manger sur un petit réchaud à gaz, faire la vaisselle et la lessive, le plein d'essence pour la barque à moteur et la mobylette qui leur sert de relais avec le monde civilisé, acheter un stock de bougies, crèmes et autres remèdes contre les morsures d'insectes, de reptiles et de serpents venimeux...

De son côté, père étudie la faune et la flore des Everglades, sa nouvelle passion. Une fois par mois, les époux Alvarez Sierra viennent passer un week-end à Miami.

Mes cousins poursuivent leur irrésistible ascension. Ciro a quitté le cabinet d'avocats pour entrer en politique. Il espère être élu à la Chambre des Représentants aux prochaines élections sur les listes du Parti Républicain. Lino a pris en charge tous les dossiers et ses affaires s'étendent de Washington à Los Angeles, de New York à Houston.

« Point final ! » dit Emma en écrasant rageusement le feutre sur la feuille. « Je n'aime pas ce genre de récapitulation, Julian.

— Pourquoi ?

— Les uns s'en vont, les autres meurent, le travail sépare les plus unis, comme Ricardo et moi. Il n'y a plus que toi et moi à présent.

— Est-ce si pénible ? »

Sa question reste sans réponse.

Il referme le cahier bleu et l'enfouit dans son sac de voyage.

Comme promis, avant de reprendre ses cours à l'université, Julian Sargats prend la route de Key Biscayne pour rendre visite à son père.

La très respectable secte Les Chemins du Ciel se doit d'afficher des signes de prospérité et d'opulence. La Maison Mère, comme on l'appelle, est construite sur un îlot au milieu d'un lac artificiel relié à la terre par d'innombrables bras de terre et ponts. Le bâtiment central est une pâle réplique de la Ca' d'Oro de Venise, façon Disneyland. Depuis qu'il a vu de ses yeux et visité le magnifique palais vénitien, qu'il s'est promené avec Emma en gondole, qu'ils ont traîné bras dessus, bras dessous dans les ruelles magiques de la ville de Goldoni, le mauvais goût de l'Amérique met Julian hors de lui.

Il gare sa voiture devant un porche où l'on peut lire : FOYERS DE REPOS. Un alignement de bungalows blancs s'étend sur plusieurs centaines de mètres. Les portes et le cadre des fenêtres ont été peints en bleu ciel pour donner un air coquet et rassurant à cette pseudo-maison de retraite et clinique privée.

Julian sait que son père se trouve dans la chambre Santal, bicoque numéro 9. « Chaque chambre porte un nom de plante ou d'épice », précisait la brochure qu'on leur avait remise avant leur départ pour l'Europe, quand Magdalena et Gisela, suivant la procédure légale, leur avaient demandé de signer les dossiers administratifs pour confier don Edelmiro aux bons soins de la secte.

« Si un jour tu veux sortir ton père d'ici et le placer ailleurs, il faudra leur faire un procès. Sauf preuve de mauvais traitements ou d'abandon, je te conseille de ne pas t'y aventurer », lui avait dit Emma lorsqu'il s'était inquiété de ce placement sous contrôle. « Ta mère est protégée par les meilleurs avocats de la secte, et ils sont très soucieux de respecter les réglementations de ce pays. »

Les murs de la chambre sont crème, rehaussés de frises en plâtre, d'oiseaux et de fleurs exotiques peints en bleu. Un grand lit d'apparence confortable et d'une propreté exemplaire, une petite commode et une table de chevet bleu ciel. Dissimulé dans une tête de paon, un haut-parleur diffuse une musique douce, un son lointain de sitar et de cymbales. Tout baigne dans une sorte d'apesanteur. Don Edelmiro est assis sur une chaise roulante. Il est vêtu d'un pyjama blanc sous une robe de chambre bleue. Un fauteuil en rotin au dossier haut est prévu pour les visiteurs.

Le vieillard a les bras posés sur les accoudoirs de son fauteuil. Ses mains aux ongles polis sont d'une propreté impeccable. Tout comme son visage pétrifié, blême et rasé de près.

Julian a fait en sorte de ne pas annoncer sa visite pour éviter les mises en scène destinées aux visiteurs étrangers. Il veut prendre son père sur le vif, dans sa vie quotidienne.

A l'accueil, il s'attendait à un refus ou une attitude méfiante et réservée : une hôtesse à l'indifférence aimable se borne à lui indiquer le numéro du bungalow sur un plan.

C'est donc pour Edelmiro Sargats un matin comme les autres. Une accompagnatrice (on ne parle ici ni de malades ni d'infirmières car toutes les « créatures du Seigneur » sont logées à la même enseigne) veille nuit et jour sur le vieux monsieur. C'est une métisse qui doit avoir la trentaine, d'apparence fragile, une silhouette d'adolescente mal nourrie, drapée dans un sarong couleur safran, répondant au doux nom de sœur Derida. Comme elle se déplace nu-pieds, on ne l'entend ni entrer ni sortir. Est-ce pour mieux surveiller ses hôtes, surprendre les conversations ? Julian s'en veut de ses méchantes pensées, car sœur Derida s'annonce en faisant vibrer une clochette cuivrée qu'elle cache dans les plis de son habit.

Elle explique à Julian que sa tâche est de donner à boire et à manger au malade, de contrôler qu'il est bien assis, que le coussin placé dans son dos n'a pas bougé. Mais surtout, sœur Derida, originaire du Mississippi, parle sans relâche à don Edelmiro. De tout et de rien. Un babil insipide.

« Un cyclone est en formation du côté des Barbades. Pourvu qu'il n'arrive pas jusqu'à nous. Le cyclone Delphine, il fait plus de ravages qu'une femme coquette, paraît-il... Wall Street est à la baisse ce matin, les cours du sucre ont chuté... On projette au foyer le dernier film de Dustin Hoffman, je ferai mon possible pour que vous le voyiez, don Edelmiro... »

Et comme elle remarque l'air agacé de Julian, sœur Derida se retourne vers lui. « Nos frères médecins sont formels. Même s'il a l'air muré dans sa maladie, renfermé sur son malheur profond, don Edelmiro écoute, sent et voit. Le traiter comme un objet serait lui ôter tout espoir de communiquer avec le monde. Voilà pourquoi je ne cesse de lui parler, même s'il ne répond pas, si son regard est absent, son visage immobile et ses lèvres serrées, je sais qu'il apprécie. »

Sur ces aveux généreux, sœur Derida quitte la chambre une fois de plus, laissant derrière elle des effluves sucrés de jasmin et de patchouli.

Quand il est seul avec son père, Julian reste un long moment à l'observer. Les envolées lancinantes de la musique indienne lui donnent un cafard indéfinissable. « Je cherche la lumière au fond de tes pupilles, père, cette étincelle dont parle sœur Derida. Es-tu sensible à son visage anguleux et famélique, à sa fluette présence, à son verbiage incessant, à ses accents de blues qui sonnent comme une ballade de La Nouvelle-Orléans ? Je ne vois rien dans tes yeux, père. Rien.

La statue du Commandeur devait avoir ce visage-là. J'aurais pourtant voulu te dire tant de choses. »

Oppressé, mal à l'aise, Julian se lève et regarde par la fenêtre. Les eaux du lac sont comme un miroir sans tain. Un vent invisible fait trembler les ajoncs.

« Pendant mon voyage en Europe, père, je suis allé à Jaca. Ces deux syllabes noires semblables au croassement des corbeaux, je les ai maudites toute mon enfance parce qu'elles nous isolaient de toi. Jaca, dominée par la Peña de Oroel. Jaca continuant de célébrer la victoire contre les Maures à la fin du VIIIe siècle. Jaca et sa cathédrale, un joyau d'architecture où plane l'ombre de saint Jacques.

J'ai longuement marché dans les rues de la cité médiévale, je me suis égaré dans les chemins de la montagne environnante en pensant que Jaca ressemblait finalement à n'importe quelle autre ville du nord de l'Espagne quand soudain, au détour d'une colline, je me suis retrouvé devant le vieux cimetière. Je suis entré, poussé par une force inconnue, pour me rendre compte que toute mon errance devait me conduire là. J'ai cherché parmi les vieilles tombes les traces d'un passé dont je n'avais jamais eu la moindre connaissance. Ils étaient là, le clan Sargats au grand complet, celui qui faisait ta fierté. Les tombes de tes aïeux bien-aimés.

Un jour, tu resteras ici, à Key Biscayne, sous le marbre bleu ciel où ma mère t'a déjà choisi une place. Il faut que je te dise, père, qu'à Jaca, devant les tombes de mes ancêtres espagnols, j'ai eu pour la première fois conscience de t'avoir cordialement détesté toute mon enfance. Car tu étais lointain, inaccessible, et j'avais le sentiment d'être mal-aimé. Ma haine était une sorte de défense, un bouclier dressé contre toi. Aujourd'hui je sais que j'ai été injuste, père, car je n'ai jamais fait l'effort de te comprendre. Voilà ce que je voulais te dire. »

Julian se retourne vers son père.

« Si au moins tu m'entendais... »

Mais son visage ne montre pas le moindre signe. Les yeux fixent un point de la pièce obstinément, sans rien voir.

Père et fils restent muets tandis que le sitar indien égrène un chapelet de notes aigrelettes semblables aux frissons de la brise agitant le feuillage.

Une semaine avant la fête de Thanksgiving, célébrée aux Etats-Unis le quatrième jeudi de novembre, Julian Sargats est réveillé par la sonnerie du téléphone. Sa femme est profondément endormie à ses côtés. Il bondit hors du lit et court à la cuisine, emportant avec lui le téléphone sans fil. La grande horloge marque deux heures vingt minutes et Julian se prépare à entendre les propos avinés de Ricardo qui a pris la fâcheuse habitude de les appeler à n'importe quelle heure du jour et de la nuit lorsqu'il est éméché.

« Ma sœur et mon beau-frère, les seuls êtres sur terre capables de me comprendre », dit-il, un rien mélodramatique.

De très mauvaise humeur, Julian lance un « Allô ! » sec et brutal destiné à couper court aux épanchements nocturnes de Ricardo.

« Grâce au ciel, tu gardes ton accent bostonien ! Je reconnais dans cet accueil à peine aimable la note distinguée de Harvard ! »

Louis Duverne-Stone le Second l'appelait de Tokyo pour lui annoncer qu'il serait en Floride pour les fêtes de Thanksgiving en compagnie de sa femme Machiko et de leurs enfants Louis-Minoru et Machiko-Laureen.

Une voix de revenant, qui le plongeait dans une atmosphère nostalgique.

« Nous allons passer un week-end à Disneyworld. Mes enfants sont persuadés que Mickey Mouse est le président des Etats-Unis et Blanche-Neige la première dame. Je ne veux pas briser leur rêve. Pour l'instant, du moins. Venez avec nous, Emma et toi, ce serait tellement formidable de se retrouver là-bas tous ensemble. »

Julian hésite, trouve des raisons de se défiler, invoque la préparation de ses cours pour l'université et les rendez-vous au tribunal de sa femme...

« Après cette année sabbatique, tu sais, ce n'est pas évident de se remettre dans le bain. Nous payons le bon temps en trimant comme des esclaves.

— Parle à Emma de ma proposition et je vous rappelle dans deux jours. Sache, Julian, que le roseau s'incline toujours vers le soleil levant. Proverbe samouraï du XIIIe siècle », dit-il pompeusement avant de raccrocher et laissant son ami pantois.

Après tout, pourquoi ne pas accompagner Louis-le-Second et sa famille à Orlando ? se dit-il. Au fil des ans, il a gardé pour lui une amitié sans faille. Ils se sont écrit régulièrement et Louis n'a cessé de l'inciter à lui rendre visite au Japon, « le pays de la perfection », comme il l'appelait.

Quoi qu'il en soit, Julian présume qu'Emma refusera de mettre les pieds à Disneyworld, « cet enfer rose bonbon et guimauve ».

Quand il entre dans sa chambre, Emma, les cheveux sur le visage, lui demande d'une voix ensommeillée :

« Ricardo ?

— Non, Louis, mon pote de Boston. Il nous invite à Orlando avec sa femme japonaise et leurs enfants. J'ai dit qu'on ne pouvait pas.

— Mais pourquoi ? Depuis le temps que j'ai envie de le connaître, ton Louis-le-Second et ses petits bridés ! »

Et tournant le dos à son mari, Emma plonge dans l'oreiller en ajoutant :

« Profitons de Thanksgiving pour... »

Impossible d'entendre la suite. Elle a déjà sombré dans le sommeil.

Julian se dit que le lendemain matin sa femme aura oublié ses propos de la veille.

A sa grande surprise, il la retrouve tout habillée et maquillée, le téléphone contre l'oreille, une tasse de café noir à la main.

« Oui, c'est ça, du mercredi soir au lundi matin, oui, nous partons pour Orlando avec des amis de Julian. Exactement, les sept nains, Dumbo l'éléphant rose !

— Je croyais que tu refusais catégoriquement de mettre les pieds à Disneyworld ? dit-il, bouche bée, n'en croyant pas ses oreilles. »

Emma éclate de rire.

« Souviens-toi de la célèbre phrase de José Marti qui disait à propos des Etats-Unis : "Je connais le monstre, j'ai vécu dans ses entrailles." Il est temps de pénétrer dans les entrailles de Disney, pour savoir de quoi le monstre se chauffe. Allons-y, pour voir. »

Au cours de leur visite à Disneyworld, Julian Sargats n'avait pas seulement enregistré ses impressions, il avait aussi pris des centaines de clichés, photographiant la foule, les attractions, sa famille et ses amis. Grâce au zoom, il avait surpris les regards d'Emma, de Machiko-Laureen, Louis-Minoru, Louis Duverne-Stone et sa femme Machiko. Radieux, hallucinés, émerveillés. Puis il avait passé le relais à Louis Duverne-Stone qui maniait la caméra vidéo avec autant d'aisance et de discrétion que si c'était un troisième bras.

C'est au cours d'un déjeuner au restaurant sous l'eau Les Mers vivantes, logé dans un aquarium au milieu de poissons géants et de crustacés, qu'il avait pu observer la transformation de sa femme. Depuis leur arrivée à Orlando, Emma s'était littéralement accaparé les enfants de leurs amis. Elle paraissait aussi infatigable qu'eux, les suivant toute une journée dans « L'univers de l'énergie » où Julian, Machiko-mère et Louis-le-Second avaient finalement déclaré forfait.

Le petit garçon avait des cheveux noirs et raides, des yeux bridés et les bonnes joues de son père, la fillette avait des taches de rousseur et des yeux clairs légèrement bridés. Avec un détachement tout oriental, ils ne semblaient pas mécontents de se séparer un peu de leurs parents.

« Je crois qu'ils me prennent pour une fée », avait dit Emma à son mari, « un clone de Bambi, une image virtuelle... »

Des tortues énormes, des dauphins, des poissons chinois zébrés aux nageoires comme des voiles, avec des yeux de billes opaques glissaient le long des vitres. Tout un monde enchanté qui partageait le repas des humains.

Machiko-Laureen grimpe sur tes genoux et cache son visage dans ton cou. Elle a peur de la grosse tortue préhistorique qui s'est approchée de la vitre. Les replis de sa peau et ses yeux globuleux déformés par la vitre épaisse qui fait un effet de loupe ont quelque chose de monstrueux.

Tu caresses les cheveux de la petite fille et tu lui dis « N'aie pas peur, c'est comme dans un rêve. » Comme dans un rêve...

Hier soir, j'ai rêvé de toi, de nous. Je me suis revu à

*Londres, au début du printemps dernier, quand tu m'as
annoncé que tu croyais être enceinte. Nous avons marché
de Piccadilly Circus à Waterloo Bridge, de South Ken-
sington à Hyde Park. Nous avons fêté et bu quantité de
bières brunes, bonne, disais-tu, pour allaiter les nourris-
sons. En allant chercher les analyses, nous étions morts
de trac. Et puis ce fut le choc. Tu n'étais pas enceinte,
mais il fallait t'opérer d'urgence. Tu as haï Londres, ville
de malheur. « C'est une opération courante », disait le
médecin, mais tu ne pourrais plus avoir d'enfant. Tu as
attendu la fin du printemps et choisi de te faire opérer à
Francfort. Puis nous n'avons plus jamais parlé ni reparlé
de cette histoire traumatisante.*

*Machiko-Laureen pose ses petites mains dodues sur la
vitre pour caresser la grosse tortue immobile. Tu tournes
ton visage vers moi et nos regards se croisent. J'essaie de
te sourire. Tu essaies de me sourire. Le cœur n'y est pas.
Après Londres, quelque chose est mort en nous, et nous
ne pouvons pas encore mesurer la profondeur de la blessure, son importance pour l'avenir.*

*Comment faire pour oublier, pour dépasser ce chagrin
irréparable ?*

Fin diplomate qu'il était, Louis-le-Second avait eu la
bonne idée de ne pas inviter ses amis dans un de ces fastueux palaces du centre où le luxe ostentatoire et le
confort moderne paralysaient d'avance toute pensée critique et où le client traité comme un roi n'avait d'autre
option que de se laisser vivre. Experts en marketing, les
responsables du « Royaume de la Fantaisie » avaient
prévu de répondre aux goûts les plus éclectiques de leur
clientèle. C'est ainsi que Louis Duverne-Stone le Second
avait réservé des chambres dans les Tree Houses qui se
trouvaient à mi-chemin du Centre de Diversion et de Bay
Lake, en plein cœur d'une forêt centenaire. Loin du bruit
et de la foule, ces maisons d'hôtes sous les arbres
offraient en outre des promenades en barque sur les eaux
d'un lac cristallin et de paisibles randonnées à cheval
dans la forêt. Ces cabanes en bois avaient un charme
rustique et rudimentaire, elles entretenaient l'illusion de

la vie sauvage et simple, près de la nature. Mais on y trouvait aussi tous les gadgets électroniques indispensables aux exigences d'une vie cosmopolite.

« On joue à Robinson Crusoé le matin tout en surveillant les cours de la Bourse et les marchés internationaux. La schizophrénie de l'homme moderne est devenue un mode de vie officiellement admis. »

Ils ont déjeuné sur la terrasse de la cabane qui surplombe Bay Lake. Des écureuils grignotent sous la table les miettes du repas.

Julian accepte une dernière rasade de cognac de son ami Louis-le-Second tandis qu'Emma et les enfants sont partis visiter au Centre Epoco des prototypes expérimentaux sur les communautés du futur. Machiko, elle, s'est installée au bord du lac avec un carnet de croquis et des aquarelles pour peindre un cygne, le même cygne qu'elle peint indéfiniment depuis quelques années, au dire de son mari.

« Je voudrais arriver à saisir le mouvement du cygne quand il nage en quelques traits seulement », dit-elle avec modestie.

« Elle y arrivera, tu peux me croire ! » dit Louis à Julian. « Elle a mis cinq ans et usé quelques milliers de feuilles pour surprendre l'ineffable sensation d'un bouton de rose s'épanouissant au premier rayon du soleil. »

Au cours de ce déjeuner sous les arbres, agréable et détendu, Julian et Louis bavardent avec la spontanéité retrouvée des vieux amis de Harvard.

« Aujourd'hui, je lis et je parle le japonais. Je connais à fond certains rituels exquis, la cérémonie du thé, par exemple. Mais aux yeux des Japonais, je resterai toujours un étranger, je ne serai jamais vraiment des leurs. Tout au plus un frère d'armes, bien adapté aux usages du pays, une espèce de fer de lance, un interlocuteur et un témoin privilégié, car je connais les rouages et les nuances les plus subtiles de ce monde qui les fascine mais qu'au fond ils détestent et méprisent : les Etats-Unis. Je le sais et je l'accepte. Sais-tu pourquoi, Julian ? Parce que mes enfants sont des traits d'union entre ces deux mondes. J'ai tenu à ce qu'ils voient Orlando, comme une initiation. En bons petits Japonais, ils sont habitués aux gadgets électroniques et les spectacles de la « Terre du futur » qu'ils sont allés visiter avec ta femme vont les combler de joie et d'excitation. Mais tout cela n'est que spectacle. La vérité, grâce au ciel, reste encore du côté de l'humain. Je veux qu'ils se rendent compte qu'à Miami on parle plus souvent l'espagnol que l'anglais ; que les peaux rouges, brunes et noires sont plus nombreuses que les blanches. Voilà ce que je voudrais qu'ils retiennent de leur visite en Amérique. Car l'avenir du monde est dans les métissages, j'en suis convaincu. La possibilité de sentir et de réagir en se dédoublant. La faculté de comprendre le caractère hispanique et la mentalité américaine qui coexistent en toi. Je vois dans le métissage de l'Amérique la survie de notre démocratie et l'avenir de la planète. Quand je parle aux hommes d'affaires, aux politiciens d'ici, le simple fait que je vis au Japon, que je fais l'amour avec une Japonaise, que j'ai des enfants aux yeux bridés, les rend très curieux : ils essaient de me soutirer des renseignements, des choses que je serais supposé savoir sur l'influence grandissante des fils de l'Empire du Soleil levant en Amérique. Car « le péril jaune », cette vieille hantise, revient au galop. Je les laisse à leurs obsessions, je leur explique que je suis l'avant-garde de la pénétration yankee en Asie et je leur répète « mélangez-vous si vous voulez survivre demain ». Je suis devenu si sensible à ce thème que je m'intéresse de près aujourd'hui à la défense de la culture des minorités ethniques en Amérique. Mais toi, Julian, es-tu satisfait d'être professeur de littérature espagnole, n'as-tu pas d'autres ambitions ?

— La question tombe bien », répond Julian.

Voilà un moment qu'il y réfléchit et son année sabbatique a agi comme une sorte de révélateur.

« J'ai enseigné dans un lycée pendant six ans et dans une prestigieuse université les sept années suivantes. Il y a comme un cycle mystérieux dont je suis de plus en plus conscient. En tant que professeur, j'ai donné le meilleur de moi-même. J'en ai retiré beaucoup de joies et certaines blessures. Quelques graves déceptions aussi. Ni plus ni moins que d'autres confrères également dévoués. Mais j'arrive au bout d'un cycle et je voudrais maintenant... »

La conversation est interrompue par Machiko Duverne-Stone qui, après un refus poli accompagné de mille sourires pudiques et charmants, accepte de montrer à Julian ses esquisses du « Cygne sur un lac ».

Julian s'apprêtait à prendre un visage de circonstance et à mentir avec l'aplomb dont il était capable. Inutile. Son admiration pour le travail de la Japonaise est sincère. Sur une toile blanche quelques traits à l'encre noire et bleue ont parfaitement réussi à rendre la grâce du cygne et la sensation de calme des eaux du lac. Quelques mots, un regard ému et de longues plages de silence suffisent à exprimer son admiration. Ne trouvant pas ses mots en anglais, Machiko demande à son époux de dire pour elle à Julian à quel point elle serait heureuse de le voir accepter ce dessin en souvenir de leur amitié.

Quand Machiko s'éloigne, son mari lève les bras au ciel.

« Elle refuse d'exposer ses œuvres comme je le lui ai mille fois suggéré. Mais il est très rare qu'elle en fasse cadeau à quelqu'un. C'est dire comme ton admiration la touche. A la tienne ! »

Il verse à nouveau du cognac dans les verres et ils trinquent.

« Mais tu disais que tu voudrais... ?

— Quitter l'université et partager mon temps entre un travail alimentaire et satisfaire mon envie d'écrire sur cette littérature dont j'ai si souvent parlé à mes élèves. Quevedo et Gongora. Thérèse d'Avila et Jean de la Croix.

— C'est de la télépathie, Julian. Nous nous retrouvons en phase. J'ai un projet qui me tient à cœur et auquel je ne désespère pas de t'associer.

— C'est-à-dire ? »

Louis-le-Second me parle de l'Asie, des enseignements qu'il en a tiré, de sa découverte, au hasard d'une lecture, des « quatre vérités du bouddhisme ». La souffrance qui vient du désir, l'illusion qui nous consume, la possibilité

*d'éteindre ce feu par « la voie de la cessation », le renon-
cement, le choix du dénuement. Du moins est-ce ainsi
que Louis Duverne-Stone le Second, éduqué au pragma-
tisme anglo-saxon, a compris les enseignements du
Bouddha.*

*Incapable d'adhérer à la nébuleuse des théories, il
cherche toujours à transformer les idées en action. Les
récentes déclarations de l'actuel dalaï-lama l'ont frappé :
« Nous sommes dans le cycle du Kali-Yuga », autrement
dit nous vivons une ère d'Apocalypse. Et pour mon ami
Louis, la seule façon de réagir à la destruction, c'est de
vouloir construire.*

*« Je veux rééditer, m'explique-t-il, les plus grandes
œuvres de la littérature mondiale dans des publications
de luxe, des livres reliés dans les matériaux les plus
nobles, imprimés en caractères Bodoni sur les papiers les
plus précieux, et illustrés par des artistes de renom. »*

*Il compte vendre ces ouvrages par un système d'abon-
nement à des prix très élevés. La société Duverne-Stone
a déjà fait réaliser une étude de marché en Europe et en
Asie. Il semble que le produit se vendra bien. Il compte
aussi réserver une partie de son stock aux bibliothèques
des pays en voie de développement et certaines institutions des quartiers déshérités des Etats-Unis. Louis-le-
Second a peu changé depuis notre rencontre à Harvard.
Son front est un peu dégarni et il a pris quelques rides.
Mais s'il est apparemment le même, il semble que ses
années en Asie aient pas mal bouleversé sa façon de voir
les choses.*

*Je l'observe, j'essaie de comprendre ce qui l'anime.
Croit-il vraiment à ce qu'il dit ou obéit-il à des raisons
secrètes, à cette stratégie de survie de l'homme blanc
vivant au milieu d'Asiatiques ?*

*Est-ce le Japon qui l'a conquis, ou ce descendant de
huguenots et de presbytériens a-t-il pris la décision de
vivre en résistant clandestin ?*

*Pour ne pas entamer notre amitié, je préfère passer
outre mes interrogations et prendre ses paroles au pied
de la lettre.*

« Sais-tu ce qu'a dit Bouddha, Julian ? "Réfléchir à

partir d'un vieux point de vue peut nous aider. ˝ *L'éduca-*
tion des masses est en effet un aspect fondamental de
l'enseignement de l'Eveillé. C'est pourquoi nous donne-
rons une partie de notre stock aux bibliothèques des pays
sous-développés et aux quartiers déshérités. J'envisage de
faire tourner une caravane-école qui ira sur place à la
rencontre des jeunes pour leur donner le goût de la lec-
ture. Ces écoles volantes parcourront les quartiers les
plus pauvres de nos grandes villes, les bidonvilles de la
planète. »
Ses yeux bleus se posent sur moi avec une limpidité
désarmante. Et tout à coup je me sens coupable d'avoir
nourri d'aussi méchantes pensées à son égard et cepen-
dant je n'arrive pas à me débarrasser de mes soupçons.
Est-il sincèrement convaincu de ce qu'il dit, ou est-il
conscient que ces projets charitables ne sont qu'une façon
naïve de régler sa dette de nanti aux damnés de la terre ?

« A quoi penses-tu, Julian ?
— A la lourde responsabilité que tu me donnes : choisir les textes qui seront l'âme de ces somptueuses et riches
reliures destinées aux collectionneurs et aux universités
d'une part, et d'autre part à ceux pour qui le fait de
savoir lire est en soi un luxe.
— Je te répondrai comme le sage hindou : "L'immobile se disperse, et le mouvement demeure." Agissons,
Julian, nous verrons plus tard si nous récoltons ce que
nous avons semé.
— Merci, Louis, cette citation me servira de guide »,
rétorque Julian Sargats sans pouvoir réprimer un fou rire
convulsif, signe de son malaise devant cette nouvelle
perspective de vie s'il venait à accepter la généreuse proposition de son ami.

A l'aéroport de Miami, Ricardo Alvarez Sierra vient à
la rencontre d'Emma et de Julian Sargats. Il sort tout
droit du studio de télévision et n'a pas pris le temps de
se démaquiller.
Sous la lumière crue, l'élégance de son costume taillé

sur mesure, son visage aigu plus marqué par le fond de teint et son aisance naturelle attirent l'attention des passagers qui se retournent à la recherche d'une caméra. La très populaire série télévisée *Miami Vice*, diffusée aux quatre coins de la planète, a beaucoup contribué à donner de Miami l'image d'une ville de flics et de gangsters latinos, d'une ville studio de cinéma tourné à la va-vite.

Pour fuir les badauds qui commencent à s'attrouper autour d'eux, Ricardo emmène sa sœur et son beau-frère au pas de course vers la sortie.

« Je n'ai pas voulu gâcher votre séjour à Disneyworld, mais le temps presse. Rudi nous est revenu. Malade. Très malade. Le médecin m'a dit qu'il avait peu de chances de s'en sortir, et je sais qu'il tient beaucoup à vous voir avant de... » C'est au volant de sa voiture, faisant des queues de poisson énervées aux véhicules qui lui barrent la route, que Ricardo rend compte de la situation dans le style succinct et froid d'une dépêche de presse pour mieux cacher son émotion.

« Depuis un an et demi environ Rodolfo a commencé à manifester des symptômes inquiétants... Les analyses ont confirmé ses craintes... Devant l'évolution irrémédiable de la maladie, Rodolfo avait deux solutions, soit retourner à Miami où ses amis et sa famille pourraient l'entourer, soit ne pas bouger de New York et continuer de travailler le temps qui lui restait à la gloire posthume de Jerry... Ce qu'il a choisi de faire, réussissant au-delà de ses espérances. Une Fondation Jerry-Brown a vu le jour et Rodolfo, à bout de forces, a assisté à l'inauguration. Ce n'est qu'après qu'il a décidé de revenir. Préparez-vous au choc. Il est méconnaissable. »

Ricardo a raison. Du Rodolfo que nous avons connu ne restent que les yeux, des yeux qui, étrangement, ont retrouvé leur expression d'enfant. Comme si la réalité, sombre et sordide, s'évanouissait dans ce regard pour le laisser tout à la surprise d'être là, de se savoir encore en vie.

Ses mains fuselées et diaphanes traversées de veines bleues reposent inertes sur le drap de coton blanc. Tout le reste du corps n'est que maigreur et souffrance. Il ne bouge presque pas car le moindre geste, si infime soit-il, lui demande un effort insurmontable.

D'où puise-t-il ce souffle, ce sursaut de vitalité qui lui permet de nous sourire et de nous parler avec d'infinies précautions, comme pour ne pas remuer trop d'air autour de lui, caressant les mots d'une voix sourde et lointaine ?

« *Ricardo joue les durs, dit-il... mais c'est le plus tendre de nous tous. Tu te souviens, Julian, du film de Bette Davis* Jezabel, l'insoumise *? Eh bien Ricardo a eu pour moi autant de dévotion que Bette Davis pour Henry Fonda...* »

Emma, assise près de moi, me serre la main.

Grâce au ciel dans ces moments terribles Rodolfo conserve son intelligence et son humour. Il continue sur le ton badin des meilleurs jours à nous raconter comment il a refusé de se laisser reconduire à Miami en ambulance, car il voulait rentrer debout sur ses pattes. Le voyage en avion avait été pénible et en débarquant, il avait eu tout juste la force d'appeler Ricardo et puis s'était évanoui.

« *Je me suis retrouvé allongé sur une banquette dans la salle d'attente. Des gens faisaient cercle autour de moi. A distance respectable. Je brûlais de fièvre, j'étais déshydraté, assoiffé et incapable de demander quoi que ce soit à ces gens. Une terreur mystique se lisait sur leurs visages. Je me suis souvenu alors d'Henry Fonda frappé par la peste s'écroulant dans un bar et faisant le vide autour de lui. Je désespérais de voir Ricardo. Quand il est enfin arrivé, j'ai murmuré "pas d'ambulance, Rick..." que déjà, il m'avait pris dans ses bras et emporté vers la sortie en bousculant et insultant la foule...* »

Il ferme les yeux et son sourire et sa lumière disparaissent. L'infirmière de garde, gantée et masquée, nous prie de quitter la chambre.

Nous nous retrouvons tous les trois dans la salle d'attente, Ricardo, Emma et moi. Assis sur une banquette en skaï inconfortable. Ricardo prend la main d'Emma et la serre entre les siennes. Nous restons longtemps, tous les trois, immobiles et silencieux.

Dehors, l'aube commence à poindre.

Miami. Hiver 1990

Quittant la direction de Fort Myers, Julian Sargats prend la route 41 qui bifurque vers Captive Island où l'ex-commandant Alvarez a élu domicile depuis maintenant trois ans.

Le Commandant s'était décidé à abandonner la vie sauvage des Everglades lorsqu'il était devenu évident que le cœur fragile de Laura Sierra ne supporterait pas une année de plus l'austérité du mode de vie qu'il lui avait imposé. Au cours de leurs nombreux allers-retours dans la barque à moteur dont il était devenu propriétaire, le Commandant, que tous dans la région avaient baptisé Capitan Al, avait remarqué une vieille bâtisse en bois, une construction solide et sans prétention le long de la plage. La façade avec son porche colonial donnait sur la mer tandis que derrière la maison s'étendait un grand jardin laissé à l'abandon. Palmiers nains et manguiers se disputaient l'espace avec des arbres fruitiers et des buissons de mariposas desséchés faute d'arrosage. Sorte de jungle à demi pétrifiée, cet endroit était devenu le paradis des lièvres, taupes, serpents et autres spécimens que le Capitan Al avait l'intention d'observer méthodiquement. Lorsqu'ils s'étaient installés à l'île Captive, Laura Sierra avait écrit une longue lettre à sa fille. Elle ne cachait pas son désir ardent de voir Emma renouer avec son père : « Je ne mourrais pas en paix sans vous savoir réconciliés », disait-elle. Emma avait rangé cette lettre au fond de son sac et plusieurs fois Julian l'avait surprise en train de la lire et la relire. Un jour, il n'avait pu s'empêcher de lui dire :

« Condamnés ou innocentés ?

— Il n'y a jamais eu le moindre procès dans ma tête, Julian. On ne juge pas ses parents. Mon père n'avait pas l'intention de s'installer à Miami, c'était un choix clair dès le départ. Ce que je lui reproche c'est de ne pas nous avoir donné la moindre explication. Ni à toi, ni à moi, ni à Ricardo, ni à tous ceux qui vingt ans durant ont travaillé jour après jour à sa libération. Vingt ans et pas un mot. Et c'est parce que son incarcération était une offense à l'idée de justice et de liberté que je suis devenue une militante acharnée. La fille peut comprendre et pardonner, la militante non.

— Que vas-tu répondre à ta mère ?

— Puisque tu me le demandes... »

Emma se lève, met ses grosses lunettes en écaille et, bien campée sur ses jambes, toise son mari de toute sa hauteur.

« Si ma mère évoque sa maladie, c'est parce qu'elle se sait condamnée... »

Elle retire ses lunettes noires et court se réfugier dans les bras de son mari.

« J'ai enterré le commandant Alvarez le jour de son retour à Miami et j'avoue éprouver une curiosité un peu malsaine à vouloir rencontrer cet individu nouveau qu'on appelle le Capitan Al. Un intérêt presque scientifique. Comment est-il possible que cet homme qui a survécu à vingt ans d'enfermement se soit adapté à cette vie en plein air où il passe son temps à contempler le paysage et observer les animaux ? Le fier guerillero d'hier, le prisonnier politique aurait donc complètement changé ? C'est ce dont je veux me rendre compte.

— Mais tu ne vas pas pouvoir t'empêcher d'évoquer Cuba et la politique !

— Si. Je veux faire ce cadeau à ma mère avant qu'elle meure. Je veux rencontrer le Capitan Al puisque Ricardo, lui, refuse. Nous parlerons du temps qu'il fait, de la beauté de la nature dans ce coin de la Floride. Oui, je me tairais, en souriant. Ne crains rien, Julian. Ta femme se montrera douce et polie avec le Capitan. »

Trois ans auparavant, Julian Sargats avait fait le voyage à l'île Captive avec sa femme. Alvarez leur avait fait visiter le jardin en friche qu'il commençait à déblayer, arrachant arbres malades et chiendent, tout en veillant à préserver le refuge des oiseaux et des petits animaux. Il les avait fait monter dans son « laboratoire de sciences naturelles » qui occupait tout un étage de la maison.

« J'ai abattu le mur du milieu. Ça a libéré de l'espace pour mettre mes archives, mes planches, mon établi de travail et mes instruments. »

Sous les instructions d'un vieil Indien Séminole, Alvarez avait appris l'art de disséquer et de conserver en les empaillant les espèces les plus rares d'oiseaux de la région, dont il avait une assez impressionnante collection.

Le Capitan Al avait ensuite promené le couple sur son bateau à moteur le long de Shell Coast où se trouvaient les splendides plages de coquillages qui lui valaient son nom.

Fatiguée sous l'effet des médicaments, Laura Sierra ne sortait qu'à la tombée du jour où, couchée sur une chaise longue, elle écoutait les conversations tout en donnant sa ration de sardines à un pélican apprivoisé qui promenait son dédain sous le porche, conscient de l'intérêt qu'il éveillait chez les humains.

Une autre présence avait intrigué Emma et Julian, celle de la petite-fille de l'Indien Séminole taxidermiste. Araïna, qui ne connaissait pas sa date de naissance, semblait à peine sortie de l'adolescence. Elle avait un corps un peu lourd qui ondulait librement sous sa longue robe de coton et son huipil brodé. Ses cheveux d'un noir bleuté étaient retenus dans une épaisse tresse qui tombait sur ses fesses généreuses. Le visage d'Araïna gardait en toute occasion une absolue sérénité. L'observateur oubliait vite l'aspect un peu ingrat de sa face plate et large pour ne plus retenir que la douce lumière qu'elle dégageait. Araïna marchait nu-pieds et se déplaçait avec grâce et modestie. Elle avait la charge de la maison, veillant sur la malade et assurant le confort du Commandant.

En rentrant de cette visite chez ses parents, Emma avait confié son trouble à Julian.

« Je crois que mon père ne s'intéresse pas seulement aux oiseaux et à la flore de la région, il ne quitte pas la petite Indienne des yeux, et quand il lui adresse la parole, sa voix chante.

— C'est ce qu'on appelle être sous le charme.

— Lui, je comprends, mais on dirait que ma mère aussi. Je sais que cette fille doit lui être très dévouée, mais je dois avouer que cette façon de se comporter comme une épouse consentante dans un vaudeville français me déroute.

— C'est un mauvais exemple, Emma. Le ménage à trois n'est plus à la mode sur les scènes françaises. De plus, ta mère a l'air heureuse de cette situation. Quel mal y a-t-il ?

— Aucun mal. Je ne le juge pas, je dis seulement que je n'arrive pas à comprendre mon père. C'est là que le bât blesse. Plus j'essaie de me rapprocher de lui, plus je me rends compte que tout nous éloigne. »

Quelques mois après cette conversation, Laura Sierra mourait, et une semaine après les funérailles, Araïna prenait sa place aux côtés du Commandant. Depuis ce jour, Emma l'appelait « la Squaw ».

Un rituel assez cocasse s'était établi entre Julian et Emma chaque fois qu'il était question de rendre visite au Capitan Al sur son île. Emma acceptait l'idée de bon cœur mais quelques heures avant le départ elle trouvait toujours un prétexte pour ne pas pouvoir accompagner son mari.

Au début, Julian en fut sincèrement désolé car lorsqu'il le voyait débarquer seul, Alvarez faisait une tête d'enterrement. Mais après quelques heures, les deux hommes s'embarquaient dans d'intarissables conversations qui allaient de la pêche, la nature et l'écologie à la littérature et la philosophie — autant de vastes sujets s'épanouissant sous l'aile bienveillante d'Araïna et du pélican que le Capitan Al avait baptisé Alberto en hommage à Einstein.

Les stratégies de fuite d'Emma étaient devenues une source de plaisanteries entre eux, et malgré la frustration de s'y rendre sans sa femme, Julian pouvait difficilement cacher que ces rencontres saisonnières avec son beau-père à l'île Captive étaient riches de réflexions et d'échanges intellectuels fructueux. Il découvrait peu à peu l'homme dont l'humanité et l'insatiable curiosité ne cessaient de l'étonner.

Dans la vieille maison de l'île Captive, rien n'a changé depuis sa dernière visite, si ce n'est que les herbes ont envahi de nouveau le jardin qui prend un malin plaisir à entretenir un désordre de troncs et de branchages au milieu des traces d'un ancien feu. Canards, poules et cochons déambulent entre la terrasse et les broussailles. Sous le porche donnant sur la plage aux coquillages, le Capitan Al a suspendu des hamacs pour les visiteurs. Un gros bébé joufflu d'un an et demi joue, nu, sur un matelas à même le sol. Araïna, d'un rythme placide et silencieux, apporte à boire et à manger aux hommes. De nouveau enceinte, elle s'occupe de l'enfant et nourrit le pélican qui s'est attaché à elle depuis la mort de Laura. L'Indienne a le don de se maintenir à distance, tout en restant présente et prête à répondre au moindre signe de son mari ou de son fils.

Alvarez surprend le regard de Julian et sourit.

« Chaque jour, dit-il, je rends hommage à la générosité et à l'intuition de Laura. C'est elle qui a insisté pour garder Araïna chez nous. C'est elle qui m'a dit "je peux mourir tranquille car je te laisse dans de bonnes mains". J'aurais voulu qu'Emma entende les paroles de sa mère... Peut-être un jour comprendra-t-elle. » Avec ses cheveux longs et sa barbe poivre et sel, le Capitan Al est un autre homme. Sa peau tannée à l'extrême a pris une texture cuivrée. Il continue à ramasser les oiseaux victimes de

mort naturelle ou accidentelle et son habileté de taxidermiste est devenue si grande qu'il bénéficie aujourd'hui de
toute une clientèle de riches commerçants, de touristes
et de familles aisées en villégiature dans la région. Pour
augmenter ses revenus, il organise des promenades en
bateau dans les îles environnantes.

« Je les fais payer cher, mais crois-moi, ils en ont pour
leur argent. Ils découvrent grâce à moi les coins les plus
sauvages et je les éveille aux splendeurs de la nature et
aux menaces que le tourisme fait peser sur l'environne-
ment. Certains m'écoutent avec passion, d'autres d'une
oreille distraite ; une minorité seulement manifeste un
certain agacement. Mais personne ne contredit jamais le
maître à bord. »

Ils ont mangé les tortillas et l'admirable chili con carne
préparé par Araïna. A eux deux ils ont bu une bouteille
d'un vieux rhum sorti des réserves du Capitan.

L'enfant s'est endormi et des bruits de vaisselle accompagnés d'un chant aux accents mélodieux leur parviennent de la cuisine.

Couchés dans des hamacs, les hommes boivent en
silence. Une brise légère vient de la mer et les ombres de
la nuit envahissent peu à peu la plage. Le premier, Julian
rompt le silence.

« Mon père est mort il y a un mois à peine. Je n'ai pas
voulu assister à la cérémonie organisée par la secte en
présence de toutes les instances hiérarchiques du groupe.
Je me suis juste rendu au cimetière où ses cendres reposent dans une urne bleu ciel. J'ai essayé de prier, de lui
parler. Je n'ai pas réussi à avoir une pensée, ni à prononcer un traître mot. Mon père avait quitté le monde bien
avant sa mort. D'ailleurs, qu'aurais-je pu lui dire ? Lui
annoncer qu'on était sans nouvelles de sa femme et de sa
fille, disparues dans un bidonville de Manille ? Que nous
avions perdu espoir de retrouver leurs traces ? Les télé-
grammes et les lettres de l'ambassade américaine aux Phi-
lippines n'ont pourtant pas hésité à bousculer la
prudence de la diplomatie. Mais dans une région du
monde où la vie humaine n'a pas plus de valeur qu'une
carcasse de chien crevé dans les détritus, les deux étran-

gères se prenant pour Mère Teresa devaient savoir à quoi s'attendre. Le fils aîné de Gisela a eu plus de chance, si j'ose dire. Quelques mois avant, il s'était arrêté dans une succursale de la secte à Singapour. Quand je lui ai écrit pour lui annoncer la disparition de Magdalena et de Gisela et la mort de son grand-père, je n'ai eu droit en retour qu'aux brochures des Chemins du Ciel expliquant que les fidèles de la secte accéderaient à l'immortalité. »

La voix de cristal pur d'Araïna répète inlassablement la même phrase, comme les vagues se brisant sans fin sur la plage dans un roulis de coquillages. La nuit a réveillé son cortège de nébuleuses et d'étoiles scintillantes.

Puis peu à peu le chant de l'Indienne s'éteint à son tour et tout n'est plus que silence bruissant. Afin de mieux savourer l'instant unique et se concentrer tout entier sur la musique des sphères, Julian ferme les yeux.

Il fait glisser doucement la souris de son ordinateur pour revenir sur une phrase qu'il vient d'écrire. Depuis qu'il a cessé d'être professeur à l'université pour devenir éditeur, on a découvert ses qualités de critique littéraire. Julian croule sous les propositions de collaboration à des revues anglaises et espagnoles prestigieuses et les articles en préparation s'accumulent sur sa table de travail. N'ayant que l'embarras du choix, il n'accepte que ce qui l'amuse ou comporte à ses yeux un certain défi. C'est ainsi qu'il a accepté de répondre à la question « Quelle forme prendra le roman du XXIᵉ siècle ? » destinée à une jeune revue cubano-américaine dont le premier numéro devait sortir à New York le mois prochain. Nul doute que cette revue aura la vie courte et une diffusion confidentielle. Certainement le cercle des lecteurs se limitera-t-il à quelques jeunes étudiants, quelques écrivains et poètes en herbe, ne partageant pas l'attitude blasée ou cynique en vogue dans les milieux intellectuels et artistiques de la côte Est. C'est donc pour cette raison qu'il livre ses méditations en toute spontanéité et sans arrière-pensées.

J'ai l'impression que le roman de demain se définira davantage comme un glissement progressif vers des formes d'expression multiples où s'interpénétreront diverses disciplines artistiques. Mes récentes responsabilités d'éditeur de textes classiques et contemporains m'ont permis de faire certaines découvertes... comme par exemple que les chansons de geste, les romans chevaleresques, les œuvres de Cervantès elles-mêmes... échappent à toute classification. Que les grands textes classiques espagnols contiennent déjà en eux poésie et fiction, prose et théâtre. Que les plus grands écrivains latino-américains d'hier et d'aujourd'hui sont les héritiers légitimes de nos ancêtres castillans, un héritage dont ils peuvent s'enorgueillir.

Les temps ont beaucoup changé et il me semble que l'héritage du jeune écrivain du XXIe siècle passera, qu'on le veuille ou non, par ce culte de l'image que nous sommes en train de vivre aujourd'hui.

La sonnerie du téléphone l'interrompt et le fait sursauter. Julian Sargats consulte sa montre : il est vingt-trois heures exactement. Comme tous les vendredis à la même heure, Louis-le-Second l'appelle de Tokyo pour discuter de leurs affaires, s'informer du bon déroulement de leurs projets. Mais il arrive aussi qu'il appelle juste pour le plaisir de bavarder un moment avec son ami.

« Salut de l'Empire du Soleil levant.

— Que mes ancêtres cubains soient avec vous... »

C'est leur entrée en matière rituelle. L'un prend son petit déjeuner au Japon, l'autre termine sa journée de travail.

Julian a loué des bureaux dans une tour moderne downtown, cœur des activités commerciales de Miami. L'immense fortune de Louis-le-Second l'autorisait à se payer ce caprice. Louis n'avait pas hésité une seconde. « Tu sais que dans les affaires, lui avait-il dit, la façade a une grande importance. Logo de l'entreprise, standing des bureaux, brochure luxueuse et Annual Report sophistiqué sont les gages d'une entreprise qui tourne. »

Leur maison d'édition ne publiait qu'un seul livre par

mois, en alternant auteurs anglais et espagnols. Mais le choix des œuvres, des textes inédits exhumés ou des rééditions prestigieuses, la qualité de l'impression, les séries limitées préfacées par Julian Sargats lui-même, avaient tout de suite attiré l'attention des critiques littéraires, des universités, des bibliothèques et des amateurs de beaux livres.

Cette façon de travailler à son rythme et sans dépendre de quiconque plaisait beaucoup à Julian. Pour s'embarquer dans cette aventure, il s'était entouré d'une petite équipe : un documentaliste (un de ses anciens élèves), un maquettiste graphiste très compétent, un administrateur et une secrétaire. Les cinq pièces de bureaux, amples et aérées, avec de larges baies vitrées, suffisaient à l'équipe.

Téléphone sans fil à la main, comme chaque soir, Julian fait le tour du propriétaire. Il inspecte chaque bureau, vérifie que le dispositif d'alarme est bien branché, que Diana, sa secrétaire compétente mais fort distraite, a bien éteint son ordinateur et mis le papier nécessaire dans le fax.

« Ce matin, il y a eu un casse dans une bibliothèque du Bronx, imagine-toi...

— A New York, tout peut arriver.

— La seule chose qu'ils ont emportée, paraît-il, c'est un exemplaire de notre dernière édition de *La Célestine*.

— Génial ! Voilà des braqueurs intelligents, et la preuve manifeste que nous apportons à l'édition le souffle nouveau dont elle a besoin ! » dit Louis, se lançant ensuite dans des digressions sur la valeur inéluctable que prendront leurs livres avec le temps, comme les tableaux de Picasso ou de Van Gogh.

Julian se penche pour ramasser un étui de rouge à lèvres qui a dû tomber du sac de Diana. Il le place bien en vue sur le bureau de sa secrétaire et rentre dans le sien. Par la baie vitrée, il contemple Miami en bas. La tour construite par Ieoh Ming Pei, l'architecte américano-chinois, se détache sur le ciel. A l'approche de Noël, les tours sont éclairées de feux et de néons colorés, de grands sapins décorés et cette partie de la ville clignote et palpite tel un gros cœur enrubanné.

Et comme chaque vendredi, Louis Duverne-Stone ne manque pas de donner à son ami des nouvelles de sa famille.

« Mon fils a obtenu les meilleures notes du trimestre, aussi bien à l'école américaine qu'à l'école japonaise. Par contre, depuis quelques semaines, Machiko-Laureen refuse catégoriquement de s'exprimer en anglais. Quand je serai grande, je veux être geisha, papa, m'a-t-elle dit de son air le plus sérieux.

— Sait-elle au moins ce que geisha veut dire ?

— Oui, elle a suivi avec passion un très beau documentaire qu'ils ont projeté récemment à la télévision.

— Qu'en pense sa mère ?

— Je ne sais pas. Nous ne nous parlons plus depuis une semaine. J'ai eu la mauvaise idée de présenter quelques-uns de ses tableaux et de ses dessins à des amis et elle m'en veut terriblement. "La seule personne qui a le droit de montrer ou d'offrir ces tableaux, c'est moi. Et en prenant l'initiative sans même me consulter, tu déshabilles mon âme."

C'est la dernière fois que j'ai entendu le son de sa voix. Ensuite, elle s'est enfermée dans sa chambre et j'ai prié pour qu'elle ne se fasse pas hara-kiri. Maintenant ça va mieux. Elle fait toujours la grève des mots, mais je sens que ça va se débloquer... Et toi ? Comment va Emma ? Avez-vous toujours l'intention d'aller à Puerto Rico pour Noël ?

— Avec Emma, impossible de prévoir quoi que ce soit à l'avance. »

Je sais de quoi je parle. Ces trois dernières années ont été les plus pénibles de notre vie commune. Si l'on peut appeler vie commune le genre d'existence que nous menons en ce moment.

Lorsque j'ai quitté mon poste à l'université, au début tout le monde a été très surpris. Dans la Petite Havane les rumeurs sont allées bon train et je n'ai rien fait pour les démentir.

Je me suis enfermé dans cette tour en verre pour mieux disposer de mon temps et me concentrer. N'ayant de comptes à rendre à personne, je pouvais facilement m'ab-senter une heure ou deux pour déjeuner avec Emma dans un bistrot près du tribunal. Quand elle avait le temps de déjeuner, bien sûr. Le soir, nous nous arrangions pour rentrer ensemble à la maison, et nous réservions farou-chement à notre intimité deux week-ends par mois.

Tout allait pour le mieux jusqu'à ce moment terrible et fatal où, pour la première fois, nous avons entendu parler de "glasnost" et de "perestroïka". Soudainement M. Gorbatchev est devenu l'acteur du jour. Pour les Cubains de Miami, ces bouleversements au cœur de l'em-pire soviétique représentaient une bouffée d'air pur, un espoir : si Moscou changeait, ces secousses se répercute-raient fatalement à La Havane. Gorbatchev et sa femme Raïssa furent reçus comme des stars à Washington et ce fut le début de mes misères.

L'association qui, vingt ans durant, avait soutenu le commandant Alvarez en prison s'est tournée vers sa fille Emma pour qu'elle fasse pression sur Washington afin que Washington fasse pression sur Moscou et que Mos-cou fasse pression sur Castro. « Il nous faut un lobby fort au sein du gouvernement américain, des députés d'origine cubaine à la Chambre des Représentants, des jeunes de l'exil doivent siéger au Sénat. » Tous en étaient convaincus. Lino et Ciro étaient déjà sur les listes à Washington, pourquoi pas Emma à Miami ? « Que dois-je faire ? » m'a demandé Emma, les yeux brillants et le cœur battant.

« Demande-toi plutôt ce que tu as envie de faire », lui ai-je rétorqué sans hésiter. En se présentant, elle reprenait le flambeau dévolu à son père. Si je m'étais opposé à sa carrière politique, elle se serait certainement pliée à ma décision mais je savais aussi qu'au fond d'elle-même, à la longue, elle m'en aurait voulu.

« Vivons au jour le jour. Fais comme tu le sens et essayons de sauver du temps pour nous. »

Au jour le jour.

Les anciens du groupe avaient retrouvé leur solidarité. Ciro et Lino prêtèrent leur soutien logistique — à savoir leur contact avec la machine électorale du Parti Républi-

cain et leur réseau de relations au sein de la bureaucratie de Washington. Ricardo devint une sorte d'attaché de presse au service de sa sœur dont l'image publique fut portée au cœur des débats à Miami.

Moi-même, au début, j'ai participé de bon cœur au déclenchement de cette opération politique. L'image d'Emma en pasionaria de l'exil cubain m'amusait. Jusqu'à ce fameux soir...

Une grande soirée de gala avait été organisée au restaurant du Centro Vasco pour récolter des fonds. Cinq cents dollars le couvert. Ricardo s'était arrangé pour obtenir des prestations gratuites de quelques vedettes du show-biz. Emma devait prononcer un discours.

Je l'ai vue monter sur le podium, élégante, sûre d'elle et capable de maintenir sous le charme, plus d'une heure durant, une centaine de personnes rompues à ce genre d'exercice et légèrement blasées d'entendre depuis des années toujours le même thème : « Castro et Cuba, l'exil et Miami ».

Et son charme a opéré. Le public était conquis et bouleversé.

J'ai senti dans l'assistance un grand mouvement de sympathie.

Je te regardais, Emma, mais ce n'était pas toi que je voyais, ce n'était plus la jeune femme svelte, maladroite et passionnée qui m'avait conquis sur un podium improvisé de la calle Ocho, alors que j'aurais pu passer mon chemin sans t'entendre ni te voir.

Dix-huit ans après, te voilà de nouveau sur un podium avec un micro. Tu es ma femme et pourtant je me sens aussi exclu que dix-huit ans plus tôt.

Et ce sentiment me fait mal car, depuis ce soir-là, j'ai de toi une vision qui m'obsède : celle d'une femme double. L'avocate, professionnelle de la politique, et l'ombre de cette jeune fille à la force mythique.

Une flamme qui se nourrit de sa propre passion.

Une passion qui faiblit.

Il y a quelques jours nous avions rendez-vous pour déjeuner ensemble dans une cafétéria downtown. A la dernière minute, tu t'es décommandée. Une rencontre

*importante avec je ne sais quel politicien de Floride. Pour
mieux ruminer ma déception j'ai marché dans les rues du
quartier. Comme à l'époque de mes études à Harvard,
j'ai fait la tournée des bars. Pénombre, pullmans discrets,
juke-box avec les derniers tubes et des chansons nostalgiques. Marvin Gaye, Nat King Cole. Les glaçons fondant dans le whisky, parlant de tout et de n'importe quoi
avec des inconnus de passage. Ames errantes et cœurs
blessés hantent ces lieux dans toutes les villes du monde.*

*Je me suis retrouvé en train de raconter que My Way
avait été créé par un Français, qu'en français la chanson
s'intitulait Comme d'habitude. Cette chanson qui avait
été notre refrain préféré pendant notre séjour en France,
Emma. Tout en expliquant, je fredonnais la chanson
devant cette femme au beau visage fatigué qui me faisait
penser à celui de Gena Rowlands dans Gloria.*

*Et pour la première fois en dix-huit ans, Emma, je t'ai
trompée. Avec une inconnue dont je n'ai même pas
retenu le prénom.*

« Avez-vous l'intention d'aller à Puerto Rico Emma et
toi pour Noël ? demande Louis encore une fois.

— Je vais lui en parler ce soir, et je te dirai ça. Nous
soupons ensemble au Versailles, à minuit. A l'heure où
le carrosse se transforme en citrouille, Emma apparaît. Je
te dirai ce qu'il en est, si ce voyage tient toujours, vieux.

— Tu prends ton rôle d'époux de femme publique
avec beaucoup de philosophie, l'ami. Je te félicite.
L'époux de Mme Thatcher n'aurait rien à t'envier.

— Humour japonais, je suppose ?

— L'humour nous préserve de la triste réalité. Moi
avec une femme muette, toi une femme absente. Deve-
nons sages et philosophes par réflexe de survie. Sayonara,
l'ami. A vendredi prochain.

— Sayonara, patron. »

Toutes les tables du Versailles sont occupées. A l'approche de Noël, la ville est en effervescence et propose

quantité de soirées culturelles et artistiques aguichantes : théâtre, comédies musicales de Broadway, concerts, expositions, « happenings »... il y en a pour tous les goûts et pour toutes les bourses.

Julian a pris la précaution de réserver sa table préférée au fond de la grande salle où le bruit des conversations arrive atténué dans une sorte de second plan sonore et où ils seront un peu à l'abri des regards.

C'est avec un certain énervement qu'il traverse le restaurant d'un air pressé, saluant au passage d'un geste de la tête ou d'une rapide poignée de main les uns et les autres. Il a pris en horreur le rôle de représentation imposé par les activités publiques nouvelles de sa femme. Il sait qu'Emma fera inévitablement le tour des tables pour dire son mot à chacun et ne blesser la susceptibilité d'aucun. Arrivé à la hauteur de leur table il est surpris par des éclats de voix et de vaisselle se brisant sur le sol et se retourne, n'en croyant pas ses yeux : c'est Ricardo, complètement hors de lui, ceinturé par deux hommes qui tentent de l'empêcher de se battre contre un malabar moustachu, baraqué comme une armoire et retenu à son tour par trois de ses complices. La table a valsé avec verres et vaisselle et tout s'est répandu par terre dans un grand fracas. Des enfants pleurent et la femme du type en question est au bord de la crise de nerfs.

La serveuse qui connaît bien Julian s'approche en levant les bras au ciel.

« Faites quelque chose pour calmer votre beau-frère, monsieur Sargats. Vous au moins, il vous écoutera ! »

« Tu crois pas que je vais foutre en l'air mon costard Yves Saint-Laurent pour un minable de ton espèce ! En tenue de jogging, je vais te la défoncer, ta grosse gueule de con ! » hurle Ricardo avant de se laisser emporter par Julian et les deux hommes qui le maintiennent.

Dans la voiture, Ricardo est pris d'un fou rire irrésistible. S'étouffant et hoquetant, il explique à son beau-frère ce qui le rend si gai.

La femme du moustachu qui est par ailleurs ceinture noire de karaté et propriétaire d'un club a été sa maîtresse pendant quelques années. Quand Ricardo a rompu

avec elle pour vivre avec Casilda Linares Flores, la maîtresse dépitée avait fait courir le bruit que le journaliste
Alvarez l'avait abandonnée par crainte de représailles de
son mari, maître en arts martiaux, à qui elle avait avoué
sa liaison.

« J'ai laissé courir la rumeur, avoue Ricardo, car je
trouvais sa réaction cocasse. Et chaque fois que je ren-
contrais son mari en public, je me dérobais, j'affichais un
profil bas et jouais au froussard. Voilà que ce soir — je
ne sais pas ce qui m'a pris — mais quand je les ai vus là,
en famille, la femme adultère, le mari cocu et leurs amis...
je n'ai pas pu résister à la tentation. En passant devant
leur table, je me suis approché de Madame, et le plus
naturellement du monde, je l'ai embrassée sur la bouche... »

De nouveau il est pris d'un accès de rire, suffoque,
essuie ses larmes.

Julian, lui, n'a pas envie de rire. Les mains crispées sur
le volant, le regard concentré sur la route, il conduit avec
sa prudence habituelle.

« Et que voulais-tu te prouver au juste en insultant cet
homme en public ? » Le ton est sec, dur. Son beau-frère
lui a bel et bien gâché ce souper dont il se faisait une joie.

« M'amuser. C'est la seule chose qui m'intéresse dans
la vie, j'aime par-dessus tout m'amuser », dit-il pour narguer son beau-frère. Puis, s'enfonçant dans son siège, il
ferme les yeux et fait mine de s'endormir.

Julian réussit à joindre Emma au téléphone et lui
conseille de rester dîner tranquillement au Versailles.

« J'ai installé Ricardo dans notre chambre d'amis. Il a
vomi tout ce qu'il pouvait puis il a pris une douche froide
et maintenant, on dirait qu'il a du vague à l'âme.

— Sacré petit frère ! Il a toujours eu le vin violent ou
triste, ou les deux à la fois.

— Il insiste pour me parler "d'homme à homme". Soit
il me prend pour docteur Freud, soit tu vas me retrouver
dans son lit !

— Quel rôle préfères-tu ? Bon, je vous laisse à vos

affaires... A demain *mon cher et tendre époux*, dit-elle en français.

— *Bonsoir, ma mie.* »

Ils ont ramené d'Europe ces expressions câlines puisées dans la lecture des romans précieux du XVIIe qui les avaient ravis.

Quand il revient dans la chambre, Ricardo est couché, le drap remonté jusqu'au menton et un bras posé sur les yeux.

« Mon pauvre Julian, dit Ricardo, jamais je ne comprendrai comment tu as supporté avec autant de patience et depuis si longtemps le tumultueux clan Alvarez Sierra.

— Tout simplement parce que j'aime la fille du clan. »

Julian se cale dans le fauteuil. La petite lampe de chevet projette une lumière pâle et bleutée sur le lit, laissant le reste de la pièce dans l'ombre. Avant de remonter rejoindre Ricardo, il a mis son disque préféré, une compilation CD de vieux enregistrements d'Alfred Cortot : le concert n° 2 de Chopin, enregistré en 1935, le concert n° 4 de Saint-Saëns qui date de la même année, l'étude en forme de valse du même auteur de 1931 et le concert pour la main gauche de Ravel, de 1939. Le son n'a pas été trafiqué comme il arrive souvent pour ce genre d'enregistrement « historique » qui garde le charme et les imperfections des vieux 78-tours d'antan. L'interprétation d'Alfred Cortot se trouve comme renforcée par cette qualité de son spéciale.

Le dialogue nerveux et vibrant entre l'orchestre et le piano de l'*allegro moderato* du morceau de Saint-Saëns leur parvient du rez-de-chaussée. C'est ce moment que Ricardo choisit pour lancer :

« Il faut que tu saches, Julian, que Casilda et moi sommes des agents cubains. »

Pris dans sa rêverie, légèrement assoupi par le silence qui s'est imposé dans la pièce entre les deux hommes, les paroles de Ricardo frappent Julian de plein fouet. Son expérience de professeur lui a appris à ne jamais intervenir dans les confidences tourmentées ou les confessions douloureuses de ses élèves. Car lorsque quelqu'un vous ouvre son cœur il attend de vous le pardon, un peu de compassion ou simplement une écoute amicale.

Alors, devant l'incroyable révélation, il ne peut que se taire et écouter Ricardo encore sous l'effet de l'alcool qui tente de retracer de façon désordonnée son odyssée passionnée, sa relation perverse et complexe avec l'aventurière bolivienne. « Quand j'ai rencontré Casilda dans un cocktail du Guzman Center of Performing Arts, elle m'a immédiatement subjugué. Avec sa chevelure épaisse, ses pommettes hautes, ses yeux sombres et son regard altier, elle avait une présence charismatique et j'ai ressenti chez elle cette flamme intérieure que confère un secret farouchement gardé, une tension exceptionnelle et douloureuse. »

Un coup de foudre partagé. Après un long regard fatal, quelques coupes de champagne et une amorce de conversation, la Bolivienne ne mit aucun obstacle entre eux et n'hésita pas à suivre Ricardo Alvarez et à coucher le soir même avec lui. En quelques jours, le couple devint le sujet de conversation de tout Miami. Le don Juan cynique était pris dans la toile d'araignée tendue par la fascinante étrangère. Mais si l'on jasait sur le couple, personne ne savait qui était vraiment Casilda Linares Flores. Elle avait débarqué un jour à Miami pour ouvrir une galerie où elle exposait peinture, sculpture et bibelots précieux et se disait veuve d'un richissime homme d'affaires bolivien. Elle aidait les jeunes artistes, contribuait avec générosité à des œuvres de charité, donnait de temps à autre de fastueuses fêtes où se pressait tout le gratin argenté de la ville. Dotée d'une beauté et d'une élégance qui ne gâchaient rien, elle s'était rapidement imposée, devenant une figure de proue de la vie culturelle, adulée et courtisée.

« Au début, je n'ai pas imaginé une minute qu'elle s'intéressait à la politique. Elle fréquentait surtout les milieux artistiques et entretenait des relations d'amitié avec les plus grands hommes d'affaires cubains, tous anti-castristes viscéraux. Que demander de plus ? »

Par dérision, Ricardo appelait son amante « l'impressionniste » car c'est par touches qu'elle s'était progressivement dévoilée à lui.

Le père de Casilda, avocat de renom et catholique de souche castillane, avait fait du paysage de son enfance une sorte de foyer rigoriste. Sa mère et sa grand-mère étaient, elles, de pures Indiennes et c'est en se cachant du Maître qu'elles parlaient à la petite fille en quechua. L'enfant avait aussi une nourrice indienne, une vieille femme à qui elle confiait tous ses chagrins.

« Casilda avait vingt ans lorsque son père convoqua chez eux tous les notables de La Paz pour fêter la mort d'un bandit étranger, un dénommé Ernesto "Che" Guevara, traqué depuis quelques mois par l'armée régulière. L'avocat exultait et fit boire ce jour-là du champagne à sa fille. A la cuisine pourtant la version des faits était tout autre. On se passait sous le manteau la photo d'un homme barbu aux cheveux longs, à l'allure christique et romantique, au regard de feu et au sourire généreux, et les femmes soupiraient, retenant leurs sanglots. »

Par solidarité avec sa nourrice, Casilda pleura dans ses bras. La vieille glissa la photo du Che dans sa ceinture en lui disant : garde-la toujours avec toi, il te protégera contre le mal. Casilda ne connaissait rien à l'histoire du Che, elle pensait alors que c'était un saint protecteur des Indiens. L'homme avait une belle allure et par fidélité à sa nounou elle se fit un devoir de conserver pieusement cette photo.

A la fin de ses études secondaires chez les religieuses, elle est envoyée par son père chez des cousins à Mar del Plata. C'est là qu'elle rencontre un jeune homme de bonne famille, tout pétri d'inquiétudes révolutionnaires. Ils partent ensemble pour Buenos Aires. Epoque passionnante pour la jeune Bolivienne qui découvre la vie clandestine, l'activisme politique, la lutte anti-fasciste et le dévouement à la cause. Un jour son amant Luis Danilo F., ramassé par la police politique, disparaît, comme tant de milliers d'autres à cette époque.

Casilda tombe gravement malade. Elle est évacuée en catastrophe par des amis de son père. Suit une longue dépression à laquelle rien ni personne ne semble pouvoir remédier. Un vieil ami de son père, riche propriétaire de terres et de mines, vient souvent rendre visite à la jeune fille pour la distraire. Il la couvre de disques et de livres d'art et l'emmène en promenade.

« C'était son aîné de trente-cinq ans. Cultivé et d'une exquise courtoisie, l'homme n'exigeait jamais rien en retour de ses largesses. Pour Casilda, il représentait le père qu'elle aurait rêvé d'avoir. Aussi lorsque don Pablo Linares Flores la demanda en mariage accepta-t-elle avec une mélancolie empreinte de tendresse. Six mois plus tard, l'homme eut l'extrême et ultime courtoisie de mourir. »

Casilda Linares Flores commence alors à mener une vie indépendante. Elle crée des collections de bijoux : des colliers, des bracelets, des anneaux et des bagues à caractère ethnique qui s'inspirent directement de bijoux mayas et incas. Les risques qu'elle court en protégeant et en lançant des jeunes artistes sur le marché sont contrebalancés par la vente de ses bijoux qui ont un gros succès auprès de la haute bourgeoisie latino-américaine. Acheter et porter ces copies de pièces précolombiennes en or, émeraudes et rubis est une façon d'honorer ces cultures très anciennes tout en manifestant l'étendue de sa fortune.

« Casilda disait que depuis les temps de la colonisation espagnole en Amérique latine les riches ont toujours aimé faire étalage de leurs richesses. Pour preuve, elle citait Eva Peron et comment ses bijoux et ses manteaux d'hermine donnaient à sa silhouette un air féerique que le peuple adorait. »

Peu à peu, Casilda se transforme en mythe vivant pour les déshérités qu'elle côtoie. Elle devient la marraine de foyers pour enfants, orphelins et mères célibataires au Mexique, à Caracas et Rio de Janeiro. En parcourant les zones misérables des banlieues urbaines, Casilda Linares Flores entre alors en contact avec le milieu des militants de gauche et surtout avec cette nouvelle génération de prêtres qui rêvent d'un mariage entre communisme et marxisme et d'un retour à l'esprit communautaire du christianisme primitif.

« La veuve richissime retournait à ses amours de jeunesse. Et voilà comment, par petites touches, elle entreprit de faire mon éducation. Intuitivement elle sentit qu'il valait mieux ne pas me parler de Marx et des prêtres rouges sans quoi je me serais moqué d'elle, ou pis encore, j'aurais douté de sa sincérité. »

La veuve comprend que discours et théorie révolutionnaires ne sont pas aptes à séduire son jeune amant. Elle lui propose simplement de l'accompagner ici et là dans quelques-unes de ses missions charitables. Une virée dans un bidonville de Caracas, de Bogota ou dans les quartiers pauvres de Miami où Ricardo Alvarez n'avait jamais mis les pieds.

« "Tu es journaliste, il serait temps de faire ton éducation, d'aller un peu sur le terrain, observer de près ce qui s'y passe...", me dit-elle. C'était vrai. Depuis mon enfance, j'avais vécu dans le ghetto de l'exil cubain. Et puis, pour être franc, je n'ai jamais aimé la pauvreté et la saleté me dégoûte viscéralement. »

Ricardo admire avec quelle aisance et sincérité, avec quelle énergie Casilda Linares Flores se dépense. Elle distribue intelligemment son argent, traite directement avec les gens qui ont besoin d'elle, fuyant la publicité et les intermédiaires douteux. Par ailleurs, elle insiste pour présenter à Ricardo tout ce qu'elle connaît de gens influents, « des gens de pouvoir qui sont, en même temps, mes amis », lui dit-elle. En effet dans son carnet d'adresses figure tout le gotha de l'Amérique latine.

Au cours de ces voyages éclairs qui durent le temps d'un week-end, la veuve et le journaliste passent sans transition d'un bidonville où l'on touche le fond de la misère à la somptueuse villa d'un millionnaire vénézuélien, mexicain ou chilien. Puis il y a ce fameux dîner chez un général proche du pouvoir au Guatémala et une discrète rencontre avec des membres de l'extrême droite à El Salvador.

« J'ai appris que Casilda donnait de l'argent non seulement aux pauvres et aux déshérités mais qu'elle cotisait pour je ne sais quels fonds secrets alimentant les caisses d'obscurs groupes extrémistes, de polices parallèles qui revendiquaient sans complexe la responsabilité de la mort de quantité d'innocents. Je le sais pour les avoir entendus parler. Comme Casilda subventionnait leurs activités, ils se sont livrés en toute confiance. A entendre leurs propos, on ne pouvait se méprendre : ils ne prétendaient pas représenter une quelconque idéologie ou un plan destiné à sauver de la ruine l'économie ou les institutions d'un pays, non, c'était un discours de brute à l'état pur, il s'agissait pour eux de conquérir le pouvoir par la force et la terreur. C'est tout. J'étais choqué que Casilda pût se promener avec tant de charme et d'élégance entre ces deux mondes si opposés. "Docteur Jekyll et Mister Hyde", lui dis-je un jour pour la provoquer. Elle a ri, puis m'a répondu : "Je me vois plutôt comme une matriochka russe : enlève une poupée, et tu en trouveras une autre et encore une autre..." »

Ce faisant, Casilda Linares Flores éveille chez Ricardo le besoin de connaître la situation politique et sociale en Amérique latine afin d'évaluer avec plus d'objectivité les forces en présence. Il se penche sur ses dossiers dans un souci professionnel, et grâce aux gens que Casilda connaît dans les milieux les plus divers, son travail d'enquête s'affine et se met à porter ses fruits. De journaliste brillant mais un peu superficiel, Ricardo Alvarez devient une plume qui fait mouche. Il commence à faire parler de lui dans la profession. On attend ses analyses et ses enquêtes. Dans un même souci d'information, il se met à fréquenter des sociologues, des économistes et des politologues que Casilda lui présente. Très vite il s'aperçoit que tous ces personnages ont de près ou de loin des sympathies et des liens avec Cuba.

Lorsqu'il rencontre ces experts, comme les appelle la Bolivienne, il reste sur ses gardes et observe une discrétion toute professionnelle. Assez vite, il peut faire le tri entre les fanatiques du régime cubain et les modérés, ceux qui, tout en gardant une position critique, prennent en compte les acquis de la Révolution et les changements positifs qu'ils ont apportés au peuple cubain.

« J'étais habitué à ne voir et à n'entendre autour de moi que les aspects négatifs du système. On mettait tout dans le même sac : l'éducation, l'hygiène, la monoculture du sucre, la propagande et les milices de quartier. Il n'était pas pensable de reconnaître la qualité du système scolaire ou médical cubain pour la simple raison qu'ils avaient été créés par Castro. Rien de surprenant à cela. L'exil était en guerre contre Cuba communiste et Cuba était en guerre contre l'exil. Les coups bas et la désinformation entre les deux partis étaient monnaie courante. C'est seulement au contact de ces gens que j'ai commencé à comprendre que la réalité était beaucoup plus complexe. Le journaliste prit le dessus sur le militant pur et dur que j'avais été. »

Casilda Linares Flores et Ricardo Alvarez ont passé un accord économique : pour ne pas blesser sa susceptibilité virile, Ricardo accepte d'être "l'invité" de la Bolivienne et son compagnon de voyage dans toute l'Amérique latine, en contrepartie de quoi il paie toutes les dépenses dès lors qu'il s'agit de leurs escapades amoureuses en Floride, dans des endroits suffisamment éloignés de Miami pour être sûrs de ne pas croiser leurs compatriotes cubains.

« Au début de ma carrière de journaliste, j'avais accepté des piges dans des publications en tout genre, y compris des catalogues de tourisme. C'est comme ça que j'avais découvert la Floride et que je me faisais une joie de faire partager à Casilda la beauté de ces villes de la côte Atlantique et du golfe du Mexique : Pensacola et son quartier colonial où la présence espagnole est si forte, Tampa, si liée à José Marti et aux Cubains de la guerre d'indépendance, Jacksonville où nous sommes restés des heures à contempler l'embouchure du fleuve Saint John et à déambuler le long des interminables plages de l'île Amelia. »

Ces week-ends en amoureux soudent les liens du couple et Ricardo n'a jamais rencontré au cours de ses nombreuses aventures entente physique aussi parfaite. Plusieurs fois, il propose à Casilda de l'épouser, prétextant que leur concubinage crée le malaise dans les milieux très exclusifs et conservateurs qu'ils fréquentent. La Bolivienne réagit selon son humeur... « C'est tellement comique de voir leurs mines défaites lorsqu'ils se demandent s'ils doivent te présenter comme mon secrétaire, mon compagnon ou mon amant ? »... ou encore « Je refuse le mariage par superstition : lorsque deux amants aussi passionnés que nous se marient, c'est la fin de leur idylle. Les liens officiels gâchent le romantisme de l'amour, Ricardo... »

Mais l'excuse la plus imparable que Casilda Linares Flores oppose à Ricardo dès qu'il évoque l'idée du mariage est la suivante :

« Encore dix ans et je serai vieille aux yeux de la jeunesse. Et c'est avec angoisse que je lirai dans ton regard mes premières rides. Ou pis encore... imagine que je sois jalouse de te voir dans la plénitude de ta jeunesse alors que je me sentirai décliner.

— Qu'est-ce que cela veut dire ?

— Cela veut dire que le jour où je verrai disparaître de tes yeux ce feu de l'amour, cette fièvre de latin-lover, alors, sois-en certain, je te quitterai. »

« Le sujet revenait régulièrement dans nos conversations. J'avais l'espoir de vaincre cette crainte viscérale de Casilda. Je tenais à lui prouver que nous étions nés l'un pour l'autre et que, de toutes manières, il ne fallait tenir compte que du présent. "Nous prenons des avions sans arrêt, Casilda, nous conduisons l'un et l'autre comme des bolides, nous aimons fréquenter des gens louches, nous visitons des bidonvilles dangereux et nous traversons des pays comme El Salvador où la vie ne vaut pas un clou. Marions-nous. Un accident arrive vite. Moi aussi je suis superstitieux. S'il me faut mourir un jour, que ce soit sur une autoroute ou dans un avion en flammes, tué par des guerilleros de gauche ou des généraux de droite, je veux entrer dans l'éternité en étant ton époux légal. »

Ils passent trois jours à Saint Augustine dans la plus parfaite harmonie. Ricardo aime cette ville qui possède de très anciennes églises et un pont, le pont du Lion, que les habitants comparent à celui du Rialto à Venise. La population a un flegme et une douceur peu habituels dans cette région vouée au tourisme de luxe et à la frénésie de la consommation. Grâce aux cachets de plus en plus importants de ses articles et de ses interventions à la radio et à la télévision, Ricardo n'a pas lésiné sur les dépenses. Le Westcott House, construit en 1880, ne possède, comble d'élégance, que huit suites somptueuses meublées en pur style victorien.

Une atmosphère dépaysante qui convient parfaitement à leur état d'esprit.

Ils ont dîné dans leur chambre et bu du champagne. Deux bouteilles vides reposent sur la table avec des restes de nourriture...

« J'étais dans le lit. Casilda sortait de la douche. Elle s'était assise en travers du fauteuil enveloppée dans une djellaba et fumait un cigarillo, ses longs cheveux humides tombant sur ses épaules. Sous la lumière tamisée, son visage d'Indienne prenait un reflet énigmatique. »

C'est ce moment que choisit Casilda pour avouer à Ricardo ses contacts avec les services de renseignement cubains. Elle décrit à son amant dans le détail le processus et la façon dont elle a été sollicitée et recrutée. Une mise en scène qui ressemblait à une pièce en trois actes.

Premier acte : création d'un suspense. Le voyage à Cuba a été organisé par un prêtre brésilien, fervent admirateur de la Révolution, rencontré dans une favela de Rio. Pour des raisons très faciles à comprendre, ce prêtre lui propose de se rendre sur l'île en toute discrétion, avec un visa volant afin de pouvoir rentrer sans problème aux Etats-Unis. Premier contact avec l'île : « J'ai été promenée d'un bout à l'autre du pays, on m'a montré les merveilles du socialisme d'État : granges, élevages de poules, vaches inséminées avec le sperme d'un taureau normand directement importé de France, innombrables écoles paysannes, foyers et hôpitaux en tout genre. Même un village indien reconstitué, avec des centaines de crocodiles — animaux que j'abhorre — empilés les uns sur les autres en plein soleil. »

Pendant ce premier séjour, Casilda peut s'entretenir avec des paysans, des ouvriers, des jeunes pionniers en uniforme, foulard rouge noué autour du cou. Quelques cadres moyens lui récitent la leçon réservée aux étrangers.

« Ce voyage m'avait laissée plutôt perplexe. Je sentais qu'il y avait des choses qu'on ne me montrait pas, tout semblait trop bien orchestré », explique Casilda avant de passer à la description du second acte.

Cette fois-ci la visite est plus courte mais beaucoup plus intense et on lui laisse tout le loisir de choisir ses activités.

« Pas de poules ni de vaches, pas d'écoliers ni d'apparatchiks endoctrinés. J'ai pu parler à des dirigeantes de la Fédération des femmes, à des cadres et des militaires gradés. Un jour j'ai eu droit à un de ces mystérieux rendez-vous dont les Cubains ont le secret pour mieux impressionner leur hôte. Voiture puissante, trajet biscornu nous conduisant dans une somptueuse villa au bord de la mer. A Miramar, si mes souvenirs sont bons. Mon hôte, un commandant à la barbe rousse fraîchement taillée que j'avais déjà aperçu côtoyant Fidel dans une manifestation publique, me dit avec sérieux et courtoisie sans pouvoir éviter quelques regards dérobés sur mon corsage : "Parlez-moi de vos doutes sur la Révolution, exposez-moi vos critiques." J'ai critiqué tout ce qui me semblait critiquable. Mais dans l'ensemble, le bilan était positif et mon admiration pour les acquis de la Révolution dépassait d'une bonne tête mes déceptions. C'est alors que le barbu m'a proposé tout de go de travailler à soutenir la Révolution de l'extérieur, à l'étranger. Apparemment il connaissait ma vie de bout en bout : la position de ma famille, mes études, ma rencontre à Mar del

Plata avec un aspirant guerillero, mon mariage. J'étais à
la fois furieuse de cette enquête aussi poussée sur ma vie
privée et fière de l'intérêt qu'on me portait. "Libre à vous
de refuser ma proposition ou de l'accepter", dit le
commandant me fixant droit dans les yeux. J'ai répondu
par un oui ferme et assuré. »

Casilda Linares Flores quitte Cuba. Quelques semaines
plus tard, au cours d'un voyage en Equateur, elle est
approchée par un membre de l'ambassade cubaine de ce
pays qui lui remet un faux passeport colombien et des
instructions pour regagner l'île à travers un périple
compliqué qui passe par le Pérou, le Chili, Panama et la
Jamaïque.

« Dès mon arrivée à l'aéroport on m'a conduite dans
une villa éloignée de La Havane. J'y ai suivi un stage
technique destiné à m'apprendre à communiquer mes
renseignements à mon comparse de l'Equateur. Rien de
spectaculaire. Mini-magnétophone pour enregistrer des
conversations, appareil photo miniaturisé... J'ai surtout
eu de longues conversations avec des experts en politique
et en économie. Des hommes et des femmes anonymes
qui travaillaient sous pseudonyme. Pour eux j'étais
"Magnolia". Fleur des Tropiques. Le plus dur pour moi
fut d'accepter les changements qu'ils me proposaient : je
devais éviter tout contact avec mes anciens amis de
gauche et éveiller l'intérêt, m'attirer l'amitié des cercles
de l'extrême droite sur tout le continent latino-américain,
tout particulièrement dans le milieu des exilés cubains
anti-castristes, où qu'ils se trouvent. »

Arrivé à ce point de la confession de sa maîtresse,
Ricardo, qui l'a jusque-là écoutée et regardée comme si
un cauchemar se déroulait sous ses yeux, lui pose la question qui le tourmenta le plus :

« Le soir de notre rencontre, as-tu décidé de coucher
avec moi parce que tu savais qui j'étais ?

— Non. Je t'avais déjà repéré et tu me plaisais, tu
m'attirais sexuellement. J'aurais couché avec toi sans
même te demander ton prénom. Mais quand j'ai su que
tu étais l'étoile montante de l'exil, je me suis dit, pourquoi ne pas joindre l'utile à l'agréable... »

Tendu, maîtrisant sa colère, Ricardo insiste pour savoir jusqu'à quel point Casilda l'a manipulé.

« J'ai commis l'erreur que les services de renseignement craignent le plus : je suis tombée amoureuse de toi. Pour toi, j'ai même essayé de mettre en garde Jerry et Rodolfo. A mots couverts, je les ai encouragés à cesser leurs jeux dangereux sur les côtes cubaines. Je soupçonnais leur groupe d'être infiltré par un agent cubain. Jerry m'assura que son équipe était fiable. Il s'est trompé et il l'a payé de sa vie. »

Elle ne mentait pas. Ricardo avait été témoin des mises en garde de Casilda à ses compagnons.

« Pourquoi me racontes-tu tout cela seulement maintenant ? » demande enfin Ricardo à sa maîtresse.

« Parce que nous venons de vivre trois jours magiques, ici, à Saint Augustine. Parce que pour moi tu comptes plus que tout. Je veux savoir si tu es encore capable de m'aimer ou si tu vas me haïr. A toi de choisir, j'accepte ton verdict. Tu peux aussi me dénoncer. »

Elle est assise, droite et hiératique, sur le fauteuil de style victorien. Ses yeux brillent comme des braises incandescentes.

« Nous en reparlerons demain », murmure Ricardo Alvarez, fou de désir.

Il lui ouvre ses bras. Casilda se lève, laisse tomber la djellaba qui glisse de ses épaules et s'offre à son amant.

Le CD des œuvres d'Alfred Cortot s'est arrêté depuis longtemps. Julian n'a pas bougé de son siège. Il a essayé d'écouter son beau-frère sans porter de jugement. Il n'est pas insensible au visage défait, à l'émotion dans la voix de Ricardo, à sa souffrance évidente, mais il continue de se taire car il sait que la partie la plus douloureuse reste encore à venir. La maison dort et tout est silencieux. Après un long instant de réflexion, Ricardo reprend :

« Les aveux de Casilda m'avaient mis devant le dilemme suivant : soit il fallait nous séparer, soit je participais à cette aventure... ce que j'ai souhaité faire. Elle m'a promis qu'elle parlerait à son correspondant équatorien mais ne pouvait en rien m'assurer des résultats de sa démarche. L'homme de Quito demanda à Casilda du temps. Il lui fallait consulter ses supérieurs. Trois mois après arriva une réponse laconique. Rendez-vous m'était donné tel jour à telle heure dans un hôtel ultra-chic sur la plage d'Acapulco. Je devais attendre toute la journée sans sortir de ma chambre mon visiteur inconnu. Il n'arriva qu'après minuit, une bouteille de Chivas Regal dans une main, un sourire de bonimenteur aux lèvres. La quarantaine bien tapée, élégant, cheveux et moustaches grisonnants, le type ressemblait davantage à un Levantin qu'à un Cubain typique. Il descendait, m'a-t-il expliqué, d'une famille libanaise établie à Cuba au début du siècle et ne cacha pas sa véritable identité. "Je suis au Mexique, cher ami, pour suivre des discussions sur les problèmes économiques du continent latino-américain."

Il eut ensuite le bon sens d'évoquer la curieuse situation à laquelle Casilda et moi étions confrontés à l'intérieur des services secrets cubains.

"Vous, moi, Magnolia — il eut un sourire de connivence pour me montrer à quel point il était au courant de notre dossier —, nous sommes ce qu'on appelle des agents d'influence, non pas de ces matamores à la James Bond. Nous leur servons de sous-marins, nous pêchons en eau trouble, nous détectons la perle rare, l'information précise et détaillée qui permettra d'établir l'existence d'un complot destiné à déstabiliser notre pays. En second lieu, nous essayons de voir qui sont nos ennemis irréconciliables et ceux qui peuvent se transformer, le cas échéant, en amis ou en alliés." Le monsieur sourit à nouveau pour me faire mieux comprendre la finesse du travail qu'on attendrait de moi. Au passage, il me demanda de choisir un pseudonyme, un détail dont je me fichais et auquel il ne sembla pas accorder grande importance non plus.

"Magnolia, un nom de fleur pour Mme Casilda Linares Flores. Et pour toi ? Allons pour Armando, l'amant de la Dame aux Camélias !"

Très professionnel, je lui dis "Puisque je deviens agent d'influence, pouvez-vous m'indiquer l'attitude à suivre

face à l'embargo américain. Dois-je commencer à créer
un lobby contre l'embargo ?"

En entendant ma question, l'homme me regarda
comme si j'étais la chose la plus drôle du monde, il avala
une rasade de whisky de travers, se mit à tousser, à rire
et à cracher en même temps. J'attendis qu'il se calme.

Quand il reprit ses esprits, je l'entendis me dire : "Sans
blague ! Tu es à pisser de rire, Ricky !"

Ni Ricardo ni Armando. Pour me prouver que nous
étions devenus de vrais potes, il utilisait ce diminutif
américain que je déteste parce qu'il pensait sans doute
me faire plaisir. Puis il prit une tête de circonstance et
ajouta "Le monde entier respecte notre île ! Voilà pourquoi tu vas gueuler haut et fort pour demander qu'on
resserre l'embargo sur nous. Vois-tu Ricky, si les diri-
geants de l'exil n'avaient pas développé cet instinct fatal
de ghetto et s'ils ne répondaient pas comme ils le font
aux intérêts américains plutôt que de se soucier du bien-
être du peuple cubain, ils seraient les premiers à lutter
contre l'embargo. Les Cubains de Miami sont pris au
piège de leurs propres contradictions."

Il avait quasiment vidé la bouteille de Chivas et notre
rencontre touchait à sa fin. Lorsque je lui demandai si je
devais faire un stage ou un voyage à Cuba, le journaliste,
plus levantin que jamais, eut un large geste de la main
pour signifier que c'était pure perte de temps.

"Tous les deux mois, nous aurons des conversations
aussi agréables que celle-ci. Tu me rendras un rapport
tapé à la machine et je te raconterai dans le détail ce qui
se passe à Cuba. Nos victoires et nos défaites. Pas de
langue de bois, mon frère, rien que du vrai. Je serai à
Toronto, voyons..."

Il sortit un minuscule carnet avec une couverture en
cuir qui avait déjà bien vécu. "Le 5 septembre de cette
année 1980, la première, je l'espère, d'une glorieuse
décennie."

Il griffonna sur un papier l'adresse d'un bar à Toronto,
le jour, le mois et l'heure où nous devions nous y
retrouver.

"Tu vois, Ricky ? Pas besoin de ces gadgets dont ils

raffolent dans les films d'espionnage. J'utilise le plus sous-développé de tous les moyens : un stylo-bille et une feuille de papier. Deux types qui se fixent un rendez-vous. A propos de rendez-vous... Si un jour par hasard et malgré nos précautions la police d'un pays quelconque nous surprend ensemble, notre alibi sera le même : nous sommes deux journalistes cubains, l'un révolutionnaire, l'autre contre-révolutionnaire. Si le président des Etats-Unis reçoit le président de l'Union soviétique chez lui, je ne vois pas pourquoi deux compatriotes d'opinions divergentes et journalistes de surcroît ne pourraient pas discuter tout en campant chacun sur leurs positions idéologiques. Voilà le plan, Ricky, O.K. ! Soit dit en passant, je préfère avoir affaire à un brave flic canadien plutôt qu'à un des ces enfoirés de la CIA."

Il partit d'un grand rire et me claqua dans le dos avant de s'effacer.

"Dans deux mois à Toronto", dit-il sur un ton caricatural de mauvais mélodrame. »

Pendant dix ans, Ricardo Alvarez maintient ses accords avec les services d'intelligence cubains. Il rencontre son contact le plus souvent au Mexique, parfois aussi aux Etats-Unis, profitant de ce no man's land babylonien qu'est le siège de l'ONU à New York. En juin 1987, Telmo (le pseudonyme de son comparse) annonce à Ricardo :

« Tu peux me féliciter, Ricky : on m'envoie en Asie... pas en Chine populaire, par la barbe de Marx et de Lénine ! (c'était son juron préféré), mais au Japon, mon frère, au pays du Soleil levant. A moi le saké, les machines vidéo, les matchs de sumo et les incomparables geishas. Prenons une cuite pour fêter l'événement, Ricky ! » Ils se retrouvent dans un bar sophistiqué de l'hôtel Kingston. Telmo commande une bouteille du meilleur rhum jamaïcain et demande au DJ de mettre un air de reggae.

« Quels magnifiques peuples que le jamaïcain et le cubain ! L'un a inventé la rumba, l'autre le reggae. Quant au rhum, je leur donnerais un prix d'excellence ex aequo.

Le rhum révolutionnaire, bien entendu, pas cette merde de Bacardi d'exportation ! »

Telmo fait honneur au rhum jamaïcain et, malgré son incroyable résistance à l'alcool, il semble un peu gris et légèrement neurasthénique.

« La perestroïka... la glasnost... mais à quoi joue ce con de Gorbatchev ? Foutre la merde sans rien proposer en échange ? Il est en train de mettre le feu aux poudres. Les Polonais s'agitent, les Hongrois jubilent et s'y croient. Quant aux Allemands de l'Est, il n'est pas sûr qu'ils résisteront aux tentations de l'Ouest. Seuls les Bulgares restent fidèles à eux-mêmes. Les femmes sont laides et les hommes puent, mais chez eux quelle discipline, Ricky ! Si les Bulgares tenaient les rênes à Moscou, nous serions sûrs d'avoir le communisme jusqu'au Jugement dernier !

— Et à Cuba ? Gorbatchev n'a pas encore fait d'émules.

— Ricky ! Tu connais Fidel ! Non, c'est vrai, tu ne le connais pas personnellement comme moi. Il y a quatre fous et deux inconscientes qui ont déjà commencé à danser la salsa au son de la perestroïka et de la glasnost ! Malheur à eux et peine perdue ! Fidel reste le seul maître à bord. L'Union soviétique peut s'écrouler comme un château de cartes, notre barbu national maintiendra le cap, envers et contre tout. A lui ! Levons nos verres à sa santé ! »

Entre 1987 et 1990, Ricardo Alvarez aura droit à deux nouveaux interlocuteurs beaucoup moins pittoresques et spontanés que Telmo. Des apparatchiks compétents et sérieux qui ne mélangent jamais plaisir et mission. Armando, quant à lui, commencera à s'ennuyer.

Casilda Linares Flores et son amant discutent souvent de leurs rencontres avec les Cubains. Ils se mettent d'accord sur le type d'informations à transmettre pour garder la confiance de leurs contacts sans nuire à leurs amis communs de Miami. Mais, avec le temps, Ricardo remarque un changement subtil dans le comportement de sa compagne : elle s'intéresse de plus en plus à l'Amérique latine et son intérêt pour Cuba semble passer au second plan.

« Les dictatures militaires auxquelles nous avait habitués le nouveau continent sont en train de disparaître progressivement. Dans beaucoup de pays d'Amérique latine on assiste à l'apparition d'un semblant de démocratie. Les exilés argentins et chiliens peuvent aujourd'hui rentrer chez eux sans être inquiétés. Le continent semble préférer à tout prix la paix à la violence.

Cette situation nouvelle passionne Casilda qui se penche tout particulièrement sur le sort des Indiens du Mexique, du Guatemala, du Pérou et de sa Bolivie natale. Et puis, un soir, le Mur de Berlin tombe. Casilda me réveille en pleine nuit.

"Qu'est-ce qu'on fout ici, Ricardo ? C'est en Europe de l'Est que l'histoire avec un grand H est en train de se faire. Allons voir sur place !"

Chacun de notre côté, nous prévenons nos contacts cubains que nous avons l'intention de prendre des vacances. Aux amis de Miami, nous disons que nous partons traverser la cordillère des Andes à dos d'âne, comme Simon Bolivar. A Berlin, nous achetons une Mercedes Benz et nous nous lançons à la découverte des anciens bastions du communisme. Varsovie, Moscou, Sofia, Bucarest, Budapest... Partout, nous trouvons la même ambiance d'allégresse et de confusion, d'espoir où perce le plus souvent un nihilisme désespéré. "Nous avons eu un passé ténébreux, monsieur, me dit un jour un vieil écrivain hongrois, notre présent est lourd et notre avenir chargé de mauvais présages." »

En fin de parcours le couple s'arrête à Prague, conquis par la beauté de la vieille ville. Ils apprennent à bien connaître les vinarnas et les restaurants de Mala Strana peu fréquentés par les touristes. Ils flânent dans les dédales de rues étroites autour de Hradcany, l'imposant château hanté par Kafka. Ils finissent par ne plus vivre que la nuit pour éviter le troupeau des visiteurs et des guides étrangers. Un soir, appuyés à la balustre du pont Charles, non loin de la statue de Jan Nepomuk, ils contemplent les flots jaunes et houleux de la Moldau lorsque Casilda annonce à son amant qu'il est temps pour elle de terminer sa mission avec les services secrets cubains et de rompre les liens qui l'unissent à lui depuis tant d'années.

« La discussion avait démarré sur le pont Charles et s'était poursuivie de taverne en taverne autour de grands verres de bière brune, de saucisses fumantes et de pain noir trempé dans l'huile et frotté à l'ail. Casilda m'avoua le choc qu'avait été pour elle ce voyage. Ce n'était pas tant l'état de délabrement laissé derrière lui par le communisme dans tous ces pays qui l'inquiétait, non, le plus inquiétant était l'arrivée massive de tous ces faucons de l'industrie occidentale se battant pour construire un miroir aux alouettes sur les débris du vieux monde communiste. "Je crois, Ricardo, m'a-t-elle dit, que personne ne se fait d'illusions. Ce n'est pas la liberté qui triomphe dans cette partie du monde mais le dollar, et ce rêve du mode de vie à l'américaine tellement ancré dans la mémoire collective des peuples. Souviens-toi en Bohême, à Cracovie, à Buda, comment les yeux des gens s'illuminaient lorsque nous leur annoncions que nous venions de Miami. C'était comme arriver en direct du paradis. J'ai un cousin, un oncle, un frère... tous avaient dans leur entourage quelqu'un qui avait émigré aux Etats-Unis et ils jubilaient à la simple pensée d'avoir un jour connu quelqu'un qui venait de là-bas, de l'autre côté de l'Atlantique. Si c'est comme ça ici, imagine ce qui se passera quand les Cubains de Miami reviendront, ne serait-ce qu'en visite à Cuba, les valises pleines de dollars, de jeans, de hot-dogs et de Coca-Cola ? Adieu Révolution, ne restera de toi qu'un souvenir enfoui sous le sable, tels les monuments de Ninive et de l'ancienne Babylone !

— Ce n'est pas évident. Le peuple cubain a des ressources et une sorte d'orgueil national qui l'a sauvé à maintes occasions

— Soit. Votre orgueil, votre combat et votre île.

— Qu'est-ce que cela veut dire, Casilda ?

— Que je rentre chez moi. J'ai envie de faire ce que je ne me suis jamais donné le temps de faire : m'intéresser à mon pays et aux miens. L'Indienne en moi réclame le retour à sa propre vérité. " »

Ils se retrouvent à l'aube place Staromestské, assis au pied du monument érigé à la gloire de Jan Hus. La ville dort encore et la circulation est réduite au passage de quelques vieux tacots bruyants. Toute la nuit Ricardo a essayé de la convaincre de partir ensemble en Bolivie. A bout d'arguments, il n'hésite pas à dire que du sang indien coule aussi dans ses veines.

« "Les Sierra venaient du Mexique. Souviens-toi de ce jour à Cuernavaca où tu m'as dit qu'à la lumière du crépuscule j'avais une tête de prince aztèque", lui ai-je dit. Mais à cette heure Casilda n'était pas d'humeur badine. Elle baissa la tête et me laissa faire mon numéro de clown. Il faisait frais et nous étions assis, serrés l'un contre l'autre, sur les marches de pierre. Deux orphelins abandonnés dans un monde chaotique. Elle releva la tête pour me dire...

"Ces derniers jours, j'ai surpris en toi le regard dont je t'avais parlé.

— Quel regard, de quoi parles-tu ?

— Ce regard d'observation clinique que tu poses sur moi, et ces coups d'œil admiratifs pour les belles et jeunes créatures que nous avons croisées.

— Tu délires, Casilda ! Ni mon regard ni mes sentiments pour toi n'ont changé d'un pouce. Au contraire. Je te respecte chaque jour un peu plus. Je t'admire. Et je t'aime autant qu'avant.

— Aujourd'hui. Maintenant. Mais de façon implacable, le temps va faire son travail sur mon visage et tu sais que je ne suis pas femme à utiliser des moyens artificiels pour maintenir un semblant de jeunesse. Ni femme à voir son amant, dans la splendeur de sa maturité, s'intéresser à d'autres. Tu finiras par me tromper sans que je puisse contrôler tes impulsions de jeune mâle. Je te ferai d'amers reproches. Mes crises de colère deviendront d'une rare violence. Je me connais et je ne veux pas me retrouver dans cette situation. Car je suis capable de t'arracher les yeux. Quittons-nous en amis, Ricardo. Nous

garderons ainsi, jusqu'à l'heure de notre mort, le souvenir de la belle aventure qui a été la nôtre."

Je savais qu'elle avait raison. Son visage défait creusé
par la fatigue et l'émotion parlait pour elle. Si fière de sa
beauté, elle n'en acceptait pas la lente dégradation. Les
filles d'Europe de l'Est, avides de vivre, laiteuses et sexy
et qui m'envoyaient des regards provocants et pervers
avaient réveillé mes fantasmes. Avec son instinct infaillible des choses de la vie, Casilda s'en était aperçue. Si
elle s'était tue, c'est parce qu'elle avait dû comprendre
bien avant moi que nous portions dans nos bras le
cadavre d'une passion défunte. Nous nous sommes
quittés ce soir-là, à Prague. Elle a pris l'avion pour La
Paz et je suis rentré à Miami. »

Ricardo Alvarez ouvre les yeux et se redresse sur le lit
pour mieux affronter son beau-frère.

« Voilà, Julian, tu sais tout, voilà où j'en suis aujour-
d'hui. Ne t'étonne pas si je t'ai choisi pour te faire des
confidences.

— Rien ne m'étonne, mais je voudrais seulement
savoir pourquoi ? »

Ricardo ne répond pas. Il se masse lentement les
tempes, cale sa tête contre l'oreiller avec d'infinies précautions, comme si elle allait se casser.

« Quand tu nous a rencontrés, Emma, le groupe et
moi, ils ont tous pensé que j'étais jaloux de toi. Le grand
frère qui s'insurge contre l'inconnu venu lui enlever sa
sœur chérie. Ils se trompaient, et toi le premier. Je ne
pouvais pas te raconter, à l'époque, ce qu'avait été notre
enfance. L'histoire de Cuba nous bouffait la vie.
Comment vivre avec une mère perpétuellement en deuil
et pleurant un mari absent ; avec l'image d'un père
héroïque, emprisonné pour avoir voulu défendre la
liberté de son pays ? Comment vivre au milieu de gens
qui pleuraient un pays et une époque que nous n'avions
pas connue ? Comment supporter, après tant d'années,
ce bras de fer entre Cuba et l'exil, ce désir inavoué de
beaucoup de Cubains de Miami de se trouver un jeune
Fidel Castro contre-révolutionnaire capable de tenir tête

au vieux barbu de La Havane ? C'est eux qui nous ont transformés ma sœur et moi en objets de culte. J'ai remercié le hasard qui a voulu que tu croises le chemin de ma sœur. Je ne souhaitais rien d'autre pour elle. Un garçon rencontre une fille, ils tombent amoureux, ils se marient et ont beaucoup d'enfants. C'était pour moi le scénario idéal. Je me disais : une fois mariée et mère de famille, Emma sera obligée de mettre un frein à ses activités politiques. Un meeting par-ci, un défilé par-là, quelques campagnes de récolte de fonds pour la lutte anti-castriste et la vie normale prendrait le dessus. Connaissant ma sœur, je savais qu'elle était capable de te suivre à Boston si tu le lui demandais. Souviens-toi, je t'en avais parlé, Julian.

— Oui, et à l'époque je t'ai répondu : je ne veux pas forcer son choix. Partir à Boston, ce serait pour elle s'exiler une seconde fois. Nous verrons plus tard.

— Ce plus tard n'a cessé de reculer et vous êtes restés ici.

— Oui, nous sommes finalement restés. »

Cette phrase lourde de nostalgie et d'un insupportable sentiment d'échec pour tous les deux met un point final à leur conversation.

Julian se lève, s'étire et reste un instant immobile devant Ricardo qui vient de refermer les yeux.

« Que comptes-tu faire, Ricardo ?

— Rendre visite au Capitan Al sur son île. Te souviens-tu quand mon père est arrivé de Cuba que je n'ai pas dessaoulé pendant trois jours ? Les gens ont pensé que je noyais dans l'alcool ma honte de voir mon père refuser de faire une déclaration politique. Personne ne se doutait que je fêtais son silence et son refus de participer à une quelconque forme d'engagement public à Miami. Je fêtais à la fois ma joie et mon chagrin. Car j'avais reçu l'ordre via Telmo d'accabler mon père dans mes articles. Je vais aller voir le Capitan Al et tout lui expliquer, mais auparavant, il faut que je parle à ma sœur.

— Veux-tu que j'intercède auprès d'elle ?

— Non. A mon retour de Prague, il m'est arrivé, alors que je me trouvais pour mon travail face à des caméras de télévision, d'être pris d'une envie d'interrompre mes commentaires et de passer aux aveux. Ce côté théâtral me plaisait. Tout avouer publiquement et m'offrir en pâture à la foule haineuse, au lynchage collectif. Mais chaque fois que j'y pensais, l'image de ma sœur s'interposait. Je me retrouvais comme dans mon adolescence où le point de vue d'Emma conditionnait tous mes faits et gestes. Je veux qu'elle sache, pour me libérer de ce poids... Ce que je ferai ensuite ? Je n'en sais rien, Julian, je n'en ai pas la moindre idée. »

Ricardo se met la tête sous l'oreiller, une façon de tirer le rideau, de se couper du monde, d'indiquer à Julian qu'il n'a plus rien à ajouter.

Quand il rentre chez lui, Julian Sargats trouve sa femme endormie. Elle a laissé une note sur l'oreiller lui demandant de ne pas la réveiller et de la laisser dormir tard la matinée. Elle lui demande aussi d'insister pour que Ricardo vienne déjeuner avec eux.

Julian retire avec délicatesse les cheveux qui tombent sur son visage et observe sa femme, cherchant à retrouver dans ses traits assoupis l'adolescente qu'il a aimée. De fines rides se sont formées autour des yeux et au coin de ses lèvres où est posé ce demi-sourire énigmatique qu'il aime tant lorsqu'elle dort.

Puis Julian prend un papier et note que son frère Ricardo a des choses importantes à lui dire.

« Je préfère vous laisser seuls. Je vais au bureau terminer un article », écrit-il, rappelant à Emma qu'ils doivent dîner le soir avec Ciro, de passage à Miami, au restaurant du Floridita. Puis, indécis, il griffonne au bas de la page : « Sois indulgente avec Ricardo. »

Il passe une bonne partie de la matinée à rédiger l'introduction du livre qu'il doit publier en janvier 91 : *Le Sentiment tragique de la vie*, de Miguel de Unamuno. Il voudrait mettre en valeur le côté lumineux de l'œuvre du philosophe, mais à la quatrième version du même paragraphe, il s'arrête, découragé par son manque de concentration. Il éteint son ordinateur et s'allonge sur le canapé pour faire une courte sieste et laisser venir l'inspiration. Il dort d'un sommeil agité et, à sa grande stupéfaction, se réveille deux heures plus tard. Il descend à la cafétéria de l'immeuble, célèbre pour ses exquises tartes au citron, prend son temps pour déjeuner en parcourant le *Miami Herald,* partagé entre l'idée d'attendre le soir pour voir Emma et le désir de l'appeler pour savoir comment s'est passée la conversation avec Ricardo. Curiosité et inquiétude finissent par l'emporter. Il se dirige vers la cabine du téléphone, compose le numéro, laisse sonner longtemps. Personne ne répond. Est-elle sortie sans brancher le répondeur ou est-elle toujours en train de discuter avec son frère ?

Le soleil brille sur Miami et quelques nuages en écharpe flottent dans le ciel d'un bleu étincelant. La température s'est adoucie, ce qui rend plus insolite encore les arbres de Noël saupoudrés de neige blanche et les vitrines en fête.

N'ayant pas le courage de remonter à son bureau, Julian se laisse entraîner par la douceur de l'après-midi et commence à flâner dans les rues encombrées de downtown, l'occasion de trouver un petit cadeau pour Emma en cette veille de Noël. Dans la vitrine d'un antiquaire, un vase de Murano attire son attention, ainsi qu'un poudrier Art Déco comme ceux qu'aimait Magdalena Sargats avant d'entrer en religion. Un éventail, « authentiquement andalou » précise l'étiquette, pourrait aussi enrichir la collection qu'Emma a commencée à Séville. « Les bonnes fées sont avec moi », pense-t-il alors qu'il déniche au fond du magasin une poupée mécanique de cinquante centimètres, fidèle reproduction de Tina Turner en caoutchouc, moulée dans une petite robe à paillettes. La poupée fait des mouvements saccadés des hanches et laisse échapper dans un filet de voix métallique une chanson à succès de la star rock. A chaque Noël ils rivalisaient d'imagination pour savoir qui offrirait à l'autre l'objet le plus kitsch. C'était un jeu entre eux.

Julian paie trente-cinq dollars pour cette horreur, demande qu'on enveloppe le verre de Murano et le poudrier et ressort très content de lui. A quelques rues de là, il se retrouve devant un cinéma qui ne projette que des vieux films européens. A l'affiche *Vivre sa vie* de Jean-Luc Godard, qu'il avait vu à New York quand il était étudiant à Harvard. Il ne se rappelle pas du tout l'histoire — sans doute comme dans beaucoup de films de Godard n'y avait-il tout simplement pas d'histoire — mais il se souvient parfaitement de la présence rayonnante de l'actrice Anna Karina. Comment les yeux d'Anna Karina, son sourire, sa gaieté vitale et sa fantaisie crevaient l'écran.

« C'est exactement ce qu'il me faut. Ou ce film me remonte le moral ou il m'achève », pense-t-il en glissant la monnaie à la caissière.

La salle est petite et quasiment vide — conditions idéales à ses yeux — et il se laisse embarquer avec jubilation dans ce petit morceau d'anthologie qui pour lui n'a pas d'équivalent au monde. L'étrange fusion entre la beauté et le jeu si spontané de l'actrice et le langage du réalisateur exerce sur lui un charme dépaysant. De ces films qu'on retient, se dit-il — Louise Brook dans *Loulou*, Greta Garbo dans *La Dame aux camélias*, Marlene dans les films de Steinberg, Kim Novak dans *Vertigo*, Anna Karina dans *Vivre sa vie*.

Dehors le jour commence à tomber et le trafic est à son comble. Titubant et éperdu de reconnaissance pour la brune aux yeux clairs qui lui a fait oublier, le temps d'un film, les désordres de sa vie, il entre dans le bar le plus proche pour boire un verre en son honneur.

Après deux daïquiris bien frappés bus religieusement, Julian reprend le chemin de sa tour. Au mur, l'horloge marque dix-huit heures trente-sept mais pas le moindre message d'Emma sur le répondeur. Il tente de la joindre à nouveau, sans succès. Il entreprend de prendre une douche et de se raser car cette nuit mouvementée lui a laissé une ombre drue sur le menton. Il est barbouillé de mousse quand la sonnerie du téléphone retentit. Julian se précipite et décroche.

« Emma ?
— Non, Ciro. »
Suit un de ces silences paralysés annonciateurs de catastrophes.
« Quoi, qu'est-ce qu'il y a ? Dis-moi !
— Ricardo... il s'est tué sur l'autoroute du Sud. »

Avant de téléphoner à Julian, Ciro était passé à la maison de Coral Gables. Il avait sonné mais personne n'était venu ouvrir. La maison était plongée dans l'obscurité et pourtant il avait l'étrange pressentiment qu'Emma était à l'intérieur... Toutes les craintes de Julian se trouvent d'un seul coup confirmées. Il imagine sans difficulté Emma recroquevillée quelque part, toutes lumières éteintes, répondeur débranché, laissant le téléphone sonner, ne prenant pas la peine d'ouvrir au visiteur qui frappait à sa porte. C'est ainsi qu'elle réagissait chaque fois qu'elle se sentait incapable de changer le cours des choses, elle se refermait comme une huître.

Julian et Ciro passent une partie de la nuit à régler les formalités d'usage en de telles circonstances. Il faut transporter le cadavre de Ricardo de la morgue aux salons funéraires Caballero, du nom des célèbres pompes funèbres de La Havane qui ont déménagé à Miami au moment de la Révolution.

A la morgue, Julian et Ciro rencontrent l'officier de police qui a ramassé son beau-frère sur la route, un Noir américain immense et débonnaire.

« Jamais vu un accident pareil ! On aurait dit qu'il le faisait exprès. J'ai vu la bagnole qui roulait comme un bolide sur l'autoroute prendre à toute allure un virage, s'engager sur une route secondaire et s'écraser contre le mur en béton de l'usine d'en face. Une mort programmée, nette et franche, comme si la victime ne voulait pas gêner la circulation ni mettre personne en danger ! »

Les programmes espagnols de la radio et de la télévision ont diffusé la nouvelle et déjà la foule se presse chez

Caballero pour rendre hommage au journaliste disparu.
Des hommes et des femmes de tous âges se sont déplacés
pour manifester leur tristesse devant la disparition de
celui qui a été le critique le plus virulent du régime castriste. Julian Sargats laisse Ciro organiser le lent défilé
devant le cercueil et s'esquive discrètement à la recherche
d'un taxi.

*Je la trouve prostrée dans l'obscurité, telle qu'elle a dû
rester après la discussion avec son frère, recroquevillée
au fond d'un fauteuil, les rideaux fermés, toutes lumières
éteintes. Une chatte blessée à mort.*

*Epuisé par les événements de la nuit et cette longue
journée d'attente, je m'écroule sur l'autre fauteuil.*

*Nous aurions pu rester ainsi des heures, des mois, nous
quitter sans prononcer un mot. Mais il y avait cette
phrase que j'avais écrite la veille sur le mot que je lui
avais laissé : « Sois indulgente avec Ricardo. »*

*« Ce mot m'a révolté, Julian, parce qu'il est vraiment
révélateur. Mon frère, lui, n'a jamais demandé l'indul-
gence. "Juge-moi sans concessions, Emma, m'a-t-il dit.
Je ne ferai pas d'appel ni de recours en grâce."*

— Et tu l'as condamné.

*— Oui, je l'ai condamné car rien ne pouvait expliquer
sa trahison. Ni son amour pour Casilda, ni le fait qu'il
prétendît vouloir nous protéger : nos parents, nos cousins, Rudi, toi-même... Rien ne pouvait l'excuser, encore
moins sa curiosité professionnelle. "Je voulais connaître
la réalité de Cuba", m'a-t-il dit. "La vérité de l'exil..."
De piètres excuses... Mon frère et moi avions signé un
pacte, ce lien moral qui nous unissait était pour moi indé-
fectible : tout pouvait s'écrouler autour de nous, tous
pouvaient nous abandonner ou nous trahir... notre force
venait de notre mutuelle loyauté. Je n'aurais jamais, sur
ma vie, rompu cet accord. Il le savait. Ce n'était pas un
jeu d'enfant. Chacun de nous devait prendre ses responsabilités. Ce que j'ai fait. C'est une question de respect
de soi-même. Tenir parole, quoi qu'il arrive. Si j'ai pu et
su le faire, pourquoi pas lui ? »*

Elle se redresse sur son siège et cherche mon regard dans la pénombre.

« *Entre toi et moi, il n'y a jamais eu d'accord ni de pacte, Julian. Notre relation était d'un autre ordre. A toi et à toi seul j'ai dévoilé mes inquiétudes et mes angoisses. Quand je t'ai rencontré, quand je suis allée vers toi et que tu m'as ouvert les bras, j'avais la certitude que tu étais le seul capable de me comprendre.*

— *Je t'ai comprise. Du moins, ai-je essayé de te comprendre.*

— *Non, tu m'as aimée d'un amour aveugle, en pensant que l'amour serait un bouclier contre le monde extérieur. Il l'est peut-être pour ceux qui vivent en dehors de la réalité. Ce n'était pas mon cas, pas notre cas.*

— *Depuis le premier jour, depuis notre nuit d'amour à Key Largo, je t'avais avoué mes réticences, ma méfiance, mon horreur de la politique. Tu étais au courant.*

— *Oui, je l'avais entendu et je l'avais accepté. Mais ces derniers temps, j'ai découvert un autre aspect de la question auquel je ne m'attendais pas. Après le retour de mon père et son désir d'isolement, j'ai beaucoup réfléchi. Avait-il raison ? Non. Je me suis rendu compte que nous étions tous dans l'erreur. Lui, moi, toi, des milliers d'autres. La politique n'est qu'une anecdote dans la vie de chacun. Le vrai combat se trouve ailleurs. Il est plus exaltant et plus exigeant. Je veux parler de la lutte entre le Bien et le Mal, Julian. Car c'est de cela qu'il s'agit depuis le début des temps. C'est notre unique bouée de sauvetage, ma seule façon de résister et de survivre à ce raz de marée qui menace de nous emporter tous : la vénalité, la médiocrité, le mensonge... Ricardo s'est laissé entraîner par le courant... et il s'est noyé.* »

Ce ne sont pas ses mots qui me frappent le plus, mais le ton de sa voix. La peur fait place à l'étonnement. Une peur glaciale qui me paralyse.

J'ai aimé cette femme, j'ai vécu presque vingt ans à ses côtés sans me rendre compte de ses véritables enjeux. « Le combat entre le Bien et le Mal ». En plaçant sa lutte sur le terrain métaphysique, absolu, elle a coupé les ponts avec la réalité concrète et immédiate de la vie. Sans doute n'ai-je pas su lire les messages qu'elle m'envoyait. Sa détresse profonde devant l'attitude de son père, je n'ai pas su la mesurer. Je ne lui offrais en échange que de pauvres palliatifs inventés par mon amour : des voyages en Europe et l'assurance que je l'aimerais toujours. Sans jamais me le dire, Emma rêvait sans doute d'un autre comportement de la part de l'homme qu'elle avait choisi d'épouser. J'aurais dû... Qu'aurais-je dû faire ?

« Nous avons vécu toutes ces années à côté l'un de l'autre, au bord d'un abîme... », dit-elle comme si elle lisait dans mes pensées.

Je lui avoue qu'à mon tour j'ai eu cette sensation, sans jamais trouver le pont qui me relierait à elle. Puis je lui rappelle cette fin d'année 1989 quand, à la lecture de la chute du Mur de Berlin, tous les Cubains de Miami exultaient en s'imaginant que cela provoquerait la chute de Fidel Castro. Les uns préparaient déjà leurs bagages, les autres essayaient d'imaginer comment, de retour dans leur pays natal, éviter les vengeances personnelles, le bain de sang, la violence et le chaos.

« Toi-même tu étais prête à tendre la main pour participer à cette aventure de réconciliation. Tu parlais déjà de nos futures promenades sur le Malecon.

— C'était un moment d'euphorie passager, un espoir vite déçu, comme tant d'autres. Un conte de fées. J'ai remis mes poings dans mes poches... mais toi, hier soir, tu as serré la main de Ricardo.

— J'ai serré la main de ton frère, Emma. Par amitié pour lui. Par amour pour toi. »

J'entends le bruissement de sa robe. Elle se lève, se dirige lentement vers la porte-fenêtre qui donne sur le jardin.

« Avant de me quitter, Ricardo n'a pas plaidé pour lui mais il a insisté pour que je te libère. "Libère Julian, m'a-t-il dit, libère-le." Il y a longtemps que j'aurais dû le faire. L'amour t'enchaînait à moi, et c'est par amour que j'ai accepté cet esclavage. Je prenais ton refus de participer à la vie politique pour une boutade, comme une force qui m'aidait à tenir. Tu étais toujours là, Julian, tout pouvait

s'écrouler autour et tu étais toujours là. Ricardo, par son acte, m'a mise en face de ma propre lâcheté. Trop de crimes dans ce monde sont commis au nom de l'amour. Je te rends ta dignité, Julian, et je reprends ma liberté. »

Elle ouvre le rideau. La lumière blanche et aveuglante me fait l'effet d'une gifle. Je lutte contre le désir de la prendre dans mes bras. Son visage est défait, vieilli. La femme meurtrie qui a pris la place de la jeune fille que j'ai aimée n'admettra ni pitié ni regrets.

Key West. Eté 1995

Julian Sargats ne voyage jamais, ne serait-ce que pour un court déplacement, sans emporter avec lui une mallette en daim pourvue d'une fermeture dotée d'un code secret dont il est le seul à détenir la formule.

Cet objet qui lui est devenu indispensable ne manque pas d'éveiller la curiosité de ses collaborateurs qui se sont mis, chacun à sa façon, à échafauder des théories saugrenues sur l'hypothétique contenu de cette mallette. La conclusion la plus logique qui s'est imposée est la suivante : elle contient le manuscrit auquel Julian Sargats dit se consacrer depuis plusieurs années : une étude sur les mystiques espagnols Jean de la Croix et Thérèse d'Avila. Mais cette théorie est tombée à l'eau depuis qu'on le voit transporter avec la fameuse mallette un ordinateur portable qui rendrait peu crédible l'existence d'un gros manuscrit tapé à la machine.

Diane, la secrétaire de Julian, a eu le mot de la fin.

« Ce qu'il y a dans la mallette de mon patron ? Son pyjama et sa brosse à dent. »

Un autre détail de la vie de Julian Sargats obsède ses collaborateurs : ses fréquents voyages à Key West, un endroit touristique dont il a toujours dit pis que pendre. Par l'intermédiaire de Diane Weston, originaire de la région, il a loué un bungalow à l'année dans le Conch Key Cottages, à la sortie de la route 1, sur le MM 62.5, se trouvant sur une presqu'île reliée à la terre ferme par le pont de Key West.

A mesure que ses séjours là-bas se multiplient, son entourage commence à jaser sur l'éventualité d'une histoire d'amour secrète. Personne ne serait surpris de l'entendre un jour annoncer son mariage ou de le voir tout quitter pour s'installer avec une nouvelle compagne sur ce bout de terre désolé.

L'été 93, Diane Weston, qui avait l'habitude de passer ses vacances au Nevada ou dans le Connecticut, vint passer un mois dans sa famille à Key West.

Elle y croisa Julian Sargats à plusieurs occasions et confia, étonnée, ses impressions au reste de l'équipe.

« Il habite un bungalow de deux pièces. Sur sa table de travail, son ordinateur est toujours en marche et la mallette est posée sur une chaise, hermétiquement fermée. Les gens du coin le connaissent et le respectent bien qu'il n'ait avec eux que des rapports distants. Au cours de mes promenades, j'ai pu l'observer de loin. Il marche souvent à la pointe extrême de l'île et reste des heures assis à contempler la mer. »

Ses collaborateurs s'étaient inquiétés d'y lire les signes d'un état dépressif. Pourtant leur patron remplissait son rôle comme à l'ordinaire. Il était entreprenant, efficace et énergique, et le prestige de sa maison d'édition était à son apogée. Après tout n'avait-il pas le droit de choisir sa retraite et ses moments de détente ? Ses collaborateurs une fois tranquillisés, tout était rentré dans l'ordre.

Ce matin-là Julian Sargats arrive à Conch Key Cottages et rend une visite de courtoisie à quelques personnes de sa connaissance. Au directeur du complexe touristique et sa femme, à son barman préféré, au marin avec qui il part à la pêche de temps à autre, à Aurelia, l'Indienne guatémaltèque dont le mari est mort récemment. Aurelia est aussi sa cuisinière et femme de chambre épisodique. Elle possède deux qualités qu'il apprécie par-dessus tout : elle s'exprime par monosyllabes, concocte une excellente nourriture mexicaine, marche pieds nus dans la cabane et remplit les tâches ménagères avec une extrême discrétion.

Seul dans sa cabane, Julian ouvre sa mallette. Il étale devant lui quelques photos d'Emma à différents moments de leur vie, des lettres échangées par les époux, leur certificat de divorce. Mais le plus précieux de tous les documents, c'est une cassette vidéo longue durée contenant un montage de films amateurs tournés à différentes périodes de leur vie et montés bout à bout. On y voit successivement : Emma Alvarez, son frère et ses cousins s'entraînant dans le camp de Key Largo sous la houlette de Jerry Brown.

Le visage d'Emma en gros plan à l'aéroport de Miami lorsqu'elle annonce que son père se refuse à toute déclaration.

Le grand festival des transformistes de Daytona, Rodolfo-Ruby en Reine de la nuit sous les ovations du public, Emma rayonnante entre son frère et son mari.

Puis après le temps de la fête, vient celui des deuils.

Emma et Julian à l'enterrement d'Elie et Manouchka Epstein, de Jerry Brown, de Laura Sierra, de Rodolfo...

Emma brillant par son absence à l'enterrement de son frère Ricardo. Julian, lunettes noires, visage creusé, serrant la main d'amis et d'inconnus venus faire leur adieu au journaliste disparu.

Enfin l'extrait d'une entrevue télévisée.

« J'ai renoncé à mes aspirations politiques et je vais désormais me dédier exclusivement à mon travail d'avocate. Je poursuivrai mon combat contre le régime castriste, bien sûr, mais en militante anonyme », déclare la jeune femme qui semble avoir vieilli de dix ans en quelques mois. Elle refuse d'en dire plus aux journalistes qui la harcèlent de questions, lui demandant si sa démission de candidate aux élections était en rapport avec la mort accidentelle de son frère et son divorce récent avec l'éditeur Julian Sargats.

« Je renonce à la vie publique pour mieux protéger ma vie privée », dit-elle pour clore l'entretien avec un regard sévère qui cloue le bec au commentateur.

Suit un morceau de film tourné par Julian. De sa voiture, il a surpris son ex-femme en train de quitter Coral Gables et se dirigeant vers sa voiture. Au téléobjectif, un long zoom s'attarde sur quelques aspects du décor de sa vie avec une femme qui n'est désormais plus la sienne.

On voit ensuite un bout d'actualités télévisées où une nouvelle vague de Cubains débarquent sur les plages de Floride en août 1994. Des rafiots, des radeaux disparates, des centaines de barques à voile et à moteur. Les *balseros* font la une des journaux télévisés du monde entier. Emma Alvarez participe à l'accueil et serre dans ses bras femmes et enfants.

Sur d'autres images on devine Emma Alvarez en tête d'un cortège de femmes portant des pancartes hostiles aux Cubains de Miami qui se rendent à La Havane pour participer à la première rencontre nationale de réconciliation entre Cuba et les communautés de l'exil.

28 janvier 1995. La Maison de Cuba, à Miami, rend hommage au libérateur de Cuba, José Marti. Emma Alvarez est debout sur un podium, un micro à la main. Elle porte un tailleur sombre qui affine sa silhouette.

Julian coupe le son. Il connaît par cœur le discours de son ex-femme exhortant son peuple à la patience et à la dignité. Fidel Castro est au pouvoir depuis trente-six ans. Le jeune révolutionnaire d'hier, explique-t-elle, est devenu le plus vieux dictateur du monde. Des générations futures de Cubains continueront à rendre hommage à José Marti. Mais l'histoire jugera Fidel Castro. Personne n'oubliera sa dictature de fer, ses fausses promesses, ses trahisons, la honte qu'il a fait subir au peuple cubain et à son île qui n'est plus qu'un bateau à la dérive.

Julian supporte mal les accents brisés de sa femme, cette tristesse insondable qui marque son visage pour toujours.

Il déroule la cassette pour arriver à la dernière image.

Ils viennent de rentrer d'Europe et se sont réfugiés dans un hôtel de luxe. Sur la terrasse de leur chambre, Emma contemple le coucher du soleil. Ses cheveux tombent sur ses épaules, elle est enveloppée dans un long kimono de soie. Il se souvient d'avoir murmuré : « Emm ! »

Elle se retourne, saisit la caméra, sourit.

« Je t'aime, Julian », dit-elle.

Comme chaque fois qu'il se rend à Conch Key Cottages, Julian Sargats quitte son bungalow et se promène le long de la plage à la pointe sud de l'île, un endroit désert qu'il affectionne et connaît bien.

Comme tant d'autres fois, il s'assoit face à la mer et s'adresse au soleil couchant.

« Emma refuse de me voir, malgré toutes mes tentatives, Emma refuse de me voir. "Je te libère", m'a-t-elle dit à la mort de Ricardo. Mais elle se trompe, car je suis toujours enchaîné à elle. Et je sais que ces chaînes tomberont le jour où... »

Immobile, sur ce bout de lagune déserte, il regarde le disque rouge du soleil s'enfoncer inexorablement dans la mer.

Les marins de la région disent que certains jours, à cet instant précis où la luminosité est si claire que le ciel et la mer se confondent, on aperçoit à l'horizon l'île de Cuba se réfléchir dans les flots.

« Le jour où je verrai Cuba, ce sera le signal. Mes chaînes se briseront, Emma, et je serai enfin libéré de toi.

Ce jour-là, je rentrerai à Cuba. Libre de toi. »

L'aile bleue de la nuit répand son ombre sur la lagune. Perdu entre le ciel et la mer, un homme seul attend.

TABLE

Impression réalisée sur CAMERON par
BRODARD ET TAUPIN
La Flèche

pour le compte des Éditions Grasset
61, rue des Saints-Pères, 75006 Paris
en janvier 1997

Imprimé en France
FRHW010406210923
36379FR00002B/42